付録

分冊背表紙シール

使い方
① 赤の破線（------）を切り取る
② グレーの線（——）を山折りに
③ 各分冊の背表紙に貼る

便利！

2025
宅建士合格の **トリセツ**
基本テキスト ① 権利関係

2025
宅建士合格の **トリセツ**
基本テキスト ② 宅建業法

2025
宅建士合格の **トリセツ**
基本テキスト ③ 法令上の制限／税・その他

2025
宅建士合格の **トリセツ**
基本テキスト ④ 重要論点集

合格の LEC
東京リーガルマインド

合格の LEC
東京リーガルマインド

合格の LEC
東京リーガルマインド

合格の LEC
東京リーガルマインド

ペン太の**インデックスシール**①

意思表示	制限行為能力者	時効
意思表示	制限行為能力者	時効
不動産登記法	抵当権	保証・連帯債務
不動産登記法	抵当権	保証・連帯債務
その他の重要事項		共有
その他の重要事項		共有
営業保証金	弁済業務保証金	媒介・代理
営業保証金	弁済業務保証金	媒介・代理

代理	債務不履行・弁済	契約不適合責任
代理	債務不履行・弁済	契約不適合責任
宅建業の意味	建物区分所有法	賃貸借
宅建業の意味	建物区分所有法	賃貸借
事務所	免許	
事務所	免許	
広告等の規制	重要事項説明	37条書面
広告等の規制	重要事項説明	37条書面

相続	物権変動	
相続	物権変動	
借地借家法（借家）	借地借家法（借地）	
借地借家法（借家）	借地借家法（借地）	
事務所以外の場所の規制	宅地建物取引士	
事務所以外の場所の規制	宅地建物取引士	
その他業務上の規制	自ら売主制限	
その他業務上の規制	自ら売主制限	

ペン太の **インデックスシール②**

2025年版 イチから身につく

宅建士 トリセツ

合格の

基本テキスト

イラストで見る
用途地域と標識

宅建士試験を学習していくうえで、具体的なイメージを持ちながら学習を進めることは、より深い知識の定着へとつながります。本書（第3分冊）で学習する「用途地域」と「標識」も、そんなイメージが大事なテーマの一つですが、ペン太とツンツン、コーチが何やらトークしているようです。ちょっとのぞいてみましょう。

TALK
宅建トーク

ペン太

ツンツン

コーチ

用途地域

用途地域って
難しいよね…

言葉じゃイメージ
わかないもんな…

このイラストを見てごらん！

閑静な住宅街
って感じだね！

第一種低層住居専用地域

ここはコンビニも建てられないよ。

じゃ、俺には無理だな。

第二種低層住居専用地域になると…

第二種低層住居専用地域

あっ！コンビニができてる！

では、ここで決まりだね！

俺、見晴らしのいい部屋が好きなんだよな。

第一種中高層住居専用地域

うーん、中高層ってわりには低いな…

6〜7階建てくらいが建つ場所だよ。

ツンツン、さっきから文句ぱっかり！

大きめな店舗も建てられるのか…

第二種中高層住居専用地域

クスリ

葉

おおっ！けっこう便利そうじゃん！

3

ホテルやボウリング場も大丈夫なんだね。

第一種住居地域

にぎやかな感じだけど、
なんか「住居」っぽく
ないかもな…

だから、「住居専用」ではなく、ここからは「住居地域」ってなるんだよ。

へぇ〜！

第二種住居地域

カラオケやパチンコ店も
ある！でも、なんだか落
ち着いて住めなさそう…

俺はこういう街のほ
うが好きだけどな！

大きな国道の沿道に指定されることが多いよ！
車のショールームなんかもある。

通勤とか
便利そうだな！

準住居地域

たしかに！

ここはどういう場所？

田園住居地域

野菜直売

最近、新しくできた用途地域って聞いたぜ！

農地を守りながら住居の環境も守っていこうという趣旨でつくられたんだよ！

急にのどかな雰囲気になったな。

そうだね、具体的な規制内容も、第一種・第二種住居専用地域に近いんだ。

ふ〜ん

近隣商業地域

精肉

日用品の供給を目的とした商店が並ぶ場所というイメージでOKです。

近くの商店街って感じだね！

商業地域

渋谷とか新宿とか、大きな駅の周辺はだいたい商業地域だよ！

No.1

店舗だらけって感じだけど、住宅も大丈夫なの？

ここが一番通勤に便利そうだ！

最近、駅直結のタワーマンションとか建ちはじめているね。

さっきから言ってるけど、ツンツン仕事してたっけ？

……。

ここは
工場があるね！

準工業地域

でも、周囲の環境を悪化
させない印刷工場など
しか許可はされないよ。

たしかに、隣の建物から有害な煙
とかが流れてきたら嫌だもんね。

ここって住宅は
OKなの？

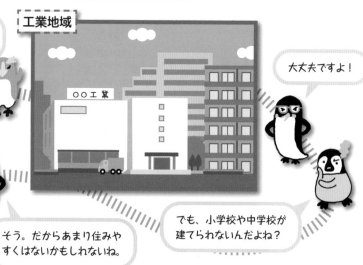

工業地域

○○工業

大丈夫ですよ！

でも、小学校や中学校が
建てられないんだよね？

そう。だからあまり住みや
すくはないかもしれないね。

俺、ここには
住みたくない！

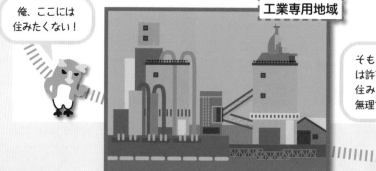

工業専用地域

そもそも住宅の建築
は許可されないから、
住みたいと思っても
無理ですね。

標識

宅建業法の「事務所」の項目で「標識を設置する」って書かれているけれど、どういうもの？

こういうものです！

宅地建物取引業者票		
免　許　証　番　号	国土交通大臣 知事	（　　）第　　　　　号
免　許　有　効　期　間	年　　月　　日から 年　　月　　日まで	
商　号　又　は　名　称		
代　表　者　氏　名		
この事務所の代表者氏名		
この事務所に置かれている 専任の宅地建物取引士の数	（宅地建物取引業に従事する者の数　　　　　人）	
主たる事務所の所在地	電話番号（　　　　　）	

標識（事務所）

文字だけで学ぶのとは全く違うな！

イメージがわかないと覚えにくいよね…

これって業者が作るの？

そうだよ。各業者が自分で作って掲示するんだよ。

専任の宅建士になると、ここに名前が書かれるのか！

人数が多い場合「別紙に掲載」と書いて宅建士だけ別に掲示したりもするよ！

そうなんだ！

ちなみに、事務所の標識と案内所の標識は微妙に違います。今のは事務所に掲示する標識です。そして次のページのものが案内所に設置する標識だよ。

宅地建物取引業者票（代理・媒介）

この標識は、宅地建物取引業者としての免許の主要な内容とこの場所で行うこととしている業務の内容を表示しています。

免許証番号	国土交通大臣 知事　　　（　）第　　　号		
免許有効期間	年　月　日から 年　月　日まで		
商号又は名称			
代表者氏名			
主たる事務所の所在地	電話番号（　）　－		
この場所における業務の内容	業務の種類	案内等	
	取り扱う宅地建物の内容	名称	
		所在地	
売主	商号又は名称	免許証番号	国土交通大臣 知事　（　）第　　号

この場所においてした契約締結については，宅地建物取引業法第37条の2の規定によるクーリング・オフ制度の適用があります。

■ 標識（案内所）

売主に関する情報を記載する欄があるね。

たしかに、売主が誰かわからないと契約するのも怖いもんな。

でも、それとお客さんには売主がわからなくて不便だから、案内所の標識に売主の情報を書くってことか！

売主の知らない所で案内所が設置されるかもしれないから、案内所に売主の標識の設置は義務にしていません。知らない所で業法違反になったらかわいそうだからね。

なるほどな！

これも事務所に設置するやつだよね。たしか「報酬額の掲示」ってやつ！

その通り！

■ 報酬額

ファイト！

宅建士証？

従業者証明書

従業者証明書

従業者証明書番号　1234567

従業者氏名　皇帝太郎
（平成7年7月7日生）

令和6年3月撮影

業務に従事する
事務所の名称
及び所在地　株式会社ペンギンハウス
東京都○○○町○・○・○

証明書有効期間　令和6年4月1日から
令和9年3月31日まで

免許証番号　東京都知事免許（3）第12345号
商号又は名称　株式会社ペンギンハウス
東京都○○○町○・○・○

主たる事務所の所在地
不動　カンリ
代　表　者　氏　名　　　　㊞

違うよ！
従業者証明書！

従業員全員持っていない
といけないものだよね！

じゃ、宅建士証は？

おおーっ！！

宅地建物取引士証

氏　名　皇帝太郎
（平成7年7月7日生）
住　所　東京都○○区○○町○・○・○
登録番号（東京）第1234567号
登録年月日　令和6年3月25日

令和11年5月6日まで有効

東京都知事　○○○○
交付年月日　令和6年5月7日
発行番号　第123456789号　　㊞

宅建士証

がんばる！

手に入れられるように頑張ろう！

さあ、では、テキストを
めくって勉強開始ーっ♪

はじめに

『2025年版 宅建士 合格のトリセツ 基本テキスト』を手にとっていただき、ありがとうございます。

　本書は、「宅地建物取引士（通称：宅建士）」の試験合格に向けて初めて学習する方、特に法律の勉強をしたことがない方が、基本から勉強できるようにと作ったテキストです。

　まず、ご存じない方もいらっしゃるかもしれませんので、私たちLECをかんたんに紹介します。私たち東京リーガルマインド（LEC）は、1979年に司法試験の受験指導予備校として誕生し、現在は、公務員試験や公認会計士試験など、さまざまな国家試験の対策を行う"資格の総合スクール"です。資格試験対策書籍も『出る順宅建士シリーズ』や『どこでも宅建士 とらの巻』など、これまで多数発刊してきました。

　さて、宅建士試験の受験を決意した皆さまは、いろいろな試験対策本を前に、「どの本で勉強すれば合格できるのか？」と思い悩んでいるのではないでしょうか。そこで、これまでLECが発刊してきた書籍へ寄せられた、特に初めて法律を勉強したという読者の皆さまからの声（一部）を紹介したいと思います。

A「法律の文章（条文）を全部覚えないと合格できないの？」
B「初めて法律を勉強するからイラストや図表を増やしてほしい」
C「パッと見て覚えればいいポイントをもっとわかりやすくしてほしい」
D「本当にこんな細かい部分まで勉強しないと合格できないの？」
　他にも、
E「重くて持ち運びしにくい」

　……など、さまざまな疑問や悩み、要望が寄せられました。

そして、こういった皆さまの声から生まれたのが、本書『**2025年版 宅建士合格のトリセツ 基本テキスト**』なのです。

A → 初めて勉強する場合は、条文から入るより、わかりやすい文章から入った方がイメージをつかみやすい！

B → このテキストは初めて学習する方向けなので、イラストなどを多用して読みやすさを優先！

　　ただし、法律はあくまで文章なので、図だけでは意味がぼやけてしまい、かえって理解しにくいところもある。効率よく理解し、かつ本番の試験にも対応できるように、理解すべき部分はしっかり説明しています！

C → フルカラーの特長を活かし、暗記してほしいところをわかりやすくしました！

D → 重要度が低く試験であまり問われない箇所は思い切ってカット！　合格に必要な内容のみに絞り込みました！

E → 分野ごとに取り外して持ち運びできるようにしました！

　この本には、合格するために必要なエッセンスが盛り込まれているのはもちろん、**読みやすく、見やすく、わかりやすく、**そして最後まで楽しく宅建士試験の学習ができるような工夫がたくさん詰まっています。

　この本を活用して、皆さまが、2025年度 宅建士試験に合格されることを心よりお祈りいたします。

2024年10月吉日

友次　正浩
株式会社　東京リーガルマインド
LEC総合研究所　宅建士試験部

※本書は、2024年9月1日時点で施行されている法令、および同日時点で判明している2025年4月1日施行の法改正を基準に作成しました。法令の改正、または宅建士試験の基準・内容・傾向の大幅な変更が試験実施団体より発表された場合は、インターネットで随時、最新情報を提供いたします。なお、アクセス方法につきましては、32ページの「インターネット情報提供サービス」をご確認ください。

立派なペンギンをめざして

ペンギンのペン太が住む町では、
資格を取ることが大流行！
資格を持っている大人のペンギンは、
立派なペンギンとしてみんなの憧れのまと。
ペン太もそんな一人になりたいのですが・・・。

1 あーあー、今日も何もやらなかったなあ。別にボク、頭がいいわけでも、足がはやいわけでもないし、何やっても無駄っていうか・・・。

ペン太

カアー

2 わあ！コーチ、どうしたんですか？

やあ、ペン太！

コーチ

3 どうしたも何も・・・ お前、資格勉強で悩んでるって？

うう・・・だって苦手で・・・。

4 気持ちはわかるが、いつまでもそうしていたって、立派なペンギンの道は極められないぞ？

そうかもだけど・・・。

5 うわわ！ツンツンだ！
（こいつ意地悪で苦手なんだよね・・・）

よう、弱虫ペン太！

ツンツン

6 聞いたぜ、お前、ビビッて今日も何もできてないんだろ？オレ様と大違いじゃないか！

そ、そういうツンツンだって無資格ナカマじゃん・・・。

ビビッて ビビッ ビッ

ビッて ビビッ ビッて

お前なんかよりずっと早く、立派なペンギンになってやる！　じゃーな、弱虫ペン太！

一緒にすんなよ。オレ様、宅建士（宅地建物取引士）を取ることにしたんだぜ！

ええぇ！？

ううう…ツンツンまで…。僕も変わりたいよぉ…。

ペン太、もし君が本当に変わりたいなら、私がお手伝いしてあげるよ？

ほんとに！？

ツンツンが言っていた宅建士の資格は、私も持っているんだ。もし君も宅建士をめざすなら、勉強に付き合ってあげるよ。

よく言った！　一緒にゴールをめざしてがんばろう！

宅建の星

が、がんばります！　ボクも立派なペンギンになりたいです！

こうしてペン太は、宅建士の勉強ができるコースがあるという、「宅建士マラソン」に挑戦することになったのです…。

「宅建士」ってどんな資格？

あの…そもそも宅建士って、どんなことをするんですか？

じつはね、宅建士でなければできないことがあるんだ。

え？　何ですか？

不動産屋さんが家や土地を売ったり貸したりするときには「重要事項の説明」というものをしなければいけない。要は不動産の商品説明だね。これは、宅建士しかできないことになっているんだ。

へえ！

他にも、その「重要事項説明」の書面に記名したり、「３７条書面」というものに記名したりするのも、宅建士でないとできないんだ。

要は、不動産のプロフェッショナルになれる資格だということ。自分で家を買うときにも、その知識は役に立つよね。

「宅建士でないとできない」って、なんかカッコイイですね。

Professional

それをもらうためにはどうすればいいんですか？

まずは試験に合格して、その後で登録をして、それから宅建士証の交付申請をするんだ。試験合格が一番の難所だよ。

グフフ
それ欲しい！

10

じゃ、試験を突破することが、宅建士になるうえで最重要なんですね。

そうだね。しっかり勉強しないといけない。合格率15%程度だから、本気で勉強しないと合格できないよ！

11

はい！さっそく本を買って勉強してみます！！

キャラクター紹介

宅建士の資格を持つ、
立派な大人ペンギン

コーチ

立派なペンギンを
夢見るおとこのこ。
少しお調子ものだけど、
すなおでがんばり屋

ペン太

ちょっと意地悪な
ペン太のライバル

ツンツン

お役立ち情報を
伝えてくれる
シロクマ

キャスター

がんばるみんなを
応援する、仲良しの
アザラシたち

あざらし団

どこからともなく
あらわれる、
なぞの妖精（？）たち

アクターズ

給水所で水を配る
アルバイトの
ペンギン

キューベー

出逢えたら
ラッキー！？
みんなの健康と
合格を願う、
なぞの妖怪

本書の使い方

本書は、宅建士試験初学者の方や法律知識のない方でも、わかりやすく効率的に学習できるよう、初学者目線での編集を心がけました。また、ビジュアル面でも、最後まで飽きずに読み進められるよう、「マラソン」をモチーフに、動物キャラクターを「ランナー」や「コーチ」役として登場させているほか、内容の大きな固まりを「コース」として、各コースの中で各項目を「ポイント」で区分しました。

コースマップ

まずは、コース全体のイメージをつかみましょう。どのポイントを重点的に学習すればよいのか、しっかり準備してからスタートしましょう。

問題集へのリンク

合格のトリセツ「一問一答」「過去問題集」へのリンクを表示しています。本書と併用していくことで効率的に学習できます。

ライバルに差をつける関連知識

「余裕があるので、もう少し細かいことまで学びたい」という人のためのコーナー。初心者は無理をしないで。

第**1**コース

合格のトリセツ
一問一答　分冊①　001〜015
過去問題集　分冊①　問1〜問5

意思表示

コースの重要度をチェック！

スタート

第**1**ポイント
契約の成立　重要度 **C**

第**2**ポイント
詐欺・強迫

第**3**ポイント
虚偽表示　重要度 **A**

重要度 **B**

第**4**ポイント
錯誤

第**5**ポイント
心裡留保　重要度 **A**

重要度 **B**

第**6**ポイント
公序良俗に反する契約　重要度 **C**

ゴール

このコースの特徴

● このコースでは、似ているものに混乱しないように気をつけて学習することが大事になります。無効なのか取消なのか、対抗できるのか対抗できないのか、しっかり確認しながらがんばりましょう！

覚えよう！

試験に出やすい覚えるべき要点をわかりやすく解説しています。

このコースの特徴

コース全体で、まず知っておいてほしい特徴や知識をまとめてあります。

※見本ページを掲載していますので、実際の書籍とは異なります。

コースメーター

コース全体の中で、現在、学習している地点がわかります。

重要度

重要度を3段階で表示しました。A=最重要、B=まあまあ重要、C=参考程度の内容です。

攻略メモ

本文を理解するうえで欠かせない攻略のヒントです。

注釈や補足など、本文を理解するために必要なものをまとめたコーナー。

—❶—❷

第❷ポイント　重要度 **B**

建築協定

攻略メモ
● 魅力ある街づくりをするために、役所だけでなく、そこに住む住民にも決める権利を与えようというのが趣旨です。

第❹コース　建築基準法②

第❷ポイント　建築協定

1 建築協定とは

建築協定とは、住民が自主的に決めるルールです。市町村が条例で定めた一定区域内で締結することができます。

建物は木造だけにしましょう！

外壁に原色を使用しないようにしましょう！

ライバルに差をつける
前提知識

建築協定は、建築物の敷地、位置、構造、用途、形態、意匠または建築設備に関する基準について定めることができます。

まず、建築協定の締結・変更・廃止には、一定数の合意が必要となります。

覚えよう！
・締結：住民（土地の所有者など）全員の合意
・変更：住民（土地の所有者など）全員の合意
・廃止：住民（土地の所有者など）の過半数の合意

住民（土地の所有者など）の合意が得られたら、次のような手順で手続きを行います。

利害関係のあ
代わって債務を

者に提供して、
い場合には、書
以内に抵当権を
実行（競売）し
ます。

行われたら、自
所有権を保つこ

つまずき注意の
前提知識

主債務者や保証人は、抵当権消滅請求をすることはできません。

つまずき注意の前提知識

ちょこっとトレーニング ▶ 本試験過去問に挑戦！

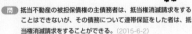

問 抵当不動産の被担保債権の主債務者は、抵当権消滅請求をすることはできないが、その債務について連帯保証をした者は、抵当権消滅請求をすることができる。(2015-6-2)

解答 ×：第三取得者はできるが、連帯保証人はできない。

ちょこっとトレーニング

過去問題を解きながら、学習した内容をチェックしよう！
(2015-6-2) は、2015年本試験、問6、第2肢の意味です。

暗記ポイント総まとめ

図表などで重要ポイントをまとめました。ここで頭の中をしっかり整理しましょう。

3 相続分

では、相続分はどれくらいなのでしょうか。

暗記ポイント 総まとめ

第一順位	配偶者 1/2	子 1/2
第二順位	配偶者 2/3	直系尊属 1/3
第三順位	配偶者 3/4	兄弟姉妹 1/4

本文の理解をさらに深めるための説明です。

アドバイス

相続の問題は系図をかいて考えましょう！
（例題）Aには配偶者B、子C、子D、父親E、母親Fがいる。
Aが死亡した時の法定相続分はどれくらいか。

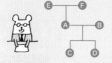

▶配偶者Bは必ず相続人となります。第一順位の子がいるので、EとFは相続人にはなりません。上記の表の「第一順位」を

アドバイス

ちょっとした息抜きのコーナーです。読み飛ばしてもかまいませんが、読むとトクすることがあるかも…。

給水コラム

給水 コラム

問題を解きながら暗記する

テキストを眺めて重要なポイントに線を引く…、なかなかそれだけでは暗記できません。知識は問題を解くことによって定着します。そうはいっても、問題を解くのはハードルが高いかも◎

しれません。そこで、本書にはなるべく多くの問題を「ちょこっとトレーニング」として入れてあります。実際の本試験の問題です。問題集への橋渡しとしてぜひご利用ください。

＋α知識

あとまわしOK。1回目の学習では読み飛ばして、2回目以降の学習の際に読んでもらいたい内容を記載しています。

＋α知識

後見開始の審判を請求できるのは、本人・配偶者・4親等内の親族・未成年後見人・未成年後見監督人・保佐人・保佐監督人・補助人・補助監督人・検察官です。

20

持ち運びに便利な「セパレート方式」

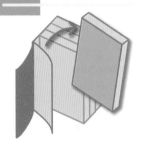

各分冊を取り外して、
通勤や通学などの外出時、
手軽に持ち運びできます！

❶各冊子を区切っている、うすオレンジ色の厚紙を残し、
色表紙のついた冊子をつまんでください。
❷冊子をしっかりとつかんで、手前に引っ張ってください。

見た目もきれいな「分冊背表紙シール」

背表紙シールを貼ることで、
分冊の背表紙を保護することができ、
見た目もきれいになります。

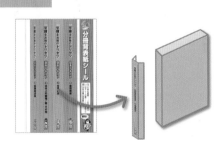

見た目も
きれい！

❶付録の背表紙シールを、ミシン目にそって切り離してください。
❷赤の破線（…）を、ハサミ等で切り取ってください。
❸切り取ったシールを、グレーの線（—）で山折りに折ってください。
❹分冊の背表紙に、シールを貼ってください。

テーマがすぐに見つかる「インデックスシール」

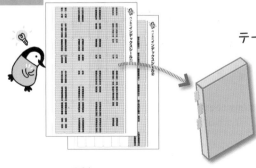

編ごとに色分けした
テーマ別インデックスシールです！
学習したいテーマが
すぐに見つかります！

特典 ① 執筆者友次講師による 無料講義動画 全編 45 回

各編の重要ポイントに絞ってわかりやすくレクチャー！

※画像はイメージです。

URL https://www.lec.jp/takken/book/member/TD09746.html

※動画視聴開始日は上記サイトにてご案内致します。
※動画視聴期限は 2025年10月31日です。
※ご視聴の際の通信料はお客様ご負担となります。

第1章 権利関係

▶ 第01コース 意思表示
▶ 第02コース 制限行為能力者
▶ 第03コース 時効
▶ 第04コース 代理
▶ 第05コース 債務不履行・弁済
▶ 第06コース 契約不適合責任
▶ 第07コース 相続
▶ 第08コース 物権変動
▶ 第09コース 不動産登記法
▶ 第10コース 抵当権

本書と連動！

特典 ② スマホ学習一問一答 ちょこっとトレーニング

本書掲載の過去問一問一答 「ちょこっとトレーニング」をPDFダウンロードサービス！

すき間時間にいつでもどこでも♪
スマホ学習対応の一問一答で、
知識を確認しよう！

※画像はイメージです。

URL https://www.lec.jp/takken/book/member/TD09746.html

※上記「書籍購入者限定特典」サイトに専用フォームにつながるバナーボタンが設置してあります。
　その専用フォームにアクセスし、簡単なアンケートにお答えいただくと、ご案内のメールを送信いたします。
※ダウンロード開始日は2024年12月16日予定、ダウンロード期限は2025年10月31日。
※ご利用の際の通信料はお客様ご負担となります。

宅地建物取引士資格試験について

宅建士試験 とは

　「宅地建物取引士資格試験」（宅建士試験）は、2023 年度では 28 万 9,096 人の申込みがあり、そのうち 23 万 3,276 人が受験した非常に人気のある資格です。では、なぜ宅建士試験がこれほど多くの人に受験されているのか、その秘密を探ってみましょう。

1 受験しやすい出題形式

　宅建士試験は、4 つある選択肢の中から正しいもの、あるいは誤っているものなどを 1 つ選ぶ「4 肢択一」式の問題が 50 問出題されています。記述式の問題や論述式の問題と違って、時間配分さえ注意すれば、後は正解肢を選択することに専念できますので、比較的受験しやすい出題形式といえます。

2 誰でも受験できる

　宅建士試験を受験するにあたっては、学歴や年齢といった制約がありませんので、誰でも受験することができます。たとえば、過去には、最年長で 90 歳、最年少で 10 歳の人が合格を勝ち取っています。

3 就職や転職の武器となる

　宅建士試験は、不動産を取引するにあたって必要な基礎知識が身についているかどうかを試す試験です。このような知識は不動産会社のみならず、金融機関や建築関係、また、店舗の取得を必要とする企業など、さまざまな業種で必要とされています。このため、就職や転職にあたって宅建士の資格を持っていることは、自分をアピールするための強い武器となります。

4 科目別出題数

　権利関係、宅建業法、法令上の制限、税・価格の評定、5問免除対象科目の5科目から、4肢択一形式で50問出題されます。各科目の出題数は下記のとおりです。

科目	出題内訳	出題数
権利関係	民法・借地借家法・建物区分所有法・不動産登記法	14問
宅建業法	宅建業法・住宅瑕疵担保履行法	20問
法令上の制限	都市計画法・建築基準法・国土利用計画法・農地法・土地区画整理法・盛土規制法・その他の法令	8問
税・価格の評定	地方税・所得税・その他の国税：2問 不動産鑑定評価基準・地価公示法：1問	3問
5問免除対象科目	独立行政法人住宅金融支援機構法：1問 不当景品類及び不当表示防止法：1問 統計・不動産の需給：1問 土地：1問 建物：1問	5問

試験情報

1 試験概要

〔受験資格〕　年齢、性別、学歴等に関係なく、誰でも受験することができる

〔願書配布〕　7月上旬（予定）

〔願書受付〕　郵送による申込み：7月上旬から7月中旬まで（予定）
　　　　　　　インターネットによる申込み：7月上旬から7月下旬まで（予定）

〔受験手数料〕　8,200円（予定）

〔試験日〕　10月第3日曜日　午後1時～3時（予定）

〔合格発表〕　11月下旬

〔問い合わせ先〕　（一財）不動産適正取引推進機構　試験部
　　　　　　　　　〒105-0001　東京都港区虎ノ門3-8-21　第33森ビル3階
　　　　　　　　　https://www.retio.or.jp

2 出題形式

〔出題数〕　50問4肢択一
〔解答方法〕　マークシート方式
〔解答時間〕　2時間（午後1時～3時）
　　　　　　　ただし登録講習修了者は、午後1時10分～3時
〔出題内容〕　以下の7つの項目について出題されます
〔出題項目〕

① 土地の形質、地積、地目および種別ならびに建物の形質、構造および種別に関すること（土地・建物）
② 土地および建物についての権利および権利の変動に関する法令に関すること 　　（民法・借地借家法・建物区分所有法・不動産登記法）
③ 土地および建物についての法令上の制限に関すること 　　（都市計画法・建築基準法・農地法・国土利用計画法・土地区画整理法・盛土規制法）
④ 宅地および建物についての税に関する法令に関すること（固定資産税・不動産取得税・所得税）
⑤ 宅地および建物の需給に関する法令および実務に関すること 　　（統計・需給・独立行政法人住宅金融支援機構法・景品表示法）
⑥ 宅地および建物の価格の評定に関すること（地価公示法・不動産鑑定評価基準）
⑦ 宅地建物取引業法および同法の関係法令に関すること（宅建業法・住宅瑕疵担保履行法）

3 受験者数・合格率・合格点

　過去10年間の宅建士試験の状況は下記の表のとおりです。

（過去10年間の試験状況）

年度	申込者数（人）	受験者数（人）	合格者数（人）	（受験者数中の） 合格率	合格点
'14	238,343	192,029	33,670	17.5%	32点
'15	243,199	194,926	30,028	15.4%	31点
'16	245,742	198,463	30,589	15.4%	35点
'17	258,511	209,354	32,644	15.6%	35点
'18	265,444	213,993	33,360	15.6%	37点
'19	276,019	220,797	37,481	17.0%	35点
'20 (10月)	204,163	168,989	29,728	17.6%	38点
'20 (12月)	55,121	35,261	4,610	13.1%	36点
'21 (10月)	256,704	209,749	37,579	17.9%	34点
'21 (12月)	39,814	24,965	3,892	15.6%	34点
'22	283,856	226,048	38,525	17.0%	36点
'23	289,096	233,276	40,025	17.2%	36点

目次

用語集

第1編 権利関係

あ

悪意 (あくい)
単にある事実を知っていること。「悪い」という意味はない。

い

遺言 (いごん)
死んだ人（被相続人という）が、自分が死んだ後、自分の財産をどのように処分するか等について、生きているうちに、一定の方式に従って書き残すこと。

遺留分 (いりゅうぶん)
遺言があっても侵害されない、兄弟姉妹以外の相続人が最低限の取り分として確保することができる一定の割合。

意思表示 (いしひょうじ)
ある法律効果を発生させようとする気持ちを相手に伝えるなどして外部に明らかにすること。

違約金 (いやくきん)
約束違反（債務不履行）があった場合に債務者が支払う金銭。

か

解除 (かいじょ)
契約が一度は有効に成立したが、売主や買主の約束違反（債務不履行）があったために、約束を破られた側が、この契約関係をなかったことにすること。

過失 (かしつ)
「うっかりしていたこと（落ち度があった

こと）」。たとえば"善意無過失"という表現は、"知らなかった。さらに落ち度もなかった。"ことを意味する。

き

求償権 (きゅうしょうけん)
本来は他人が払うべきであった債務を（代わって）弁済したときに、その本来支払うべきであった者に対し、支払った費用の返済を求める権利のこと。

く

区分所有者 (くぶんしょゆうしゃ)
一般には、マンションの各部屋の所有者のこと。

こ

公序良俗 (こうじょりょうぞく)
一般的な社会生活のルールのことであり、「公の秩序」「善良の風俗」を略したもの。これに反する契約は無効となる。

さ

更地 (さらち)
建物が建っていない土地。そのままですぐに利用できる土地なので、建物が建っている土地に比べ、取引し易い。

せ

正当事由 (せいとうじゆう)
納得できる根拠。

善意 (ぜんい)
単にある事実を知らないこと。

占有者 (せんゆうしゃ)
持ち主ではないがそれを使用している人。

賃借人や不法占拠者など。

そ

相殺（そうさい）
ちゃらにすること。AがBに100円払う
必要があり、BもまたAに100円払う必
要がある場合、お互い100円を交換する
よりも、両方とも払わないで良いとした
ほうが楽である。こういう処理を相殺と
いう。

贈与（ぞうよ）
無償で（ただで）、他人に財産を与える契
約のこと。

と

取消し（とりけし）
契約に問題があり、この契約関係をなかっ
たことにすること。ただし、問題があっ
ても契約は有効に成立しているため、取
消しをしない限りは契約は有効である。

は

背信的悪意（はいしんてきあくい）
悪い人という意味。

り

留置権（りゅうちけん）
ある物に関して生じた債権の弁済を受け
るまでは、その物を占有してよいという
権利。

第2編 宅建業法

か

過料（かりょう）
宅建業者や宅建士が違反をした際に課せ
られる金銭。罰金は裁判所から請求され
る（刑事罰）のに対して、過料は国土交
通大臣や都道府県知事等の行政庁から請

求される（行政罰）という違いがある。

き

供託所（きょうたくしょ）
宅建業者が営業保証金を預けたり、保証
協会が弁済業務保証金を預けたりするよ
うに、お金等を預けなければならない場
合に預かってくれる公的機関。

こ

誇大広告（こだいこうこく）
著しく事実に反する広告。

し

指定保管機関（していほかんきかん）
宅建業者が手付金等の保全措置を行う場
合、一定の金額を預ける場所。保証協会
などが該当する。

指定流通機構（していりゅうつうきこう）
通称レインズ。宅建業者のみが閲覧でき
る、物件の検索などを行えるシステム。

所有権留保（しょゆうけんりゅうほ）
物件を売却したが、登記を買主に移さな
いで、売主のもののままにしておくこと。

信用の供与（しんようのきょうよ）
後払いを認める、立て替える、貸し付ける、
分割払いを認める等ということ。

せ

成年者である専任の宅建士（せいねんしゃで
あるせんにんのたっけんし）
成年者で、その事務所に原則として常駐
している宅建士。

政令で定める使用人（せいれいでさだめるしよ
うにん）
支店長や営業所長等、宅建業法上の事務
所の代表者のこと。

た

宅地建物取引業者名簿 （たくちたてものとりひきぎょうしゃめいぼ）
宅建業者の免許証番号・免許の年月日、商号・名称、役員の氏名等一定の事項を記載した名簿。知事免許の場合はその都道府県に、大臣免許の場合は国土交通省と主たる事務所のある都道府県に設置されている。

ち

帳簿 （ちょうぼ）
取引台帳のこと。

聴聞 （ちょうもん）
違反を犯した宅建業者や取引士の言い分を聴く場。なお、似たものとして「弁明の機会の付与」というのがあるが、宅建業法ではこれを採用していない。

と

登録実務講習 （とうろくじつむこうしゅう）
２年間の実務経験がない場合、こちらの講習を受講する。修了すると２年間の実務経験がある者と同等として扱われる。LEC でも実施しているので、合格後、２年間の実務経験がない場合には LEC で受講してほしい。

取引態様 （とりひきたいよう）
宅建業の取引の種類。８種類の取引（詳細は第１コースの「取引」参照）のうち、どの種類なのかを明示する必要がある。

ひ

標準媒介契約約款 （ひょうじゅんばいかいけいやくやっかん）
媒介契約書のひな形。

か

開発行為 （かいはつこうい）
主として建築物の建築または特定工作物の建設の用に供する目的で行う土地の区画形質の変更をいう。たとえば、土地に建物を建てようとする場合、平坦で地盤がしっかりしている土地であるならばすぐに建物を建てることもできるが、山の斜面だったり雑木林だったりすれば、山をけずったり雑木林をとり払ったりして、建物を建てられる土地に造成しなければならない。

け

建築確認 （けんちくかくにん）
家を建てようとする場合、自分としては、建築基準法上の各種の制限を守ったつもりでも、間違いがあるかもしれない。そして、もし間違いがあった場合、それに気づかずに家を建ててしまったならば、後から法律の規定に適合するように手直しするのは大変である。そこで、建築物を建築しようとする場合には、あらかじめ、建築計画が法律の規定に適合するものであるかどうかをチェックすることが必要となる。この事前のチェックシステムのことを、建築確認の制度という。

し

市街化区域 （しがいかくいき）
すでに市街地を形成している区域及びおおむね 10 年以内に優先的かつ計画的に市街化を図るべき区域。「建物をガンガン建てる場所」というイメージ。

市街化調整区域 （しがいかちょうせいくいき）
市街化を抑制すべき区域。「自然をそのまま残す場所」というイメージ。

斜線制限 （しゃせんせいげん）
「背の高い建築物は、斜めにカットしたような造りにせよ」ということ。

準都市計画区域 （じゅんとしけいかくくいき）
都市計画区域の指定をしない場所のうち、多くの建築物の建築などが現に行われていたり、又は将来行われると見込まれたりするところで、そのまま放置すれば、将来の街づくりや環境の保全に支障が生じるおそれがあると認められる区域として指定された区域。

そ

造成宅地防災区域 （ぞうせいたくちぼうさいくいき）
宅地造成工事規制区域に指定されていない場所で指定される。すでに造成工事はされているものの、危険性が高い区域を指定する。

に

日影規制 （にちえいきせい）
周辺住民の日照権を保護するため、一定規模の建築物は高さや形に配慮しなければならないという規制のことをいう。斜線制限等の規制だけでは日照の保護が不十分なので設けられた規制。

ひ

非線引区域 （ひせんびきくいき）
正式名称は「区域区分が定められていない都市計画区域」。区域区分を定めれば市街化区域と市街化調整区域に分けられるが、区域区分を定めていない場合は、当該都市計画区域全体が非線引区域となる。

第4編　税・その他

い

印紙税 （いんしぜい）
契約書や領収書にかかる税金。

か

課税標準 （かぜいひょうじゅん）
税金を計算する際の算定基準のこと。

け

軽減税率 （けいげんぜいりつ）
税率を下げること。

こ

固定資産税 （こていしさんぜい）
土地・家屋・償却資産（固定資産）を所有している（持っている）ことに対してかかる税金。

控除 （こうじょ）
一定の金額を差し引くこと。

さ

最有効使用の原則 （さいゆうこうしようのげんそく）
不動産の価格は、その不動産の効用が最高度に発揮される可能性に最も富む使用を前提として把握される価格を標準として形成されるという原則。

し

所得税 （しょとくぜい）
お金を手に入れたらかかる税金。

そ

贈与税 （ぞうよぜい）
個人が他の個人から財産の贈与を受けた場合にかかる税金。

と

登録免許税（とうろくめんきょぜい）
登記手続きの際にかかる税金のこと。

特別徴収（とくべつちょうしゅう）
給料から天引きして徴収すること。

ふ

普通徴収（ふつうちょうしゅう）
納税通知書を交付することによって地方
税（不動産取得税、固定資産税）を徴収
すること。

不動産取得税（ふどうさんしゅとくぜい）
土地や家屋を購入したり、または家屋を
新築などした場合にかかる税金。

インターネット情報提供サービス

登録無料

お届けするフォロー内容

法改正情報

宅建 NEWS（統計情報）

アクセスして試験に役立つ最新情報を手にしてください。

登録方法 情報閲覧にはLECのMyページ登録が必要です。

LEC東京リーガルマインドのサイトにアクセス
https://www.lec-jp.com/

⬇

» Myページ ログイン をクリック

⬇

MyページID・会員番号をお持ちの方 | Myページお持ちでない方
LECで初めてお申込みいただく方

Myページログイン | **Myページ登録**

⬇ ⬇

必須

Myページ内
希望資格として **宅地建物取引士** を選択して、 希望資格を追加 ⊕ をクリックしてください。

ご選択いただけない場合は、情報提供が受けられません。
また、ご登録情報反映に半日程度時間を要します。しばらく経ってから再度ログインをお願いします（時間は通信環境により異なる可能性がございます）。

※サービス提供方法は変更となる場合がございます。その場合もMyページ上でご案内いたします。
※インターネット環境をお持ちでない方はご利用いただけません。ご了承ください。
※上記の図は、登録の手順を示すものです。Webの実際の画面と異なります。

注目

本書ご購入者のための特典

① **2025 年法改正情報（2025 年8月下旬公開予定）**
② **2025 年「宅建 NEWS（統計情報）」（2025 年5月中旬と8月下旬に公開予定）**
〈注意〉上記情報提供サービスは、2025年宅建士試験前日日までとさせていただきます。予めご了承ください。

持ち運びに便利な「セパレート方式」

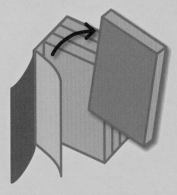

各分冊を取り外して、
通勤や通学などの外出時、
手軽に持ち運びできます!

❶各冊子を区切っている、うすオレンジ色の厚紙を残し、中の冊子をつまんでください。
❷冊子をしっかりとつかんで、手前に引っ張ってください。

見た目もきれいな「分冊背表紙シール」

背表紙シールを貼ることで、
分冊の背表紙を保護することができ、
見た目もきれいになります。

見た目も
きれい!

❶付録の背表紙シールを、ミシン目にそって切り離してください。
❷赤の破線(…)を、ハサミ等で切り取ってください。
❸切り取ったシールを、グレーの線(ー)で山折りに折ってください。
❹分冊の背表紙に、シールを貼ってください。

2025年版
宅建士 合格のトリセツ
基本テキスト
分冊 ①

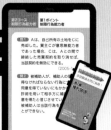

第1編 権利関係　目次

第 1 コース

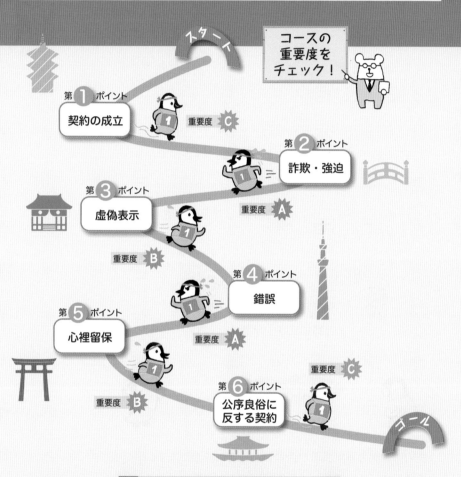

意思表示

意思表示

コースの
重要度を
チェック！

スタート

第①ポイント
契約の成立　　重要度 C

第②ポイント
詐欺・強迫
重要度 A

第③ポイント
虚偽表示
重要度 B

第④ポイント
錯誤
重要度 A

第⑤ポイント
心裡留保

第⑥ポイント
公序良俗に
反する契約
重要度 C

重要度 B

ゴール

このコースの特徴

- このコースでは、似ているものに混乱しないように気をつけて学習することが大事になります。無効なのか取消しなのか、対抗できるのか対抗できないのか、しっかり確認しながらがんばりましょう！

第❶ポイント　重要度 **C**

契約の成立

攻略メモ

● この単元自体はほとんど出題されませんが、ここを理解しておかないと後々の勉強に関わってきます。さあ、がんばりましょう！

1 契約とは何か

　契約とは、一言でいえば約束のことです。コンビニでジュースを買うのも、売買契約という契約です。

覚えよう！

例 Aが土地を売りたいと思い、Bがその土地を買いたいと思った。

「売ります」　　　　　　　　　　「買います」

Ⓐ ◀━━━━━━━▶ Ⓑ

① 「売ります」申込み
② 「買います」承諾

売買契約成立！

　契約は両者の意思表示が合致したときに成立します。
　売買契約が成立すると、所有権が売主から買主へ移ります。なお、契約の成立に原則として**書面は必要ありません**。

あせらず着実にいこう！

2 契約の成立

　一度決めた契約（約束）は守らなければなりません。土地を買うという契約をしたら、その代金を支払わなければなりません。土地を売るという契約をしたら、その土地を引き渡さなければなりません。

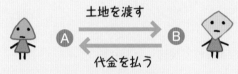

- AはBに土地を渡す義務を負う
- BはAに代金を払う義務を負う

　　　　いい方を変えると

- BはAに土地の引渡しを請求する権利がある
- AはBに代金を請求する権利がある

相手に対して負う義務のことを債務（さいむ）といい、相手に対して請求できる権利を債権（さいけん）といいます。

　なお、契約はお互い話し合って決めるものなので、お互いが納得していれば、原則としてどのような契約でもよいのです。

ちょこっとトレーニング ▶ 本試験過去問に挑戦！

問 売買契約は、書面によらなければならない。(1981-9-1)

解答 ×：契約に書面は必要ない。

第 ❷ ポイント　重要度 Ⓐ

詐欺・強迫

1　詐欺

　詐欺（さぎ）とはだますことです。だまされて契約した場合もその契約を守らなければならないのでしょうか。

この土地は将来値下がりするよ。今なら私が買いましょう Ⓐ

そうなんですか？だったら売ります！ Ⓑ

> 悪徳業者ＡがＢをだまして土地を手に入れようとしています。

　意思表示は合致しているため、契約は有効です。しかし、「有効だから約束を守れ」というのは、だまされた人がかわいそうです。そこで、**詐欺の被害に遭った人は契約を取り消すことができる**ようにしました。

　これによって、Ｂは、契約の取消しをすれば、契約はなかったことになるので、だまされて渡してしまった土地を取り返すことができるようになります。

> 詐欺のことは試験問題では「欺罔行為（ぎもうこうい）」という言葉で出てくることもあります！

アドバイス

「詐欺による意思表示は無効である」という問題が出たら、答えは×！　無効と取消しは違います。無効とは最初から何もないということ。それに対して、取消しは、取り消すまでは一応有効で、取消しをした瞬間に、契約した時にさかのぼってなかったことになるということ。しっかり区別しよう！

2 強迫

強迫とは相手をおどすことです。おどされて契約した場合もその契約を守らなければならないのでしょうか。

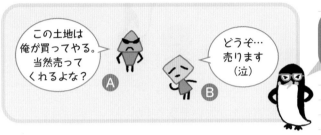

詐欺の場合同様、意思表示は合致しているため、契約は有効です。しかし、「有効だから約束を守れ」というのは、おどされた人がかわいそうです。そこで、**強迫の被害に遭った人は契約を取り消すことができる**ようにしました。

これによって、Bは、契約の取消しをすれば、おどされて渡してしまった土地を取り返すことができるようになります。

3 詐欺・強迫と第三者との関係

悪徳業者Aが、詐欺や強迫の被害者であるBから買った土地を、事情を何も知らないCに売ってしまいました。ちなみに、法律の世界では、事情を知らないことを**善意**、事情を知っていることを**悪意**といいます。

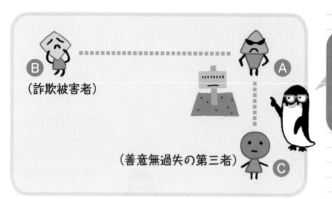

（詐欺被害者）B ...... A

（善意無過失の第三者）C

返してもらわないとBがかわいそう…。でも、そのまま返すとなると何も知らずに買ったCさんもかわいそう…。

　この場合、詐欺や強迫の被害者もかわいそうですが、何も知らずに買った人も、知らないことに落ち度がない（その人のうっかりミスなどではない）ならかわいそうです。つまり、かわいそうな人が複数いることとなります。

　民法はどちらの味方をするのでしょうか。この場合、だまされた人とおどされた人で、扱いが変わってしまいます。

覚えよう！

だまされた人	おどされた人
落ち度あり	落ち度なし
善意無過失の第三者に「自分のものだ」と主張できない	善意無過失の第三者に「自分のものだ」と主張できる

だまされた人は、相手の発言が本当かどうか調べたりすればわかるはずなのに、それを怠ったことを落ち度とみなされてしまうのです。

　このようなことを、法律の世界では、**詐欺の被害者は**

善意無過失の第三者に取消しを対抗できないが、強迫の被害者は善意無過失の第三者に取消しを対抗できる、といういい方をします。ちなみに、悪意や有過失の第三者は、詐欺や強迫があったことを知り、または知ることができたのに買ったのだから、何もかわいそうではないため、詐欺の被害者も強迫の被害者も取消しを対抗できます。

4 第三者による詐欺・強迫

　では、詐欺や強迫を第三者が行った場合はどうなるのでしょうか。第三者Cが、Aをだまして、Aが自分の土地をBに売ったとします。

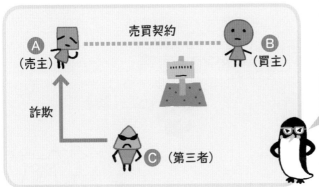

　この場合でも、先ほどと同じように考えます。Bが悪意または有過失の場合、悪意者または有過失の者と詐欺の被害者では詐欺の被害者のほうを保護すべきです。よって、Aは取り消して土地を返せといえます。
　Bが善意無過失者の場合、詐欺の被害者よりも善意無過失者のほうを保護すべきです。よって、Aは土地を返せとはいえません。

つまずき注意の **前提知識**
過失とは、不注意や怠慢などの「うっかり」のことだと考えてください。

つまずき注意の **前提知識**
対抗とは、主張するという意味です。

混乱しそうな場合には、必ず図をかきましょう！

強迫の場合も先ほどと同じように考えます。Bが善意であれ悪意であれ、強迫の被害者を保護します。よって、Aは取り消して土地を返せということができます。

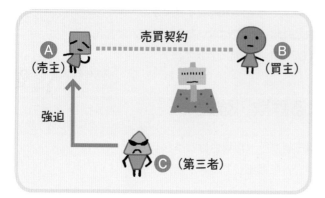

アドバイス

設問では、主語を意識するようにしてください。BがAをだましてAの土地を買い、それを善意無過失のCに売り、その後、Aが取消しをした場合について考えます。
- **A**はCに対抗できる → ✕
- **C**はAに対抗できる → 〇

暗記ポイント **総まとめ**

取消しを第三者に対抗できるか？

	第三者		
	悪意	善意有過失	善意無過失
詐欺	●	●	✕
強迫	●	●	●

●：対抗可　✕：対抗不可

ファイト！
ファイト！

ちょこっとトレーニング 本試験過去問に挑戦！

問1 A所有の土地が、AからB、BからCへと売り渡された。Aは、Bにだまされて土地を売ったので、その売買契約を取り消した場合、そのことを善意無過失のCに対し対抗することができる。

（1989-3-1 改）

問2 A所有の土地が、AからB、BからCへと売り渡された。Aは、Bに強迫されて土地を売ったので、その売買契約を取り消した場合、そのことを善意無過失のCに対し対抗することができる。

（1989-3-4 改）

解答 1 ×：詐欺による意思表示は善意無過失の第三者には対抗できません。

2 ○：強迫による意思表示は善意無過失の第三者にも対抗できます。

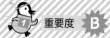

第 ③ ポイント　重要度 B

虚偽表示

攻略メモ

● 結局、誰がかわいそうなのかを考えてみると理解できます。
● 民法は、かわいそうな人を保護しようという考えに基づいています。

1 虚偽表示とは何か

　相手方と示し合わせて、売買したことにするのを虚偽表示といいます。

> 借金を返せなくて土地を取られそうだから、売ったことにして！
>
> いいですよ！
>
> Ⓐ　　Ⓑ

虚偽表示のことを「仮装譲渡」ともいいます。

　Ａは借金取りから逃れるために（売るつもりはなく）売ったことにしようとしていますし、Ｂも（買うつもりはなく）自分の名義にしようとしているだけです。つまり、ここには売る意思も買う意思もないので、**この契約は無効となります。**

AB間で仮装譲渡され、Ｂ名義になった土地をＢがＣに売ってしまいました。

仮装譲渡
Ⓐ（名義をⒷに変更）　→　Ⓑ　売る　→　Ⓒ

いい調子！

Aは借金取りから逃れるために嘘をつこうとした人です。かわいそうではありません。BはAを裏切って売ってしまった人です。かわいそうではありません。しかし、何も知らずに巻き込まれたCは、AB間が無効だと土地を返さなくてはならなくなります。それではCがかわいそうです。よって、Cを守るために、**虚偽表示の無効は善意の第三者には対抗できない**ことにしました。ちなみに、この場合のCは善意でありさえすればよく、過失があっても、登記（➡ **第8コース参照**）を備えていなくても、善意でありさえすれば保護されます。

2 転売した場合

一度善意の人間があらわれたら、その後に登場した人間が悪意であっても保護されます。

DはAに対抗できます。たしかにDは悪意ですが、Cが善意なので、その後に登場したDは善意でも悪意でも保護されます。

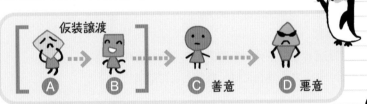

仮装譲渡

Ⓐ ⮕ Ⓑ　Ⓒ 善意　Ⓓ 悪意

ちょこっとトレーニング 本試験過去問に挑戦！

問 Aは、その所有する甲土地を譲渡する意思がないのに、Bと通謀して、Aを売主、Bを買主とする甲土地の仮装の売買契約を締結した。甲土地がBから悪意のCへ、Cから善意のDへと譲渡された場合、AはAB間の売買契約の無効をDに主張することができない。（2015-2-4）

解答 ○：善意のDには対抗できない。

第**4**ポイント　重要度 **A**

錯誤

1 錯誤とは何か

　錯誤とは、勘違いのことです。**錯誤による意思表示は、取消しができます。**しかし、そのためには、その錯誤が「法律行為の目的及び取引上の社会通念に照らして重要なもの」であることが要件となります。簡単にいうと、その勘違いがなければ、表意者だけでなく、一般の人も通常は意思表示をしないであろうという事情のことです。

　錯誤には以下の２つの類型があります。

１　表示行為の錯誤

　買う商品を間違えた場合や代金を間違えた場合などが表示行為の錯誤です。この場合には、原則として取消しができます。

２　動機の錯誤

　契約をするきっかけに勘違いがあった場合などが動機の錯誤です。たとえば、ある土地の近くに地下鉄の駅ができるという噂を信じてしまって、その土地を買おうと

したら、その情報は嘘であったにもかかわらず、「買います」という意思表示をしてしまった場合などがこれにあたります。動機の錯誤の場合には、原則として取消しができません。

地下鉄の駅ができるんだ!!

この土地ください

ただし、その動機を相手方に表示した場合、表示行為の錯誤とすることができ、取消しができます。なお、表示の方法については、明示的（はっきり言う）でも黙示的（はっきり言ってはいないがそうであるように振る舞う）でもよいとされています。

2 取消しの要件

錯誤による取消しが認められるためには、表意者（＝勘違いをして意思表示をした人）に**重過失がないこと**が必要となります。ただし、次の場合には、表意者に重過失があったとしても、表意者は錯誤による取消しを主張することができます。

1 相手方が表意者の錯誤につき悪意もしくは重過失の場合

相手の錯誤を知っていながら（もしくは重大な過失によって知らないで）契約をしたのだから、そんな人を保護する必要はありません。間違いを教えてあげない人を保護しようとは思いませんよね。

応援してるよ！
すごいすごい！

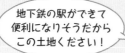
地下鉄の駅ができて
便利になりそうだから
この土地ください！

そんな予定ないけど…
黙っていよう！
売っちゃえ♪

2　相手方が表意者と同一の錯誤に陥っていたとき

　お互い誤解しているような場合です。たとえば、Aが、地下鉄の駅ができると信じて、それを表示したうえで土地を購入したとします。売主Bもまた、その噂を信じてしまい、少々高値で売却しました。お互いに錯誤に陥っているのですが、Aが重過失で取消しができないとすると、Aが一方的に損をして、Bが儲かることになってしまいます。その場合、Aはたとえ重過失があっても取消しができるようにしました。

3　取消権者

　表意者が取り消す意思がない場合、相手方や第三者が取り消すことは原則としてできません。ただし、表意者が意思表示に錯誤があることを（取り消す意思はなくても）認めている場合、第三者は表意者に対する債権を保全するため、取消権を行使することができます。

4　取消しの効果

　なお、錯誤による取消しは、善意無過失の第三者には対抗することができません。

ファイト！
ファイト！

ちょこっとトレーニング 本試験過去問に挑戦！

問 A所有の甲土地につき、AとBとの間で売買契約が締結された。Bは、甲土地は将来地価が高騰すると勝手に思い込んで売買契約を締結したところ、実際には高騰しなかった場合、相手方に表示していなくとも、動機の錯誤を理由に本件売買契約を取り消すことができる。（2011-1-1 改）

解答 ×：動機の錯誤は相手方に表示していない場合取消不可。

第 **5** ポイント 重要度 **B**

心裡留保

● 冗談を言った人はかわいそうではありません。でも、その冗談を信じてしまった人はかわいそうです。

1 心裡留保とは

しん り りゅう ほ
心裡留保とは冗談のことです。

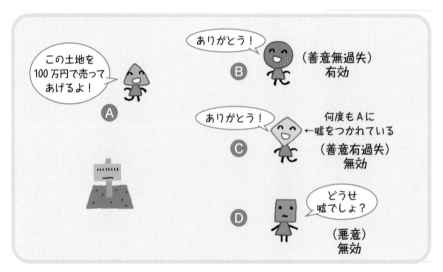

この土地を100万円で売ってあげるよ！

Ⓐ

ありがとう！

Ⓑ （善意無過失）有効

ありがとう！

Ⓒ 何度もAに←嘘をつかれている（善意有過失）無効

どうせ嘘でしょ？

Ⓓ （悪意）無効

　基本的には信じてしまったＢがかわいそうなので契約は有効です。しかし、Ｃのように何度も嘘をつかれていて少し注意すればＡが嘘をついていると気付くことができたような場合（善意有過失）や、Ｄのように嘘だと知っていた場合（悪意）に保護する必要はありませんので、その場合は無効となります。しかし、善意の第三

者にはその無効を対抗できません。

ちょこっと**トレーニング** ▶ 本試験過去問に挑戦！

問 Ａ所有の甲土地についてのＡＢ間の売買契約において、Ａは甲土地を「1,000万円で売却する」という意思表示を行ったが当該意思表示はＡの真意ではなく、Ｂもその旨を知っていた。この場合、Ｂが「1,000万円で購入する」という意思表示をすれば、ＡＢ間の売買契約は有効に成立する。(2007-1-1)

解答 ×：悪意の場合は無効となる。

第 **6** ポイント　重要度 **C**

公序良俗に反する契約

攻略メモ

● 民法は基本的には契約自由です。当事者間で納得しているなら基本的には認める方向です。しかし、どんな契約でもよいわけではありません。

1 公序良俗に反する契約

　民法は基本的にはどのような契約でもよいとしていますが、何でもかまわないというわけでもありません。反社会的な契約などは当然のことながら守る必要はありません。そのような契約は**最初から無効**だとされています。殺人契約・愛人契約などがそれに該当します。

2 第三者への対抗

　公序良俗に反する内容の契約を守らせるわけにはいきません。ですから、公序良俗に反する契約の無効は、善意の第三者にも対抗できるのです。

あせらず着実にいこう！

制限行為能力者

スタート

コースの重要度をチェック！

第**1**ポイント
制限行為能力者

重要度 **B**

第**2**ポイント
制限行為能力者の種類

いい調子！

重要度 **A**

ゴール

制限行為能力者

このコースの特徴

●このコースでは、制限行為能力者の保護を中心にみていきましょう。取引の安全よりも弱者保護を優先していることに着目してください。また、制限行為能力者は出題も多いので、しっかりと確認するようにしてください。

● 民法では、判断能力が劣っている人は弱者であるから守ってあげようとしています。弱者保護を何よりも優先して考えています。

第 **1** ポイント　重要度 **B**

制限行為能力者

1 意思能力

　契約を結ぶためには「意思能力」が必要です。意思能力のない人（意思無能力者）がした契約は無効となります。意思無能力者とは泥酔状態の人や就学前の児童などです。

2 制限行為能力者

　単独で有効な法律行為をすることができる能力を「行為能力」といいます。判断能力が不十分とみられる人を「制限行為能力者」といいます。**制限行為能力者には、未成年者・成年被後見人・被保佐人・被補助人の4種類があります。**

　制限行為能力者には保護者をつけることとしました。たとえば、未成年者には主として親が保護者として保護・監督しています。

ファイト！
ファイト！

	どのような者	保護者（法定代理人）
未成年者	18歳未満の者	親権者または未成年後見人
成年被後見人	精神上の障害により事理を弁識する能力を欠く常況にある者 ＋ 後見開始の審判	成年後見人
被保佐人	精神上の障害により事理を弁識する能力が著しく不十分な者 ＋ 保佐開始の審判	保佐人
被補助人	精神上の障害により事理を弁識する能力が不十分な者 ＋ 補助開始の審判	補助人

　制限行為能力者が単独で（＝保護者の同意を得ないで）行った行為は取消しができるとしています。この取消しは、制限行為能力者を保護するものであるため、善意の第三者に対しても対抗することができます。

　ただし、制限行為能力者が、行為能力者であると信じさせるために詐術（さじゅつ）を用いた場合、取り消すことができません。

未成年者　　わたしは20歳です！

　かわいそうだから取消権を与えているのに、だますような人は保護する必要はないからです。

3 追認の催告

　制限行為能力者と取引をした人は、いつ契約の取消しをされるかわかりません。そこで、その相手方を保護するため、１カ月以上の期間を定めて、その取引を追認するかどうか催告することができます。

　追認をした場合、取消しをすることはできません。

同意と追認

するけどいい？　いいよ！　　しちゃったけどいい？　いいよ！

契約

同意　　　　　　　　　　　　　追認

契約の前に許可をとるのが同意、契約の後に許可をとるのが追認です。

覚えよう！

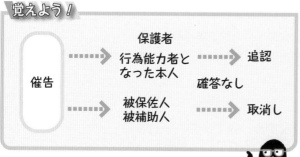

催告

　　保護者
　　行為能力者と　　　　追認
　　なった本人
　　　　　　確答なし
　　被保佐人
　　被補助人　　　　　取消し

基本的には保護者に対して催告しますが、被保佐人・被補助人には本人に催告できます。確答がなかった場合、基本的には追認となりますが、被保佐人・被補助人に催告して確答がなかった場合には取消しとなります。

ちょこっと**トレーニング** 本試験過去問に挑戦！

問1 Aは、自己所有の土地をCに売却した。買主Cが意思無能力者であった場合、Cは、Aとの間で締結した売買契約を取り消せば、当該契約を無効にできる。(2005-1-2)

問2 被補助人が、補助人の同意を得なければならない行為について、同意を得ていないにもかかわらず、詐術を用いて相手方に補助人の同意を得たと信じさせていたときは、被補助人は当該行為を取り消すことができない。(2016-2-4)

解答 1　×：意思無能力者の行った契約は無効。取消しではない。

2　○：詐術を用いた場合、取消しはできなくなる。

合格めざして がんばろう

第2ポイント　重要度 A
制限行為能力者の種類

攻略メモ

● 制限行為能力者は全部で4種類です。そのうち、未成年者と成年被後見人は特に厚く保護しようとしています。

1 未成年者

未成年者とは、18歳未満の者のことです。

未成年者が単独で行った行為は取消しができます。取消しは未成年者本人または保護者ができます。しかし、以下の場合は取消しができません。

覚えよう！

1 法定代理人の同意を得ている場合

あれ買いたい！　未成年者

いいよ！　法定代理人

2 営業の許可を受けている場合

喫茶店をやりたい！

未成年者

いいよ！　法定代理人

3 処分を許された財産を処分する場合

おこづかいをあげるね！　法定代理人

わーい！　未成年者

喫茶店をやりたいといった場合、喫茶店の業務に関わるものに対しては取消しができませんが、その他の行為については取消し可能です！

4 単に権利を得、または義務を免れる場合

借金を免除してあげよう！

わーい！

未成年者

2 成年被後見人

　成年被後見人とは、判断力のない者（＝精神上の障害により事理を弁識する能力を欠く常況にある者）のことで、家庭裁判所から後見開始の審判を受けることが必要です。

　成年被後見人には成年後見人という法定代理人がつきます。

　未成年者の場合と同じように、**成年被後見人が単独で行った契約は取り消すことができます。**

　ただし、注意してほしいのがこちらです。

> 成年後見人には同意権がないので、同意を得て行った行為も取消しができます。

覚えよう！

成年後見人の同意を得て行った行為でも取消しができる

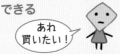
あれ買いたい！

成年被後見人

いいよ！

成年後見人

　未成年者では、法定代理人の同意を得て行った行為は取消しができませんでした。しかし、成年被後見人は取消しができます。同意を得たとしても、それと違う行為をしてしまう可能性があるからです。

　成年被後見人が取消しできないのは、以下の行為です。

ファイト！ファイト！

また、成年後見人が、成年被後見人に代わって成年被後見人が居住している建物を売却したり賃貸するときには、家庭裁判所の許可が必要となります。

3 被保佐人

被保佐人とは、成年被後見人ほどではないにせよ、精神上の障害によって、事理弁識能力が著しく不十分な者で、家庭裁判所による保佐開始の審判を受けた者のことです。

被保佐人は、ほとんどの行為は単独でできます。いくつかの重要な行為のみが取消し可能となります。その中で試験上重要なものは以下の2つです。

不動産の取引　　不動産の賃貸借

4 被補助人

被補助人とは、被保佐人ほどではないにせよ、精神上の障害によって、事理弁識能力が不十分な者で、家庭裁判所による補助開始の審判を受けた者のことです。

ほぼすべての行為は単独でできます。そして、どの行

いい調子！

為に取消権があるのかは、家庭裁判所が選びますので、
その人により異なります。

暗記ポイント 総まとめ

	未成年者	成年被後見人	被保佐人	被補助人
保護者	親権者（＝親） 未成年後見人	成年後見人	保佐人	補助人
同意権	●	✕	●	△
追認権	●	●	●	△
取消権	●	●	●	△
代理権	●	●	△	△

●：あり
✕：なし
△：審判によって特定の法律行為について
　付与された場合にのみ認められる。

ちょこっとトレーニング 本試験過去問に挑戦！

問1 成年被後見人が成年後見人の事前の同意を得て土地を売却する
意思表示を行った場合、成年後見人は、当該意思表示を取り消
すことができる。(2003-1-3)

問2 古着の仕入販売に関する営業を許された未成年者は、成年者
と同一の行為能力を有するので、法定代理人の同意を得ない
で、自己が居住するために建物を第三者から購入したとして
も、その法定代理人は当該売買契約を取り消すことができない。
(2016-2-1)

解答 1 ○：成年後見人に同意権はないので、取消し可能。
　　　2 ✕：古着の仕入販売は取消しができないが、その他の行為は
　　　　　　取消し可能。

「超える」「未満」「以上」「以下」

「超える」「未満」はピッタリを含まない、「以上」「以下」はピッタリを含みます。「20歳未満はお酒が飲めません」といったら、20歳は含みませんので、20歳の人はお酒を飲めるということです。「身長120cm以下の方はこの乗り物には乗れません」といったら、120cmも含みますので、120cmの人はこの乗り物には乗れないということになります。

＋α知識

後見開始の審判を請求できるのは、本人・配偶者・4親等内の親族・未成年後見人・未成年後見監督人・保佐人・保佐監督人・補助人・補助監督人・検察官です。

よしっ！
がんばるぞ！

やれるもんなら
やってみな！
（やべ…オレも
がんばろっと…）

時効

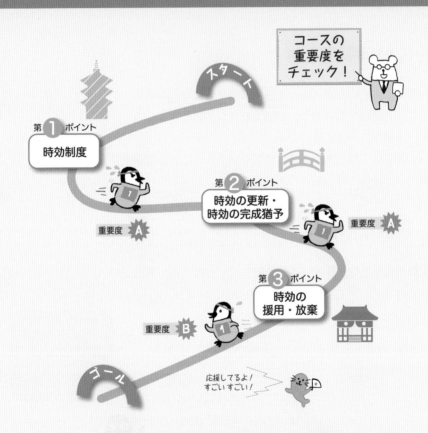

コースの
重要度を
チェック！

スタート

第**1**ポイント
時効制度

重要度 **A**

第**2**ポイント
**時効の更新・
時効の完成猶予**

重要度 **A**

第**3**ポイント
**時効の
援用・放棄**

重要度 **B**

ゴール

応援してるよ！
すごいすごい！

このコースの特徴

● 時効という言葉そのものには馴染みがあるでしょうが、ちゃんと正確にとらえておかなければ問題に対処することはできません。ここでは取得時効と消滅時効の2種類それぞれについてしっかり理解しましょう。

第❶ポイント 重要度 Ⓐ

時効制度

1 時効制度とは

　時効とは時の経過によって権利関係に変化が生じることだ、と定義されますが、日常でも使っている言葉なので、馴染みはあると思います。

　時効には2種類あります。時間が経つと手に入る**取得時効**と、時間が経つと失う**消滅時効**です。

2 取得時効

　取得時効とは、物を一定期間継続して占有するとその物の権利を取得できるという制度です。

覚えよう！

1 所有の意思をもって、平穏かつ公然と占有を継続すること

私のものだよ！

乱暴にしていないしコソコソしていないよ！

2 占有開始時に

善意無過失…………**10年間**占有を継続

善意有過失・悪意……**20年間**占有を継続

占有開始時に善意無過失であれば、途中で悪意になっても10年間で取得できます！

応援してるよ！すごいすごい！

「所有の意思をもって」とは、自分の物として占有する意思をいい、借りて住んでいるという場合は含まれません。つまり、マンションを借りて20年間住み続けても、その人のものにはなりません。なぜなら、借りて賃料を払っている時点で「所有の意思」はないからです。

また、必ずしも自分で占有しなければならないというわけではありません。**他人に賃貸していても占有を継続していたことになります。**

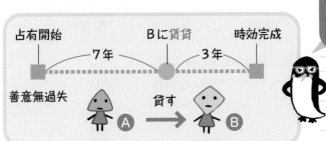

Bに貸している時点で、AはBを通して占有しているということですよね。

一方、途中で売買したり相続したりした場合はどうでしょうか。この場合、占有の承継人（買った人や相続した人）は、**自己の占有のみを主張しても、前主の占有をあわせて主張してもかまわない**のです。

つまずき注意の
前提知識

前主の占有を合わせて主張する場合、悪意などの瑕疵（キズ）も承継します。

3 消滅時効

消滅時効とは、ある権利が、時間の経過によって消滅してしまうことをいいます。

消滅時効の期間は、権利行使できる時から 10 年、もしくは知った時から 5 年のうち、早いほうとなります。

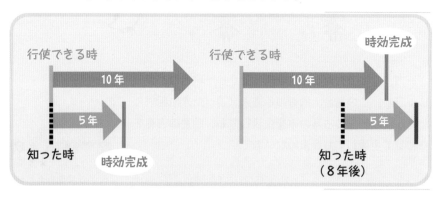

「権利行使できる時」とは、具体的には次のようになります。

		消滅時効の開始時期
確定期限付の債務	（例）4 月 1 日に引き渡す	期限が到来した時
不確定期限付の債務	（例）A の父親が死んだら引き渡す	期限が到来した時
停止条件付の債務	（例）A が試験に合格したら引き渡す	条件が成就した時
期限の定めのない債務	―	直ちに進行

期限は必ず来るのに対して、条件は必ず実現するとは

あせらず着実にいこう！

限らないという違いがあります。また、確定期限はその来る日がわかっているのに対して、不確定期限は必ず来るのだがその日がいつかはわからないということです。

　また、**所有権は消滅時効にかからないので、何年経過しても消滅しません。**たとえば、30年使っていない別荘も、所有者は所有者のままです。「持主なし」とはなりません。

4 時効の遡及効

　時効が完成すると、**時効の効果は、その起算日にさかのぼります**（時効の遡及効）。

　所有権の取得時効では、はじめから所有者であったことにすれば、不法占拠の事実がなくなり、損害賠償などが不要となります。消滅時効では、貸し借りが最初からなかったことにすれば、遅延損害金なども不要となります。

問1 AがBの所有地を長期間占有している。Aが善意無過失で占有を開始し、所有の意思をもって、平穏かつ公然に7年間占有を続けた後、Cに3年間賃貸した場合、Aは、その土地の所有権を時効取得することはできない。(1992-4-1)

問2 A所有の土地の占有者がAからB、BからCと移った。Bが平穏・公然・善意・無過失に所有の意思をもって8年間占有し、CがBから土地の譲渡を受けて2年間占有した場合、当該土地の真の所有者はBではなかったとCが知っていたとしても、Cは10年の取得時効を主張できる。(2004-5-1)

問3 Bは、A所有の土地をAのものであると知って占有を続け、この土地の所有権を時効により取得した。この場合において、Bが所有権を取得した時点は、時効が完成したときである。
(1987-8-1)

解答 1　×：他人に賃貸している期間も占有として扱う。
　　　　2　○：占有開始時に善意無過失なので、合計した占有期間が
　　　　　　　　10年あればよい。
　　　　3　×：時効の効果は起算日にさかのぼる。

攻略メモ
● すごろくや人生ゲームで「振り出しに戻る」というのがありますが、時効の更新はこれに近いイメージです。

第②ポイント 重要度 A

時効の更新・時効の完成猶予

1 時効の更新と完成猶予

時効完成前に、それまでの期間の経過をゼロに戻すことを時効の更新といいます。また、一定期間は時効の完成を猶予（一時ストップ）させることを時効の完成猶予といいます。

暗記ポイント 総まとめ

時効の更新	=	ゼロに戻す
時効の完成猶予	=	一時ストップ

2 完成猶予と更新の事由

以下の事由によって、時効の更新や時効の完成猶予が生じます。

1 （裁判上の）請求

訴えの提起をすることによってまずは時効の完成猶予が生じます。これにより、裁判が長引いたとしても時効完成は生じません。その後、勝訴すれば時効は更新します。取り下げや却下の場合には6カ月間の完成猶予が生じます。その期間内に別の方法で時効の完成を生じさせないようにする必要があります。

もうひとふんばりだ！

暗記ポイント　総まとめ

訴えの提起　→　時効の完成猶予
　　　　　↓
┌　勝訴　　　　　　→　更新
└　取り下げ・却下　→　完成猶予（6カ月間）

2　裁判外の請求（催告）

　内容証明郵便等を出すなどして債務の履行を求める通知を出すと、6カ月間の時効の完成猶予が生じます。

3　承認

　債務者が「私は債務を負っている」と認めた（＝承認した）場合に時効は更新します。具体的には次のようなものが承認にあたります。

1　債務の一部を弁済

1,000円借りているけれど、とりあえず100円返すね！

2　支払いの猶予を求める

来月返すから、ちょっと待っていてください！

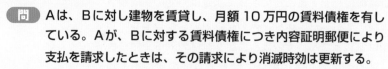

ちょこっとトレーニング　本試験過去問に挑戦！

> **問**　Aは、Bに対し建物を賃貸し、月額10万円の賃料債権を有している。Aが、Bに対する賃料債権につき内容証明郵便により支払を請求したときは、その請求により消滅時効は更新する。
>
> （2009-3-3 改）

解答　×：6カ月の完成猶予は生じるが、更新はされない。

ファイト！
ファイト！

第❸ポイント

重要度 **B**

時効の援用・放棄

1 時効の援用と放棄

時効が完成しても、自動的にその効果が発生するのではありません。援用（えんよう）が必要です。

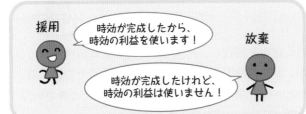

援用 「時効が完成したから、時効の利益を使います！」

放棄 「時効が完成したけれど、時効の利益は使いません！」

2 時効の援用

「時効の利益を受ける」という意思表示のことを時効の援用といいます。時効は一定の期間が経過すれば自動的に効力が生じるものではありません。当事者が「援用する」という意思表示をしてはじめて効力が生じます。

時効の援用ができる人は、時効によって直接利益を受ける人のみとなります。債務者のほかに、保証人などが援用できます。

ライバルに差をつける
関連知識

保証人のほかに、物上保証人や抵当不動産の第三取得者などの時効によって直接利益が生じるので援用することができます。物上保証人や抵当不動産の第三取得者については、「抵当権」（➡**第10コース参照**）の項目で詳しく学習します。

3 時効の利益の放棄

「時効の利益を受けない」という意思表示のことを時効の利益の放棄といいます。時効は完成したけれど、その時効の利益を受けないという選択をすることもできるのです。ただし、時効の利益の放棄は、時効完成前にはすることができません。

また、時効完成後に債務者が時効の完成を知らずに承認をした場合、時効援用をすることができません。

ちょこっとトレーニング　本試験過去問に挑戦！

問 Aは、Bに対し建物を賃貸し、月額 10 万円の賃料債権を有している。Bが、賃料債権の消滅時効が完成した後にその賃料債権を承認したときは、消滅時効の完成を知らなかったときでも、その完成した消滅時効の援用をすることは許されない。

(2009-3-4)

解答 ○：時効完成後でも承認すれば時効援用をすることはできない。

合格めざして　がんばろう

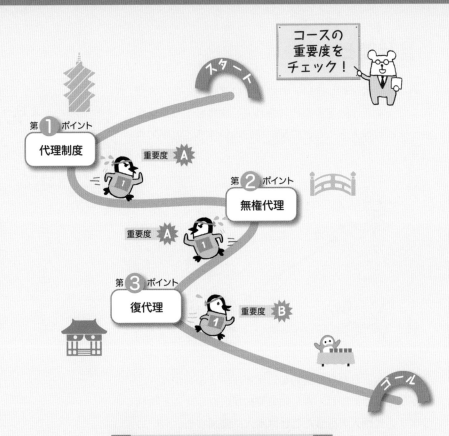

コースの重要度をチェック！

スタート

第**1**ポイント
代理制度

重要度 **A**

第**2**ポイント
無権代理

重要度 **A**

第**3**ポイント
復代理

重要度 **B**

ゴール

このコースの特徴

●このコースでは、代理制度と無権代理を中心に学習しましょう。代理はパズルの要素が強く、ちゃんと理解すれば得点できる分野です。出題頻度も高いので、直前期でもしっかりと学習して苦手意識をなくしておくことが大事です。

第 **1** ポイント　重要度 **A**

代理制度

1 代理とは

　Aは「Cと契約したい」と思っていました。本人Aが忙しかったり不動産の契約に慣れていなかったりした場合、Aは代理人BにCとの契約をお願いすることができます。

つまずき注意の
前提知識

メジャーリーガー（A）が球団（C）と契約交渉をする際などにも代理制度がよく利用されます。

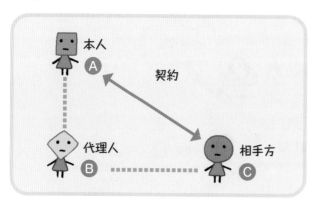

　この場合、BがCと契約をしますが、その契約はAとCがしたことになり、AC間で契約が成立したことになります。**代理人の行ったことは本人に帰属する**、つまり、代理人が行ったことは本人が行ったことになるのです。

　代理といえるためには次の３つが必要です。

いい調子！

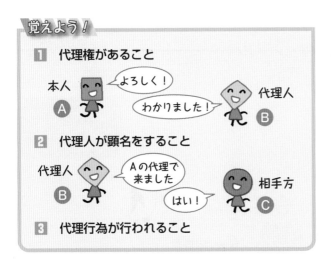

覚えよう！

1 代理権があること

本人
A
よろしく！

わかりました！

代理人
B

2 代理人が顕名をすること

代理人
B
Aの代理で
来ました

はい！

相手方
C

3 代理行為が行われること

2 顕名

顕名（けんめい）とは、代理人が「私は本人の代理人です」と相手方に示すことです。もし、代理人の顕名がない場合にはどうなるのでしょうか。

本人
A

善意有過失
または悪意

代理人
B

善意無過失

相手方
C

代理人Bが相手方Cに対し、顕名をしなかった場合、Cが善意無過失であれば、Bが代理人であるとは知らないわけですから、契約はBとCで結ばれることになります。しかし、Cが悪意、もしくは善意有過失の場合には、通常通りAC間で契約が成立します。

　代理人がだまされたり、おどされたりした場合にはどうなるのでしょうか。

CがBをおどして契約させようとしています。

　この場合、取消しができます。しかし、**取消しができるのは、おどされたBではなく、本人Aとなります。**

　では、逆に代理人がだましたり、おどしたりした場合にはどうなるのでしょうか。

BがCをおどして契約させようとしています。

　この場合、当然のことながら、Bを代理人に選んだのはAであり、Aはその責任をとらなければなりません。つまり、Aがこの詐欺や強迫を知っていたか否かにかかわらず（つまり、Aが善意でも悪意でも）、Cは取消しができます。

4 代理人の行為能力

　代理人に選ぶのは制限行為能力者であってもかまいません。

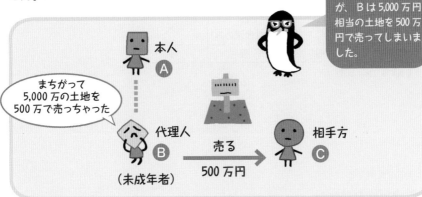

Aが未成年者Bに土地の売却の代理を頼みました。ところが、Bは5,000万円相当の土地を500万円で売ってしまいました。

本人 A

代理人 B
（未成年者）

まちがって5,000万の土地を500万で売っちゃった

売る
500万円

相手方 C

　この場合、Bが未成年者であることを理由に取消しはできるのでしょうか。たしかにAは損をしていますが、そもそもBを代理人に選んだのはAです。それに、B自身は損をしていないのだから、Bを守るという必要もありません。ですから、Bが未成年者であることを理由に取消しはできません。また、Bが代理人となって締結した契約について、法定代理人の同意なども必要ありません。

5 代理権の種類

　代理には法定代理と任意代理の2種類があります。

- **法定代理** = 法律の規定によって代理権が与えられる場合
- **任意代理** = 本人の委任によって代理権が与えられる場合

応援してるよ！
すごいすごい！

6 代理権の消滅

次のような場合に代理権は消滅します。

	死亡	破産	後見開始の審判
本人	●	● （任意代理のみ）	×
代理人	●	●	●

●：消滅する　×：消滅しない

ちょこっとトレーニング 本試験過去問に挑戦！

問1 買主Aが、Bの代理人Cとの間でB所有の甲地の売買契約を締結する場合において、CがBの代理人であることをAに告げていなくても、Aがその旨を知っていれば、当該売買契約によりAは甲地を取得することができる。(2005-3-ア)

問2 未成年者が代理人となって締結した契約の効果は、当該行為を行うにつき当該未成年者の法定代理人による同意がなければ、有効に本人に帰属しない。(2012-2-1)

問3 Aは、Bの代理人として、C所有の土地についてCと売買契約を締結したが、CがAをだまして売買契約をさせた場合は、Aは当該売買契約を取り消すことができるが、Bは取り消すことができない。(1990-5-3)

解答　1　○：顕名はなくても相手が知っていれば有効。
　　　　　2　×：代理人は制限行為能力者でもよい。
　　　　　3　×：逆。代理人Aは取消し不可、本人Bは取消し可。

第**2**ポイント

無権代理

重要度 **A**

攻略メモ

● 代理権がないのにもかかわらず代理行為を行う、つまり、無権代理人はあまりよい人ではないですよね。そのイメージをもって学習しましょう。

1 無権代理とは

代理人として代理行為をした人に代理権がなかったら、無権代理となります。

> BがAに内緒で、Cに「Aの代理人だ」と偽り、Aの土地を売ろうとしています。

 本人 **A**

代理権なし ✕ 無権代理人 **B**

相手方 **C**

代理権がないのですから、**無権代理は効力を生じません**。

しかし、偶然Aは「その土地を売りたい」と思っていて、Bが高い値段で売ってきた場合には、Aはその契約を認めたほうがよいと考えることもあるでしょう。その場合、**追認をすればその契約は、契約時にさかのぼって有効**となります。

なお、Aは、BとCのどちらに追認をしてもかまいません。ただし、無権代理人Bに追認をした場合、相手方Cがそれを知らなければ、相手方Cに対して追認の効果を主張することはできません。

  あせらず着実にいこう！

2 無権代理の相手方の保護

　無権代理人と契約を結ぶと、基本的には無効ですが、追認されると有効になるという非常に不安定な状態になります。そこで、相手方を保護する制度があります。

1 催告権

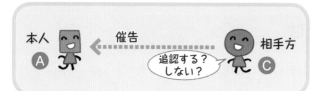

　相手方Cは、本人Aに対して、無権代理人Bとの契約を追認するかどうか、催告することができます。Aの**確答のない場合には追認拒絶とみなされます**。相手方C**が無権代理行為について悪意でも催告はできます**。

2 取消権

　相手方Cは、不安定な立場を逃れるため、取消しを本人Aに主張することができます。ただし、これは相手方Cが善意のときのみで、なおかつ、本人Aが追認をするとできなくなってしまいます。

もうひと
ふんばりだ！

3 履行請求・損害賠償請求

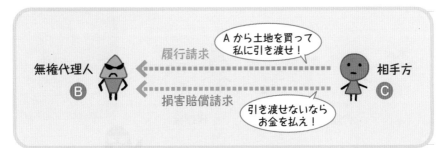

履行請求

無権代理人
B

損害賠償請求

相手方
C

Aから土地を買って
私に引き渡せ！

引き渡せないなら
お金を払え！

　無権代理行為が無効になり、相手方Cの契約の目的が達成できなかった場合、Cは無権代理人Bに対して、履行請求または損害賠償請求ができます。しかし、これができるのは相手方Cが善意無過失の場合のみです。また、**無権代理人が自己に代理権がないことにつき悪意のときは、相手方は過失があっても、これらの請求をすることができます。**なお、無権代理人が制限行為能力者であるときは、これらの請求をすることができません。

3 自己契約・双方代理

　自己契約とは、代理人自身が契約の相手方（買主）になることです。

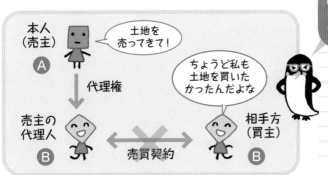

本人
（売主）
A

土地を
売ってきて！

代理権

売主の
代理人
B

ちょうど私も
土地を買いた
かったんだよな

売買契約

相手方
（買主）
B

Bは自分を相手方と
して契約することは
できません。

双方代理とは、売主と買主の両方の代理人になることです。

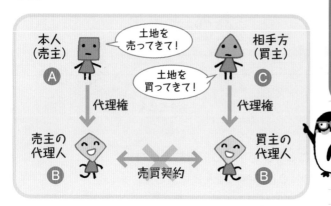

Bは、Aから土地を売るように、Cから土地を買うようにいわれました。BはAとCの両方の代理人となってAとCで契約を結ぶことはできません。

このように、自己契約や双方代理は禁止されています。もし行われた場合には無権代理として扱います。ただし、本人があらかじめ許諾していた場合（双方代理の場合は当然双方からの許諾が必要）と、登記の申請をするための双方代理は有効となります。

4 代理権の濫用

代理人が、本人の利益ではなく、自己または第三者の利益を図る目的で代理権の範囲内の行為をした場合、相手方がその目的を知り、または知ることができたときは、その行為は、無権代理とみなされます。

5 無権代理と相続

無権代理行為があった後に、相続によって無権代理人と本人が同一になってしまった場合を考えてみましょう。

覚えよう！

1 本人が死亡して無権代理人が本人を単独相続した場合

 本人 相続 ⟶ 無権代理人
↓
追認拒絶不可

悪い人が生きていますよね。ですから自分がやった責任はとらないといけません。だから、無権代理人は追認を拒絶できません。

2 無権代理人が死亡して本人が無権代理人を単独相続した場合

 無権代理人 相続 ⟶ 本人

↓
追認拒絶可

悪くない人のほうが生きていますよね。ですから、本人は追認を拒絶できます。しかし、相手方が善意無過失の場合、本人は相手方に対して無権代理人としての責任を免れることはできません。

6 表見代理

　無権代理であっても、無権代理人に代理権があるように、相手方からみえてしまい、そのための落ち度が本人にある場合には、本人に責任があることになり、この契約は有効に成立することになります。これを表見代理（ひょうけんだいり）といいます。

　「本人の落ち度」とは次のようなものをいいます。

合格めざして がんばろう

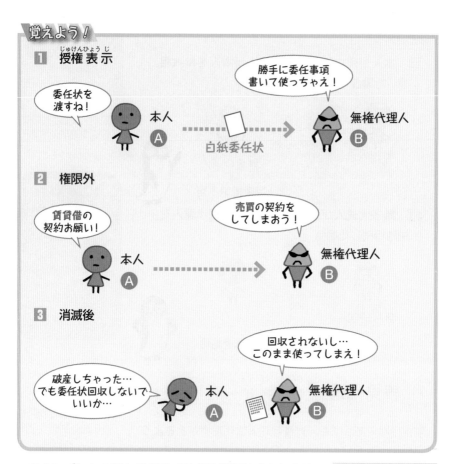

　このいずれかの落ち度だけでは表見代理は成立しません。ここに、相手方が善意無過失であるという条件も加わります。

覚えよう！

- 表見代理 ＝
  本人の落ち度 ＋ 相手方の善意無過失

問1 AがBに対して、A所有の甲土地を売却する代理権を令和2年7月1日に授与した場合、Bが、Aから代理権を授与されていないA所有の乙土地の売却につき、Aの代理人としてFと売買契約を締結した場合、AがFに対して追認の意思表示をすれば、Bの代理行為は追認の時からAに対して効力を生ずる。(2020 ⑫-2-4)

問2 B所有の土地をAがBの代理人として、Cとの間で売買契約を締結した場合、Aが無権代理人である場合、CはBに対して相当の期間を定めて、その期間内に追認するか否かを催告することができ、Bが期間内に確答をしない場合には、追認とみなされ本件売買契約は有効となる。(2004-2-2)

問3 Aが、Bの代理人としてCとの間で、B所有の土地の売買契約を締結する場合、Bが、AにB所有土地を担保として、借金をすることしか頼んでいない場合、CがAに土地売却の代理権があると信じ、それに正当の事由があっても、BC間に売買契約は成立しない。(2002-2-2)

解答 1 ×：追認の時からではなく、契約の時から有効。
2 ×：確答なければ追認拒絶となる。
3 ×：表見代理が成立するため、BC間で契約成立する。

第 ❸ ポイント　　重要度 Ｂ

復代理

1 復代理とは

　復代理とは、代理人に代わって、代理人がすべき仕事をする制度です。もう１人代理人がいてくれればよいのに、というときに役立つ制度です。気をつけてほしいのは、復代理人は「代理人の代理人」ではなくあくまで「本人の代理人」であるということです。つまり、復代理人がした契約は本人が契約したことになります。では、どのようなときに復代理人を選任できるのでしょうか。

> ● **法定代理** ＝ いつでも選任可能
> ● **任意代理** ＝ やむを得ない事由があるとき
> 　　　　　　　　　　　　　　または
> 　　　　　　　　　　本人の許諾を得たとき

アドバイス

試験では、任意代理の場合の選任について出題されることが多いです。「やむを得ない事由があっても本人の承諾がなければ選任できない」とあれば×です。「やむを得ない事由」「本人の承諾」のどちらかでよいので注意です。

2 復代理の性質

復代理人については次のことにも注意しましょう。

覚えよう！

1 復代理人は代理人の代理権を超えることはできない

賃貸借の代理権 代理人

賃貸借の代理権 復代理人

2 復代理人を選任しても、代理人の代理権は消滅しない

私は代理人です 代理人

私も代理人です 復代理人

3 代理人の代理権が消滅すると、復代理人の代理権も消滅する

代理権なくなりました 代理人

私も代理人ではなくなります… 復代理人

ちょこっとトレーニング ──本試験過去問に挑戦！

問 Aは不動産の売却を妻の父であるBに委任し、売却に関する代理権をBに付与した。この場合、Bは、やむを得ない事由があるときは、Aの許諾を得なくとも、復代理人を選任することができる。（2007-2-1）

解答 ○：復代理人はやむを得ない事由があるときか本人の許諾があるとき。

「今年絶対に合格する」と決めてください！

せっかく本書を購入して意欲のある今だからこそ、ここで決意してください。「合格できればいいな」程度では、今の宅建士試験はなかなか合格できません。仕事をしながら、家事をしながら、大学に行きながら、勉強をするという人も多いと思います。疲れて勉強したくないと思う日も来るでしょう。そういうとき、決意しているかどうかで、勉強できるかどうかが変わります。

ペース配分にも
気をつけてー！

いい調子！

第5コース

債務不履行・弁済

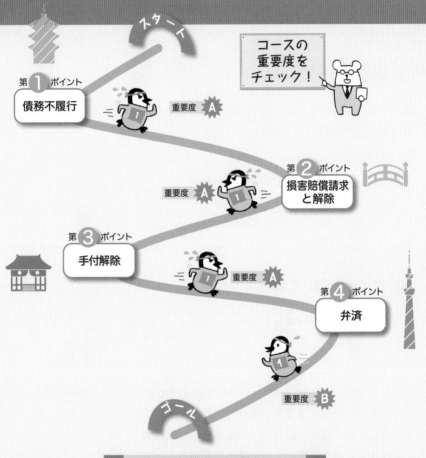

スタート

コースの
重要度を
チェック！

第①ポイント
債務不履行　　重要度 A

第②ポイント
損害賠償請求
と解除
重要度 A

第③ポイント
手付解除　　重要度 A

第④ポイント
弁済

重要度 B

ゴール

このコースの特徴

●このコースでは、債務不履行と、それによる解除や損害賠償
請求を中心に学んでいきましょう。特に、履行不能と履行遅
滞の解除の条件や、債務不履行解除と手付解除の損害賠償請
求の可否など、混乱しそうな分野ですので、しっかり整理し
て覚えましょう。

債務不履行・弁済

第❶ポイント　重要度 A

債務不履行

● 約束は守らなければならないということを最初に学びました。その約束を破ったわけですから、当然ペナルティーはあるはずです。

1 債務不履行とは

さい む ふ りこう
債務不履行とは簡単にいえば約束違反のことです。
債務不履行には次の２種類を覚えておきましょう。

覚えよう！

1 履行不能（履行することができない）

家を引き渡して！

家が焼けてしまったからムリ…

A　B

2 履行遅滞（履行できるのにしない）
り こう ち たい

家を引き渡して！

まだもう少し住みたいからムリ…

A　B

　債務不履行の場合、債権者は債務者に対して契約の解除をすることができます。また、債務不履行が債務者の責めに帰すべき事由に基づく（＝その債務不履行が債務者の故意や過失などに基づく）場合、損害賠償の請求をすることもできます。

応援してるよ！
すごいすごい！

	損害賠償	解除
債務者に帰責事由あり	○	○
債務者に帰責事由なし （債権者も帰責事由なし）	×	○

2 同時履行の抗弁権

　売主が引き渡すのと買主が代金を支払うのは同時履行の関係にたちます。だから、相手方が履行の提供をしていなければ、自分も履行を拒むことができます。これを同時履行の抗弁権といいます。相手方を履行遅滞だというためには、自分が履行の提供をしていることが必要になります。原則として、現実の提供（直接持参などをすること）が必要ですが、相手方があらかじめ受領を拒んでいる場合などは、口頭の提供（提供する物などを準備して受領を催告すること）でよいとされています。

　同時履行についてまとめておきましょう。

つまずき注意の 前提知識

受取証書
領収証のこと。電磁的記録によることもできます。それに対して債権証書とは借用書のことです。

【同時履行の関係が肯定される場合】
- 解除による原状回復義務の履行
- 弁済と受取証書の交付
- 詐欺・強迫によって契約が取り消された場合の相互の返還義務
- 請負の目的物の引渡しと報酬の支払い

【同時履行の関係が否定される場合】
- 被担保債務の弁済と抵当権の登記抹消手続き……（弁済が先）
- 弁済と債権証書の返還………………………………（弁済が先）
- 敷金の返還と建物の明渡し…………………………（建物明渡しが先）

3 履行遅滞の時期

債務者は、履行期（約束の期日）が到来するまでは、自己の債務を履行する必要はありません。それでは、いつから履行遅滞となってしまうのでしょうか。

		履行遅滞となる時期
確定期限付の債務	（例）４月１日に引き渡す	期限が到来した時
不確定期限付の債務	（例）Aの父親が死んだら引き渡す	その期限の到来した後に履行の請求を受けた時、またはその期限の到来を知った時のうち、いずれか早い時
停止条件付の債務	（例）Aが試験に合格したら引き渡す	条件成就を債務者が知った時
期限の定めのない債務	―	債務者が履行請求を受けた時

基本的に債務者が「履行しなければ」と認識した時から履行遅滞となります。

4 目的物の滅失（危険負担）

契約前に売買の目的物がすでに滅失していた場合には、履行不能となり、買主は解除をすることができます。さらに、売主に帰責事由があれば損害賠償請求ができます。

契約から引渡しの間に売買の目的物が天災などの不可抗力により滅失した場合、買主は、代金の支払いを拒絶することができます。

引渡し後に売買の目的物が当事者双方の責めに帰すことができない事由で滅失した場合、買主は代金の支払い

つまずき注意の
前提知識

引渡し後に売買の目的物が当事者双方の責めに帰すことができない事由で滅失した場合、契約不適合（→第６コース）としての追完請求や代金減額請求もすることができません。

あせらず着実にいこう！

を拒むことはできず、損害賠償請求や解除をすることも
できません。

5 全部他人物売買

他人のものを売る契約も有効です。仕入れて売ればよ
いのです。しかし、もし仕入れることができなかった場
合には、債務不履行（履行不能）として扱います。

6 抵当権実行

買主の善意・悪意にかかわらず、抵当権が実行されて
所有権を失った場合には、債務不履行として契約の解除
とともに損害賠償請求ができます。

ちょこっとトレーニング 本試験過去問に挑戦！

問1 AのBからの借入金100万円の弁済に当たり、Aは、Bに対し
て領収証を請求し、Bがこれを交付しないときは、その交付がな
されるまで弁済を拒むことができる。(1993-6-4)

問2 AはBに建物を売却する契約を締結した。Aの父の死亡後3カ月
後に当該建物を引き渡す旨定めた場合は、AはAの父の死亡し
た日から3カ月経過したことを知った時から遅滞の責任を負う。
(1987-6-3)

解答 1 ○：弁済と受取証書の交付は同時履行。
2 ○：債務者が知った時から履行遅滞となる。

第❷ポイント　重要度 A

損害賠償請求と解除

● 約束違反をされたら損害も出ます。家を引き渡してくれなければホテル暮らしになってしまいます。その出費は請求できるはずですよね。

1 損害賠償の請求

　損害賠償をするためには、損害額を証明しなければなりません。ただ、それでは大変なので、あらかじめ損害賠償額を決めておくこともできるのです。あらかじめ決めた場合には、損害額がそれよりも多くても少なくても、その額になります。これにより、債権者は、損害額等を証明することなく予定賠償額を請求することができます。損害賠償額の予定については、契約と同時にする必要はなく、金銭以外のものをもってすることも可能です。

　また、違約金を定めた場合、その**違約金を損害賠償額の予定と推定します**。つまり、「違約金は500万円とする」と決めたら、それは「損害賠償額は500万円とする」と決めたのと同じだということです。

2 金銭債務

　金銭債務とは、代金支払債務のように、金銭の支払いを目的とする債務です。約束した日にお金が払えなければ、その日から履行遅滞になります。世の中からお金自

ライバルに差をつける 関連知識

損害賠償額の予定をすると、裁判所は原則として、予定賠償額を増減できません。ただし、信義則や公序良俗違反に基づき減額できる場合もあります。

体がなくなることは考えられないので、金銭債務に履行不能は存在しません。常に履行遅滞となります。

不可抗力が原因であっても、期日にお金を返せなければ、どのような理由があっても債務不履行となるため、債権者は損害の証明をしなくても損害賠償の請求ができます。不可抗力の場合、本来は過失がないので債務不履行にはならないはずなのですが、金銭債務は容赦なく債務不履行になってしまうのです。

「金銭債務は厳しい」というイメージをもっておきましょう。

3 解除

解除とは、契約しているどちらか一方からの意思表示によって、契約をなかったことにすることです。また、一度解除をすると、それを撤回することはできません。

なお、債務不履行が軽微である場合、解除をすることはできません。

① 履行不能

待っても履行できないので、直ちに解除することができます。

② 履行遅滞

相当の期間を定めて相手に対して履行を催告し、履行がない場合に解除することができます。

ライバルに差をつける 関連知識

損害賠償額は、法定利率（年3％）によるのが原則ですが、それより高い利率の定めがある場合には、それに従います。

つまずき注意の 前提知識

債務不履行解除は解除をしてさらに損害賠償請求もすることができます。それに対して、後で出てくる手付解除は損害賠償請求はできません。

もうひとふんばりだ！

4 原状回復

　解除をしたら、すべて元に戻すことになります。これを原状回復義務といいますが、原状回復というのは、戻せばそれでよいというわけではありません。

- 金銭 ＝ 金銭 ＋ 利息
- 建物 ＝ 建物 ＋ 使用料

　金銭であれば、持っていた期間にお金を増やすこともできたはずなので、その金額に預かっていた期間の利息をつけて返すことになります。建物の場合、その預かっていた期間に自分が住むこともできるし、誰かに貸して収益を得ることもできたはずです。最初から何もなかったことになるのだから、当然、その預かっていた期間に発生していた利益も手に入らなかったことになるはずです。そのぶんを戻してはじめて原状回復なのです。なお、解除により当事者が負う原状回復義務については同時履行の関係にたちます。

合格めざして がんばろう

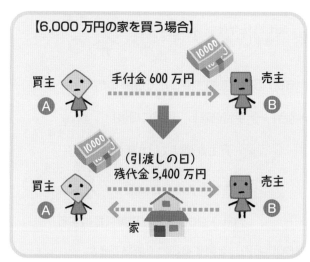

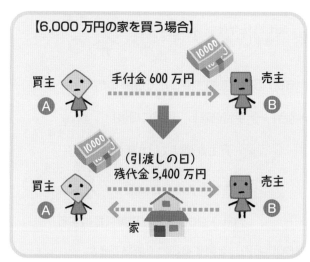

① ② ③ ・・・④

第 **3** ポイント　重要度 **A**

手付解除

攻略メモ

● ここの内容は、後に学習する「宅建業法」でも重要なものとなります。

第 **5** コース 債務不履行・弁済

第 **3** ポイント　手付解除

1 手付解除とは

　手付とは、簡単にいえば、買主が売主に預けておくお金のことです。

【6,000万円の家を買う場合】

買主 Ⓐ　手付金 600 万円　売主 Ⓑ

（引渡しの日）
残代金 5,400 万円

買主 Ⓐ　家　売主 Ⓑ

一般的には、手付金を代金の一部として繰り入れられることが多いので、引渡しの日に残りの代金を支払います。

　預ける理由としては、もしどちらかが契約をやめたいと思ったら、この手付金を使って契約を解除できるようにしたからです。これを手付解除といいます。ちなみに、手付解除は民法のルールにのっとった正当な解除なので、債務不履行にはなりません。よって、**損害賠償請求などはできない**ことに注意してください。

つまずき注意の
前提知識

手付にはいろいろな種類がありますが、宅建士試験で大事なのは解約手付のみですので、ここでいう手付とは「解約手付」のことを指します。

63

2 手付解除の方法

　では、どうやって解除をするのでしょうか。先ほどの
例で考えてみましょう。

【買主が解除をしたい場合】→ 手付放棄

買主
Ⓐ

「預けていた手付を
放棄します」

 売主
Ⓑ

➡買主が手付の額（600万円）を損することで解除できた

【売主が解除をしたい場合】→ 手付倍返し（現実に提供）

「手付を
倍返しします」

買主が預けていた手付
＋
売主が負担した同額
＝
合計 1,200万円を現実に提供する

買主
Ⓐ

 売主
Ⓑ

➡売主が手付の額（600万円）を損することで解除できた

　こうすれば、売主も買主も、解除したい場合には、手
付の額の負担をすることで解除することができるのです。
　例では仮に600万円としましたが、額については民
法上特に制約はありません。

ファイト！
ファイト！

3 手付解除の時期

相手方が履行に着手する前なら手付解除ができます。
自分が履行に着手しているかどうかは無関係です。

アドバイス

「自分が履行に着手していても、相手方が履行に着手し
ていなければ手付解除ができる」とあれば○です。

ちょこっとトレーニング 本試験過去問に挑戦！

問1 損害賠償額の予定をした場合、債権者は、実際の損害額が予定
額より大きいことを証明しても、予定額を超えて請求すること
はできない。(1990-2-4)

問2 買主が、売主に対して手付金を支払っていた場合には、売主は、
自らが売買契約の履行に着手するまでは、買主が履行に着手し
ていても、手付金の倍額を買主に支払うことによって、売買契
約を解除することができる。(2005-9-4)

解答 1 ○：損害賠償額の予定をした場合、その額を増額できない。
2 ×：相手方が履行に着手したら手付解除はできない。

第**4**ポイント　重要度 **B**

弁済

攻略メモ
● 債務がコンサートであれば他人が弁済（別の人のコンサートに変更）しても当然無効ですが、お金なら誰から返してもらっても支障ないですよね。

1 弁済とは

　弁済とは、債務の履行をして債務を消すことです。債務者がお金を借りているならそれを返すことであり、債務者が土地を売ったのならその土地を引き渡すことです。

　債権者が明確に受領を拒んでいる場合、債務者は弁済（債務）の提供をしなくても債務不履行の責任を負いません。

2 弁済できる者

　お金を貸していた場合、お金を返してくれさえすれば、誰から返されても問題ありません。お金を支払うのは誰でもよいでしょう。ですから、基本的には第三者が弁済することは可能なのです。

　しかし、債務者が第三者の弁済を嫌がっている場合は、基本的には弁済できません。しかし、この場合も、債務者に対して**弁済をするについて正当な利益を有する第三者は弁済できます**。たとえば物上保証人などは、弁済しなければ自分も被害を被ります。そのため、これらの人々

ライバルに
差をつける
関連知識

自己振出しの小切手の持参は、債務の本旨に従った履行の提供とはなりません。それに対して、銀行振出しの小切手の持参は履行の提供となります。

ライバルに
差をつける
関連知識

正当な利益を有しない第三者は債務者が嫌がっている場合は弁済できませんが、債権者がそのことを知らなかった場合には弁済できます。

は「正当な利益を有する第三者」といえるのです。それに対して、債務者の親・兄弟・友人などは弁済をするについて正当な利益を有する第三者にはあたりませんので注意してください。

3 弁済を受ける者

お金を貸していた場合、借りていた人が別の人に返してしまったらどうでしょうか。それは納得できませんね。その場合、この弁済は基本的には無効となります。

しかし、全く関係ない人であっても、その人に返せばよいのだと信じてしまった場合はどうでしょうか。

このように、受領権者としての外観を有する者に対して善意無過失で弁済した場合には有効としました。

つまずき注意の
前提知識

このような「債権者の代理人だ」と偽る人や、債権証書を持ってきた人や受取証書を持ってきた人など、もらう権利や権限がありそうにみえる人のことを「受領権者としての外観を有する者」といいます。

応援してるよ！
すごいすごい！

4 弁済による代位

　第三者が債務者の代わりに弁済したら、当然のことながら、立て替えたお金は返してほしいでしょう。このように債務者に請求することを求償といいます。求償をするときに、元の債権者のもっていた抵当権などを使えるようにしてもらえたら、求償もしやすくなります。このように、抵当権などを代わりに使うことを「弁済による代位」といいます。

　弁済をするについて正当な利益を有する第三者が弁済をした場合は、債務者の承諾なしに、**当然に代位できます**。

つまずき注意の
前提知識

代位については抵当権（→第10コース）の学習後に学ぶと、より理解ができるので、初学者の方はとりあえず後回しにして、後で戻ってくるとよいと思います。

> **例** AがBからお金を借り、保証人Cが代わりにBに弁済しました。
>
> Aさんの代わりにお金返しておいたので、早く私に支払ってください。支払ってくれないならBの抵当権を実行します！
>
> 保証人　C

特にAの了解はとらなくても代位できます。

　弁済をするにつき正当な利益を有しない者（親・兄弟・友人など）が弁済した場合、弁済者が債権者に代位したことを債務者や第三者に対抗するためには、債務者への通知または債務者の承諾が必要です。

あせらず着実にいこう！

5 代物弁済

　お金の代わりにキャベツで支払うなどのように、本来の給付と異なる他の給付をすることにより本来の債務を消滅させることを代物弁済といいます。代物弁済を行うためには、**債権者と債務者との間で契約をすることが必要です**。債権が消滅するのは、不動産の場合は所有権移転登記を完了させた時であり、その他の場合は引渡しをした時となります。

6 供託による弁済

　相手が金銭の受領を拒絶していても、相手が受け取っていない以上、支払う義務は消滅しません。

　そのような場合、債務者は供託所にお金を預けることができます。預けることによって、支払ったことと同じ効果となります。

【供託が可能な場合】
1　債権者が受領を拒む場合
2　債権者が受領不可能な場合
3　弁済者に過失なく債権者が誰かがわからない場合

問1 AのBからの借入金について、Aの兄Cは、Aが反対しても、Bの承諾があれば、Bに弁済することができる。(1993-6-1)

問2 AのBからの借入金について、Aの保証人DがBに弁済した場合、Dは、Bの承諾がなくても、Bに代位することができる。(1993-6-2)

解答 1 ×：正当な利益のない第三者は債務者の意思に反して弁済不可。

2 ○：正当な利益を有する者は当然に代位可。

給水 コラム

宅建士試験勉強法

満点をねらう勉強をしないことが大事です。試験範囲を10とすると、合格に必須の知識は2〜3程度です。本書では、その「合格必須の2〜3の知識」を掲載してあります。「曖昧な100の知識よりも、正確な10の知識のほうが点数をとれる」というのは真実です。本書をご利用のみなさんは、知識を確実なものにするように徹底反復してください。

あせらず着実にいこう！

契約不適合責任

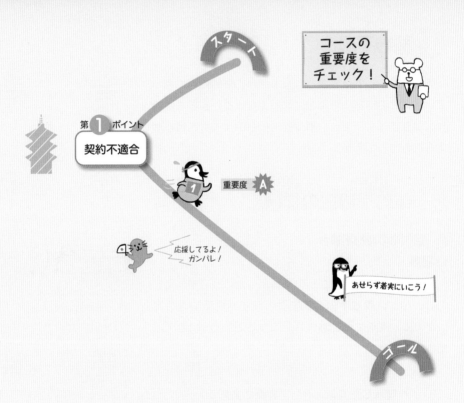

スタート

コースの重要度をチェック！

第**1**ポイント

契約不適合

重要度 **A**

応援してるよ！ガンバレ！

あせらず着実にいこう！

ゴール

このコースの特徴

●以前は「売主の担保責任」といわれていましたが、民法改正により、名称のみならずルールも大きく変わりました。ここで学ぶ内容は、宅建業法の「自ら売主制限」の分野でも使いますので、重要な単元となります。

第**1**ポイント 重要度 **A**

契約不適合

1 契約不適合

　売買契約をして引き渡されたものが、契約内容に合っ ていないものであった場合には、売主は責任をとらなけ ればなりません。では、具体的にはどのようなことが考 えられるでしょうか。

2 契約不適合の種類

① 目的物の契約不適合

❶ 種類

　引き渡された目的物が別の種類だったことです。たと えば、A という歌手の CD を引き渡す売買契約をして いたのに、実際に引き渡されたのが B という歌手の CD だった場合です。

←購入した CD

実際に来た CD →

ライバルに 差をつける
関連知識

なお、この「品質」に は、物質的な欠点の みならず、購入したマ ンションが契約通り の眺望が望めない場 合や、いわゆる事故 物件であったにもかか わらず契約内容に明 示されていなかった 場合なども含まれま す。

もうひと ふんばりだ！

❷ 品質

引き渡された目的物が、契約で予定された品質を備えていないことです。たとえば、パソコンを買ったが、契約内容で示された性能を有していなかった場合などです。

❸ 数量

引き渡された目的物が、契約で予定されていた数量と異なっていることです。たとえば、「100㎡の土地を3,000万円で購入する」と契約したが、購入後に計測したら90㎡しかなかった場合などです。

② 権利に関する契約不適合

❶ 移転した権利の不適合

売買の目的物に地上権・地役権などが存在している、もしくは当該不動産のために存在するとされていた地役権や敷地利用権が存在していない、もしくは目的物に対抗力を有する他人の賃借権が存在していることです。

❷ 権利の一部を移転しない場合

権利の一部が他人に属する場合のことです。たとえば、100㎡の土地を購入したが、その一部が他人の土地であった場合などです。

地上権
他人の土地を使える権利のこと。
地役権
他人の土地を自分の土地の利益のために利用できる権利のこと。

移転した権利の不適合とは、利用を妨げるような権利が付いていたり、必要な権利が付いていないなどの状態を指します。

3 買主の救済

売買の目的物に契約不適合がある場合、買主は以下のことをすることができます。ただし、いずれの場合も、買主に帰責事由がある場合にはすることができません。

① 追完請求権

買主は、売主に対して履行の追完を請求することができます。具体的には次の3つができます。

> **1** 目的物の修補
> **2** 代替物の引渡し
> **3** 不足分の引渡し

この3つから買主が選択して請求することができます。

2 代金減額請求権

買主は、代金減額を請求することができます。ただし、代金減額請求をするためには、**相当の期間を定めて追完するように催告し、その期間内に追完がない場合のみ行うことができます。**なお、以下の場合には催告せずに代金減額請求ができます。

① 履行の追完が不能である場合

> 現在製造中止になって調達ができない！

② 売主の履行追完拒絶意思が明確である場合

> 私は絶対に追完しません！

③ 契約が定期行為である場合

> クリスマスケーキを12/31に持って来られても…

3 損害賠償請求権

この場合の損害賠償請求は、**債務不履行に基づくもの**です。売主に帰責事由がなければすることができません。

④ 解除

この場合の解除は、**債務不履行に基づく**ものです。損害賠償請求とは異なり、売主に帰責事由がなくてもすることができます。

暗記ポイント 総まとめ

	追完	代金減額	損害賠償	解除
売主に帰責事由あり	●	●	●	●
売主に帰責事由なし （買主も帰責事由なし）	●	●	×	●

4 買主の期間制限

以上のような権利は、いつまでもできるわけではありません。追及できる期間は以下のようになります。

目的物の契約不適合	種類	知った時から1年以内※1に通知
	品質	消滅時効と同一※2
	数量	消滅時効と同一※2
権利に関する契約不適合		

※1　売主が悪意または善意重過失の場合は1年経過しても失権しない
※2　知った時から5年、権利行使できるようになった時から10年

5 担保責任を負わない特約

　担保責任を負わない特約は有効です。たとえば、アウトレットの商品などは、傷があっても責任をとらない代わりに値段を下げることをしています。しかし、担保責任を負わない特約をしたとしても、知りながら告げなかった事実についてはその責任を免れることはできません。

傷があるけど
黙って売っちゃえ！

売ったけど、
この敷地利用権を
別の人に
譲ってしまえ！

ちょこっとトレーニング　本試験過去問に挑戦！

問 不動産の売買契約に、売主Aの担保責任を全部免責する旨の特約が規定されていても、Aが知りながら買主Bに告げなかったものについては、Aは責任を負わなければならない。（2007-11-1 改）

解答 ○：知りながら告げなかったものに対しては免責されない。

ファイト！
ファイト！

相続

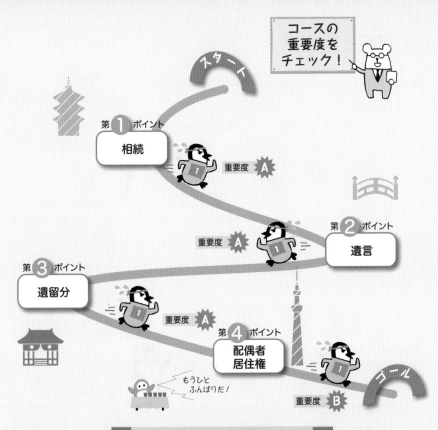

コースの重要度をチェック！

スタート

第**1**ポイント
相続
重要度 **A**

第**2**ポイント
遺言
重要度 **A**

第**3**ポイント
遺留分
重要度 **A**

第**4**ポイント
配偶者居住権
重要度 **B**

もうひとふんばりだ！

ゴール

相続

このコースの特徴

●このコースでは、まず相続のシステムをしっかりおさえて、それを実際に応用できるかどうかがポイントとなります。簡単な計算も必要になりますので、その部分も含めてしっかり学習しましょう。

第**1**ポイント 重要度 Ⓐ

相続

1 相続とは

相続とは、亡くなった人の権利や義務をそのまま継ぐことです。

 財産／借金

被相続人　　　　　相続人

財産だけでなく借金も相続しますので気をつけてください。

2 相続人

亡くなったら誰が相続人となるのでしょうか。

覚えよう！

● 法定相続人

（第一順位）　配偶者＋子

（第二順位）　配偶者＋直系尊属（親など）

（第三順位）　配偶者＋兄弟姉妹（けいていしまい）

ちなみに、子は嫡出子でも非嫡出子でも養子でも胎児でも区別はありません。

配偶者は常に相続人です。「配偶者と誰か」が相続人となります。子がいれば子が、子がいなければ直系尊属が、子も直系尊属もいなければ兄弟姉妹が相続人となります。

つまずき注意の
前提知識

嫡出子とは結婚している男女の子供で、非嫡出子とは結婚していない男女の子供のことをいいます。

 応援してるよ！すごいすごい！

3 相続分

では、相続分はどれくらいなのでしょうか。

覚えよう！

● 法定相続分

第一順位	配偶者 1/2	子 1/2
第二順位	配偶者 2/3	直系尊属 1/3
第三順位	配偶者 3/4	兄弟姉妹 1/4

例1 Aには配偶者Bと子供C・Dがいる。A
が死亡したときの法定相続分は？

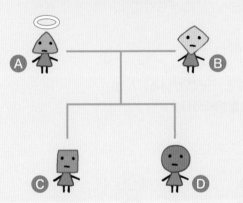

配偶者は必ず相続人となります。第一順位の子
がいるので、上記の表の「第一順位」を使いま
す。配偶者Bが2分の1、残りの2分の1を子
Cと子Dでわけます。したがって、Cが4分の1、
Dが4分の1となります。

例2 Aには、配偶者Bと、父C・母Dがいる。
Aが死亡したときの法定相続分は?

配偶者は必ず相続人となります。第一順位の子
がいないので、第二順位の直系尊属が相続人と
なります。上記の表の「第二順位」を使います。
配偶者Bが3分の2、残りの3分の1を父Cと
母Dでわけます。したがって、Cが6分の1、
Dが6分の1となります。

例3 Aには、配偶者Bと、兄Cがいる。Aが
死亡したときの法定相続分は?

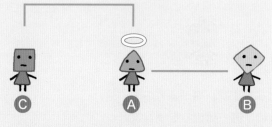

配偶者は必ず相続人となります。第一順位の子、
第二順位の直系尊属がいないので、第三順位の
兄弟姉妹が相続人となります。上記の表の「第
三順位」を使います。配偶者Bが4分の3、残
りの4分の1が兄Cとなります。

あせらず着実にいこう!

例4 Aには配偶者はなく、子Bと父Cがいる。
Aが死亡したときの法定相続分は？

今回は配偶者がいないため、全て第一順位の子
が相続します。第一順位の子がいるので、第二
順位の直系尊属であるCは相続人にはなりませ
ん。

4 相続の承認・放棄

相続人は、次のうちのどの選択をするかを決めなけれ
ばなりません。

覚えよう！

● 単純承認
両方もらう！
相続人 ＋ 財産 － 借金

● 限定承認
－の分は＋で返します。
返しきれない－は知りません♪
相続人 ＋ －

→ 限定承認は全員共同でしなければならない！

● 相続放棄
どちらもいりません。
拒否します
相続人 ＋ －

→ はじめから相続人ではなかったことになる！

限定承認・相続放棄をする場合には、家庭裁判所に申述しなければなりません。また、**自分が相続人だと知った時から３カ月以内に決定しなかった場合には、単純承認をしたものとみなされます。**

アドバイス

相続開始を知った時から３カ月であり、相続開始の時から３カ月ではないので注意！

5 代襲相続

代襲相続とは、相続が開始したとき、相続人になることのできる人が、死亡や欠格や廃除によって相続人でな

つまずき注意の
前提知識

相続人の誰かが単純承認をしてしまうと、他の共同相続人は限定承認はできなくなります。

つまずき注意の
前提知識

欠格とは、遺産目当てに親を殺したりした場合などがあたります。廃除とは親を虐待などしていた場合に家庭裁判所に「この人を相続人にさせないで！」と請求された場合などです。

くなっている場合、その人の子が代わりに相続人になることです。

　なお、相続放棄をした場合には代襲相続をしません。

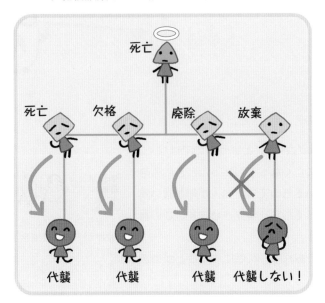

ちょこっとトレーニング ▶ 本試験過去問に挑戦！

問1 被相続人の子が、相続の開始後に相続放棄をした場合、その者の子がこれを代襲して相続人となる。(2002-12-4)

問2 甲建物を所有するＡが死亡し、相続人がそれぞれＡの子であるＢ及びＣの２名である場合に関して、Ｃが単純承認をしたときは、Ｂは限定承認をすることができない。(2016-10-3)

解答 1　×：相続放棄の場合には代襲相続しない。
　　　　2　○：限定承認は相続人全員でしなければならない。

もうひと
ふんばりだ！

第**2**ポイント 重要度 **A**

遺言

1 遺言とは

　法定相続分は「こうしなさい」というものではなく、本人が何も言い残さずに亡くなってしまったときにもめないように決められているものです。本人が何か言い残している場合には、当然そちらを優先させます。この言い残しを遺言（いごん）といいます。

　遺言は満15歳以上であれば、有効にすることができます。

　遺言は形式が決まっています。自筆証書遺言・公正証書遺言・秘密証書遺言などの形式があります。

　遺言書の存在や内容を確認するため、公正証書遺言以外の遺言は原則として家庭裁判所に検認の請求をしなければなりません。しかし、**この検認がなくても遺言書は無効にはなりません**。

ライバルに差をつける
関連知識

自筆証書遺言は、遺言者がその全文を自筆で書く必要があります。ただし、財産目録は自書でなくてもよいですが、毎葉に署名押印が必要です。

2 遺言の特徴

　遺言は**1通につき1人**であり、2人以上の人間が同じ証書で遺言することはできません。

　また**遺言はいつでも撤回ができます**。次のようなことをしたときには、遺言は撤回したものとみなされます。

あせらず着実にいこう！

1 遺言（遺言書ａ）と異なる処分を生前にする

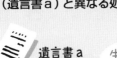

遺言書ａ

生前に甲土地を売却

Ａに甲土地を譲る

2 新しい遺言書（遺言書ｂ）を作成する

抵触する部分はｂが有効

遺言書ａ

遺言書ｂ

| 日付：
2018年10月1日 | 日付：
2018年10月15日 |

参考

■ 遺言の形式

	自筆証書遺言	公正証書遺言	秘密証書遺言
作成方法	すべて自筆（ワープロ不可）ただし、財産目録はワープロ可	本人が口述し、公証人が筆記	本人が署名押印した遺言を封印し、公証役場で住所氏名を記入
場所	自由	公証人役場	公証人役場
証人	不要	証人2人以上	公証人1人 証人2人以上
署名押印	本人	本人・公証人・証人 （本人は実印）	本人・公証人・証人
家庭裁判所の検認	原則必要	不要	必要
費用	不要	必要	必要

問1 満15歳に達した者は、父母の同意を得なくても、遺言をすることができる。(1999-1-4)

問2 夫婦又は血縁関係がある者は、同一の証書で有効に遺言をすることができる。(2010-10-4)

解答 1 ○：満15歳で遺言可能。父母の同意は不要。

2 ×：遺言書は1通につき1人。

第❸ポイント

遺留分

重要度 **A**

攻略メモ
● 当然、配偶者や子は遺産をあてにしていたはずです。年老いた父母も子が死んだら苦労するはず。それがもらえないといろいろ不都合があるはずです。

1 遺留分とは

　相続人の生活保障などの観点から、遺言によっても侵害されない一定額を定めています。それを遺留分（いりゅうぶん）といいます。

これでは残された家族B・Cは暮らしていけなくなりますね。

愛人Dに財産を全部与えます♪

わーい♪

A

B 配偶者

C 子供

D 愛人

　遺留分を侵害する遺言も有効になります。上記の例ですと、一度に愛人Dに全額渡し、そこから配偶者Bと子供Cが遺留分侵害額に相当する金銭の支払いを請求するということになります。これを**遺留分侵害額の請求**（いりゅうぶんしんがいがくのせいきゅう）といいます。

ライバルに差をつける 関連知識

遺留分侵害額の請求は訴えによる必要はなく、意思表示のみで可能です。

2 遺留分の割合

　遺留分は被相続人の財産の2分の1となります。これを法定相続分でわけますから、上記の例ですと、配偶者

Ｂが４分の１、子供Ｃが４分の１となります。ただし、直系尊属のみが相続人の場合、被相続人の財産の３分の１となります。また、**兄弟姉妹には遺留分はありません**。

3 遺留分の放棄

　遺留分を放棄することもできます。注意してほしいのは、遺留分の放棄と相続の放棄は全く別物だということです。まず、大きな違いとしては

- ● 遺留分の放棄 ＝ 相続開始前にすることができる
- ● 相続の放棄 ＝ 相続開始前にはすることができない

という点があります。また、全く別物だということは、遺留分を放棄した後、この遺言が破棄されて相続できるようになったときには、ふつうに相続ができるということです。放棄したのは遺留分であり、相続は放棄していないからです。

ちょこっとトレーニング　本試験過去問に挑戦！

問1 Ａには、相続人となる子ＢとＣがいる。Ａは、Ｃに老後の面倒をみてもらっているので、「甲土地を含む全資産をＣに相続させる」旨の有効な遺言をした。この場合、Ｂの遺留分を侵害するＡの遺言は、その限度で当然に無効である。(2008-12-1)

問2 被相続人Ａの配偶者ＢとＡの弟Ｃのみが相続人であり、Ａが他人Ｄに遺産全部を遺贈したとき、Ｂの遺留分は遺産の８分の３、Ｃの遺留分は遺産の８分の１である。(1997-10-1)

解答 1　×：遺留分を侵害する遺言も有効。
　　　2　×：兄弟姉妹（Ｃ）には遺留分はない。

第❹ポイント

重要度 **B**

配偶者居住権

攻略メモ

● 残された配偶者の生活を守るための制度です。そのため、相続開始時に一緒に住んでいることが必要です。

---

1 配偶者居住権

　夫婦で夫Aの家に暮らしていたところ、夫Aが亡くなってしまいました。そして、妻Bと元妻との子Cが相続人だった場合で考えてみましょう。

【相続財産】

AとBが
暮らしていた家　　　　　2,000万

現金　　　　　　　　　　2,000万

　相続分はBもCも2分の1です。したがって、Bがその家に住み続けたいと思って家を相続すると、現金は全て子Cのものとなってしまいます。これではBは生活できません。

　そこで、この家を「所有権」と「居住権」にわけることとしました。そうすれば、妻Bは居住権のみを相続して死ぬまで無償でその家に住み続けられることができ、

合格めざして がんばろう

なおかつ現金もいくらか相続することが可能です。子Cも、妻Bが生きている間は無償で住ませなければなりませんが、所有権を持っているので、Bの死後は自由に使えます。

　この制度が配偶者居住権です。ただし、いつでも適用できるわけではなく、適用するには以下の条件を満たす必要があります。

①被相続人の財産に属した建物に相続開始時に居住していたこと
②配偶者居住権を遺産分割か遺贈によって取得したこと

2 配偶者短期居住権

　配偶者居住権が成立しなかった（相続や遺贈で家が別の人に相続された）場合などであっても、その建物に夫Aと一緒に暮らしていた妻Bは、無償で一定期間は住み続けることができます。これが配偶者短期居住権です。

つまずき注意の **前提知識**

　一定期間とは、建物の帰属が決定した時または相続開始時から6カ月経過する日のいずれか遅い日まで等となります。

暗記ポイント **総まとめ**

● 配偶者居住権と配偶者短期居住権の違い

	配偶者居住権	配偶者短期居住権
金銭負担	無償	無償
範囲	居住建物全部	居住建物の全部または一部
期間	原則として終身	一定の短期間
権利	使用・収益	使用
対抗要件	登記	対抗不可

第8コース

物権変動

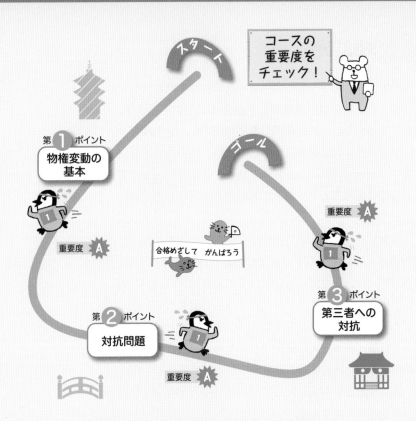

スタート

コースの重要度をチェック！

ゴール

第**1**ポイント
物権変動の基本

重要度 **A**

合格めざして がんばろう

第**2**ポイント
対抗問題

重要度 **A**

重要度 **A**

第**3**ポイント
第三者への対抗

物権変動

このコースの特徴

●このコースでは、どういう人が勝てるのかを中心にみていきましょう。民法の制度趣旨を考えて学習しましょう。かわいそうな人を保護する、などということを意識して学習しましょう。

第 **1** ポイント　重要度 **A**

物権変動の基本

攻略メモ

● 当事者は当然のことながら、売った物を引き渡す義務があります。その義務をはたしていない人に文句をいうのは当然ですよね。

1 対抗要件

　土地や建物の所有権を主張するためには、原則として登記（ **→ 第9コース参照**）を備える必要があります。登記を備えるとは、法務局にある登記簿に一定事項を記録することをいいます。簡単にいえば、持ち物に名前が書いてあれば自分のものだと主張できるように、登記簿に名前を書くことで、自分のものだと主張できるということです。

　しかし、一般的に、自分が持っていた本を古本屋に売った場合、たとえその本に自分の名前が書かれていても、「私のものだ」と主張することはできません。同じように、土地や建物を売った人が、たとえ登記を備えていたとしても、自分のものだと買った人に主張できません。ということは、**買った人は登記がなくても、これは自分のものだと売った人に主張できる**ということです。

　また、売主の前主に対しても、買主は登記なく所有権の主張ができます。

いい調子！

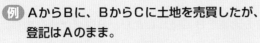

例 AからBに、BからCに土地を売買したが、登記はAのまま。

登記

Ⓐ 前主 → Ⓑ 売主 → Ⓒ 買主

この場合、CはAに対して登記なしで対抗できます。

2 相続人

　では、AとBが土地の売買契約を結んだ直後にそのAが死んでしまって、Aから土地を相続したCが、Bに引渡しをしないで、その土地の登記をしてしまった場合はどうでしょうか。

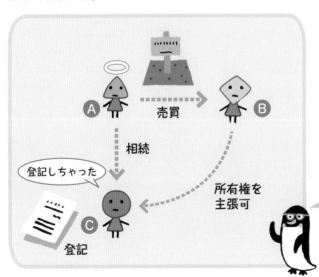

売買

相続

登記しちゃった

Ⓒ

登記

所有権を主張可

相続人は権利や義務をそのまま引き継ぐので、AとCは同じという扱いになり、Bは登記なしでCに対して所有権の主張をすることができます。

問1 Aは、自己所有の建物をBに売却したが、Bはまだ所有権移転登記を行っていない。Aはこの建物をFから買い受け、FからAに対する所有権移転登記がまだ行われていない場合、Bは、Fに対し、この建物の所有権を対抗できる。(2004-3-4)

問2 Aは、自己所有の甲地をBに売却し、代金を受領して引渡しを終えたが、AからBに対する所有権移転登記はまだ行われていない。Aの死亡によりCが単独相続し、甲地について相続を原因とするAからCへの所有権移転登記がなされた場合、Bは、自らへの登記をしていないので、甲地の所有権をCに対抗できない。(2005-8-1)

解答 1　○：売主の前主には登記なしで対抗可能。
　　　　 2　×：売主の相続人には登記なしで対抗可能。

第❷ポイント　対抗問題

重要度 **A**

● 1つの土地や建物を2人以上の人が争った場合の話です。この場合、何の権利もない人を守る必要はありませんよね。

1 二重譲渡

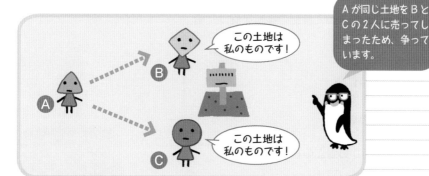

この土地は私のものです！

B

この土地は私のものです！

C

AがおなじじをBとCの2人に売ってしまったため、争っています。

このような争いのことを対抗問題といいます。

こういう問題を解決するために登記というものがあります。

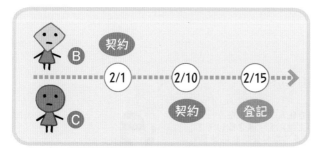

B　契約

2/1 ── 2/10 ── 2/15 →

C　契約　登記

この場合、土地はどちらのものになるかというと、Cのものになります。たしかに契約はBのほうが先ですが、先

応援してるよ！
すごいすごい！

に登記したほうを民法では勝ちと決めているので、契約の前後は関係なく、**登記の先後で勝負をつける**ことにしました。

2 登記がなくても対抗できる者

以下の者に対しては、登記がなくても対抗できます。

1 無権利者

- 虚偽表示によって登記の移転を受けた者

Ⓐ 虚偽表示 Ⓑ

- 無権利者から登記の移転を受けた者

Ⓐ（無権利者） Ⓑ（無権利者）

無権利者から譲り受けた者は無権利者となります！

2 不法占拠者

- 土地を不法に占拠している者

俺が住んでいるんだから俺の土地だ！ 渡さないぞ！文句があるなら登記を見せろ！

❸ 背信的悪意者

● 詐欺・強迫により登記の申請を妨げた者

登記所に行ったら
恐ろしいめにあうぞ！

強迫して
いる人

……

被害者

背信的悪意者から譲り受けた者が背信的悪意者とは限りません！

ちょこっとトレーニング 本試験過去問に挑戦！

問 Aは、自己所有の建物をBに売却したが、Bはまだ所有権移転登記を行っていない。Cが何らの権原なくこの建物を不法占有している場合、Bは、Cに対し、この建物の所有権を対抗でき、明渡しを請求できる。(2004-3-1)

解答 ○：不法占拠者に対しては登記なしで対抗できる。

あせらず着実にいこう！

第**3**ポイント　　重要度 **A**

第三者への対抗

1 取消しと第三者

　契約の取消し前に第三者があらわれた場合は第1コースで学習しました。その際、登記の有無は関係ありませんでした。

　では、取消しをした後に転売をしてしまった場合にはどうなるのでしょうか。

取り消します！

戻すのは嫌だな。Cに売ってしまえ！

ありがとう！

A　B　C

Aが取り消したのですが、返したくないのでCに売ってしまいました。

　この場合には、**登記の有無で決着をつけます**。Aに登記があればAの勝ち、Cに登記があればCの勝ちとなります。

　取消し前の第三者なのか、取消し後の第三者なのかによって、結論が変わりますので、しっかりと識別できるようにしましょう。

もうひとふんばりだ！

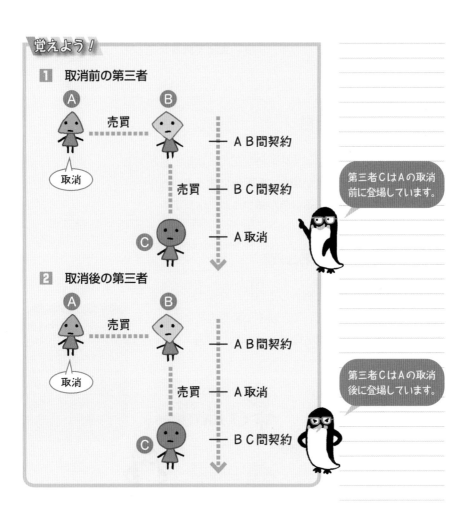

覚えよう！

１ 取消前の第三者

Ⓐ ── 売買 ── Ⓑ

取消

ＡＢ間契約

売買 ── ＢＣ間契約

Ⓒ ── Ａ取消

第三者ＣはＡの取消前に登場しています。

２ 取消後の第三者

Ⓐ ── 売買 ── Ⓑ

取消

ＡＢ間契約

売買 ── Ａ取消

Ⓒ ── ＢＣ間契約

第三者ＣはＡの取消後に登場しています。

2 取得時効と第三者

　取得時効 (➡ **P30 参照**) の完成前に売買をした場合、**取得時効を完成させた者が勝つ**ことになります。登記も必要ありません。

　では、取得時効の完成後に第三者があらわれた場合は

どうなるのでしょうか。この場合には、**登記で決着をつ**
けることになります。

3 解除と第三者

　契約の解除の場合には、解除前に登記のある第三者が
あらわれたときは第三者が勝ち、解除後に第三者があら
われたときは、**登記のあるほうが勝つ**ことになります。

4 共同相続と第三者

　AとBが土地を共同で相続したのに、Bがこの土地を
単独で相続したと登記をして、勝手に第三者Cに売って
しまった場合は、どうなるのでしょうか。

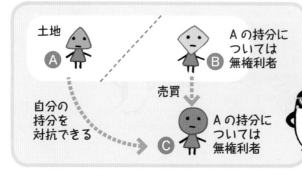

BはAの持分に関しては無権利者なので、無権利者から譲渡されたCもAの持分に関しては無権利者。なので、Aは登記がなくてもCに対抗できます！

5 遺産分割と第三者

　ＡとＢが土地を共同相続し、その後「土地はＡの単独所有」という遺産分割協議が成立したのに、Ｂがこの土地の自己の持分につき登記をして、勝手にＣに売ってしまった場合は、どうなるのでしょうか。

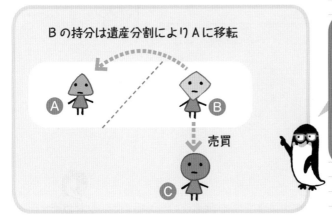

Ｂの持分は遺産分割によりＡに移転

売買

ＢはＡにＢの持分を渡さなければいけないし、同時に売ってしまったＣにも渡さないといけない状態です。これは二重譲渡と同じ状態なので、登記で勝敗を決めることになります！

6 相続放棄と第三者

　ＡとＢが土地を共同相続し、Ｂが相続を放棄しました。しかしその後、Ｂは自分の持分があるかのような登記をして、Ｃに売ってしまった場合はどうでしょうか。この場合、Ｂは最初から相続人ではなかったことになります。Ｂは無権利者なのです。無権利者から譲渡されたＣも無権利者です。よって、Ａは登記なしでＣに対抗することができます。

暗記ポイント 総まとめ

取消前の第三者	詐欺：善意無過失には対抗不可 強迫：善意でも悪意でも対抗可
取消後の第三者	登記！
解除前の第三者	登記！
解除後の第三者	登記！
時効完成前の第三者	時効完成者の勝ち！
時効完成後の第三者	登記！

アドバイス

○○後の第三者 → 登記！
　　　　解除 → 登記！

ちょこっとトレーニング　本試験過去問に挑戦！

問1 A所有の甲土地につき、AとBとの間で売買契約が締結された。AがBにだまされたとして詐欺を理由にAB間の売買契約を取り消した後、Bが甲土地をAに返還せずにDに転売してDが所有権移転登記を備えても、AはDから甲土地を取り戻すことができる。(2011-1-3)

問2 A所有の甲土地につき、時効により所有権を取得したBは、時効完成前にAから甲土地を購入して所有権移転登記を備えたCに対して、時効による所有権の取得を主張することができない。(2012-6-1)

解答 1　×：取消し後の第三者に対抗するためには登記が必要。
　　　　2　×：時効完成前の第三者に対しては時効取得者の勝ち。

合格めざして がんばろう

不動産登記法

コースの
重要度を
チェック！

スタート

第①ポイント
登記の
仕組み

重要度 **A**

ファイト！
ファイト！

第②ポイント
登記の
手続き

重要度 **A**

ゴール

第③ポイント
仮登記

重要度 **A**

不動産登記法

このコースの特徴

● このコースでは、登記について学んでいきますが、不動産登記法の問題は難問も多く、あまり深入りしないようにすることがポイントです。このテキストに載っているレベルの問題が解ければ合格点はとれるはずですから、あまり手を広げすぎないように注意しましょう。

第**1**ポイント　重要度 **A**

登記の仕組み

攻略メモ

● 勉強のコツは実物を見てみること。誰でも請求可能ですので、ぜひ最寄りの法務局で登記事項証明書を請求してみてください。

1 登記とは

　不動産の戸籍のようなものが不動産登記です。どういう不動産で、誰のものであるのか記録してあるのです。土地と建物は別の不動産として扱われているため、土地の登記記録と建物の登記記録の両方が存在します。

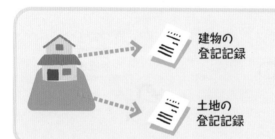

建物の
登記記録

土地の
登記記録

　登記事項証明書の交付請求は、利害関係がなくても、誰でも行うことができます。

ファイト！
ファイト！

2 登記について

登記記録は表題部と権利部にわけられていて、その権利部も甲区と乙区にわかれています。

> **覚えよう！**
>
> ● 表題部
> ● 権利部　甲区　（所有権に関する事項）
> 　　　　　乙区　（所有権以外に関する事項
> 　　　　　　　　：抵当権など）

表題部と権利部の違いについてです。

> **覚えよう！**
>
> ● 表題部＝登記申請義務がある
> ● 権利部＝原則として登記申請義務がない

　表題部は土地や建物のプロフィールのようなものです。そのため、どこにどういう土地や建物があるか把握しておくために、**土地や建物ができたとき、なくなったときには１カ月以内に申請することが必要です**。また、表題部に関しては、申請がない場合、登記官が職権で登記をすることもできます。

　それに対して、**権利部の申請は原則として義務ではありません**。しかし、対抗要件とするには権利部に登記されていることが必要です。ということは、別に対抗要件として使うことがなければ、無理して登記する必要はないということになります。

つまずき注意の 前提知識

表題部は義務なので登記するのに原則としてお金はかかりません。しかし、権利部は登記するのにお金がかかります。前に出てきた「登記があるほうが勝ち」などの登記は、表題部ではなく権利部に名前があるかどうかで決まります。

ライバルに 差をつける 関連知識

所有者不明土地が多くなっていることに鑑み、相続による所有権移転の登記の申請が義務化されました。権利部は原則的には義務ではありませんが、こちらは例外ですので注意しましょう。

3 権利部の登記の仕組み

　最初の1人が「所有権保存の登記」を行い、それから売買や相続によって所有者が変わったら「所有権移転の登記」を行います。

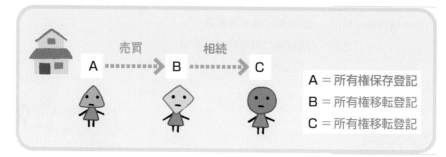

売買　　相続

A ····▶ B ····▶ C

A = 所有権保存登記
B = 所有権移転登記
C = 所有権移転登記

ちょこっとトレーニング　本試験過去問に挑戦！

問 新築した建物又は区分建物以外の表題登記がない建物の所有権を取得した者は、その所有権の取得の日から1月以内に、所有権の保存の登記を申請しなければならない。(2016-14-1)

解答 ×：所有権保存登記は権利部なので義務ではない。

いい調子！

第❷ポイント 登記の手続き

重要度 **A**

攻略メモ

- 財産に関わることなので、登記についてはきっちりとしたルールが定められています。この申請を代行してくれるのが司法書士です。

1 申請主義

登記は当事者の申請で行うのが原則です。しかし、表題部などは、登記官の職権による登記が認められています。

2 共同申請主義

登記の申請は共同で行うのが原則です。売買によって所有権が移ったときには、売った人と買った人の双方が共同して登記の申請をしなければなりません。

土地を売りました 登記義務者

土地を買いました 登記権利者

通常、代理権は本人の死亡により消滅しますが、登記申請を代理人（司法書士など）に委任した場合、登記の申請をする者の委任による代理人の権限は、本人の死亡によっては消滅しません。

ライバルに差をつける 関連知識

その他にも「要式主義」などもありますが、重要なのは「申請主義」と「共同申請主義」です。ちなみに、以前は「出頭主義」といって、直接登記所に行かなければ登記できないという規則もあったのですが、現在は廃止されました。よって、今は郵送でもオンライン申請でもできるようになっています。

しかし、次の場合は単独で申請できます。

1 所有権保存の登記
2 登記名義人の氏名・住所の変更登記
3 相続または合併による登記
4 相続人に対する遺贈による所有権移転登記
5 登記すべきことを命じる確定判決による登記
6 仮登記義務者の承諾がある仮登記

また、所有権保存の登記ができるのは以下の人に限られます。

1 表題部所有者
2 表題部所有者の相続人その他の一般承継人
3 所有権を有することが確定判決により確認された者
4 収用により所有権を取得した者

また、区分建物の場合のみ、表題部所有者から所有権を取得した者も所有権保存登記ができます。

所有権を与える

········▶ 101 号室　買主A

········▶ 102 号室　買主B

········▶ 103 号室　買主C

分譲業者
（表題部所有者）

いきなり
所有権保存登記
可能

分譲業者が全部の部屋の所有権保存登記をして、その後それぞれの買主が所有権移転の登記をするとなると、手間もお金もかかるので、マンションの場合のみ、いきなり買主が所有権保存登記ができることとしました。

ちょこっとトレーニング 本試験過去問に挑戦！

問 表題部に所有者として記録されている者の相続人は、所有権の保存の登記を申請することができる。(2006-15-3)

解答 ○：相続人は所有権保存登記ができる。

参考

■土地の表題部

表題部（土地の表示）		調製	余白	不動産番号	1234567890123
地図番号	A11－1	筆界特定		余白	
所在	品川区八潮一丁目				
①地番	②地目	③地積 m²	原因及びその日付（登記の日付）		
1番	宅地	532:43	昭和29年1月31日公有水面埋立（昭和29年2月20日）		
所有者	千代田区三崎町一丁目1番1号　山中五郎				

※　下線のあるものは抹消事項であることを示す。

■建物の表題部

表題部（主である建物の表示）			調製	余白	不動産番号	1234567890124
地図番号	余白					
所在	品川区八潮一丁目1番地					
家屋番号	1番					
①種類	②構造		③床面積 m²	原因及びその日付（登記の日付）		
居宅	鉄筋コンクリート造陸屋根2階建		1階　290:00 2階　283:62	（昭和40年7月1日）		

表題部（附属建物の表示）						
符号	①種類	②構造		③床面積 m²	原因及びその日付（登記の日付）	
1	物置	鉄筋スレートぶき平家建		38:00	（昭和40年7月1日）	
所有者	千代田区三崎町一丁目1番1号　山中五郎					

※　下線のあるものは抹消事項であることを示す。

応援してるよ！
すごいすごい！

■建物の権利部（甲区）

権利部（甲区）（所有権に関する事項）				
順位番号	登記の目的	受付年月日・受付番号	権利者その他の事項	
1	所有権保存	昭和40年7月1日 第1001号	所有者	千代田区三崎町一丁目1番1号 山中五郎
付記1号	1番登記名義人氏名変更	昭和41年7月1日 第2001号	原因 氏名	昭和41年6月5日氏名変更 山下五郎
2	所有権移転	昭和50年4月2日 第1302号	原因 所有者	昭和50年4月2日売買 品川区八潮一丁目1番1号 川上清

※　下線のあるものは抹消事項であることを示す。

■建物の権利部（乙区）

権利部（乙区）（所有権以外の権利に関する事項）				
順位番号	登記の目的	受付年月日・受付番号	権利者その他の事項	
1	抵当権設定	昭和45年4月2日 第1301号	原因 債権額 利息 債務者 抵当権者	昭和45年4月2日金銭消費貸借同日設定 金300万円 年4.5% 千代田区三崎町一丁目1番1号 山下五郎 千代田区丸の内三丁目3番3号 海山銀行株式会社
2	賃借権設定	昭和50年5月28日 第1423号	原因 賃料 支払時期 存続期間 敷金 賃借権者	昭和50年5月25日設定 1月20万円 毎月末日 10年 金100万円 品川区八潮五丁目3番1号 岡村金次
3	一番抵当権抹消	昭和55年5月25日 第1420号	原因	昭和55年5月10日弁済

※　下線のあるものは抹消事項であることを示す。

あせらず着実にいこう！

第**3**ポイント 重要度 **A**

仮登記

攻略メモ

● 仮登記には対抗力がないため、比較的簡単な手続きになります。本登記をするときにきっちりとやるので問題はないでしょう。

1 仮登記とは

　仮登記は、本登記をするために必要な書類などがまだそろっていない場合や、とりあえず登記の順位を保全したい場合に行います。

2 仮登記の効力

　仮登記に対抗力はありません。仮登記を本登記にしたときに、その仮登記の順位が本登記の順位になります。

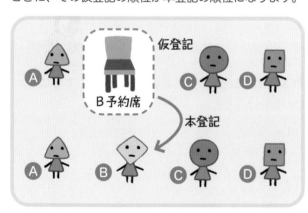

3 仮登記の申請

　原則として仮登記も登記権利者と登記義務者の共同申請ですが、**仮登記義務者の承諾がある場合や、仮登記を命ずる処分がある場合には、仮登記権利者が単独で申請することができます。**

　所有権に関する仮登記に基づく本登記をする場合、登記上の利害関係を有する第三者がいるときは、その第三者の承諾があるときに限り申請することができます。

4 仮登記の抹消

　仮登記の抹消は、仮登記の登記名義人が単独ですることができます。また、仮登記の登記名義人の承諾がある場合には、仮登記の利害関係人も、単独で仮登記の抹消をすることができます。

ちょこっと**トレーニング** ▶ 本試験過去問に挑戦！

問 仮登記の抹消は、登記権利者及び登記義務者が共同してしなければならない。(2011-14-4)

解答 ×：仮登記の抹消は仮登記の登記名義人が単独でできる。

参考

■仮登記

権利部（甲区）（所有権に関する事項）				
順位番号	登記の目的	受付年月日・受付番号	権利者その他の事項	
1	所有権保存	平成 11 年 5 月 20 日 第 210 号	所有者	千代田区三崎町一丁目 1 番 1 号 山下五郎
2	所有権移転 請求権仮登記	平成 11 年 6 月 21 日 第 321 号	原因 権利者	平成 11 年 6 月 21 日売買予約 品川区八潮一丁目 1 番 1 号 川上清
	余白	余白		余白
3	所有権移転	平成 11 年 8 月 21 日 第 432 号	原因 所有者	平成 11 年 8 月 21 日売買 中野区中野四丁目 11 番 10 号 海野正一

※　下線のあるものは抹消事項であることを示す。

■仮登記に基づく本登記

権利部（甲区）（所有権に関する事項）				
順位番号	登記の目的	受付年月日・受付番号	権利者その他の事項	
1	所有権保存	平成 11 年 5 月 20 日 第 210 号	所有者	千代田区三崎町一丁目 1 番 1 号 山下五郎
2	所有権移転 請求権仮登記	平成 11 年 6 月 21 日 第 321 号	原因 権利者	平成 11 年 6 月 21 日売買予約 品川区八潮一丁目 1 番 1 号 川上清
	所有権移転	平成 12 年 7 月 31 日 第 543 号	原因 所有者	平成 12 年 7 月 31 日売買 品川区八潮一丁目 1 番 1 号 川上清
3	所有権移転	平成 11 年 8 月 21 日 第 432 号	原因 所有者	平成 11 年 8 月 21 日売買 中野区中野四丁目 11 番 10 号 海野正一
4	3 番所有権抹消	余白	2 番仮登記の本登記により 平成 12 年 7 月 31 日登記	

※　下線のあるものは抹消事項であることを示す。

もうひと
ふんばりだ！

権利関係学習法

権利関係も後半です。順調に学習は進んでいますか？過去問を解けばわかると思いますが、権利関係は暗記したものがそのまま出題されるのではなく、考え方を学ばないと解けない問題が多くなっています。そのため、⑦

本書でもなるべく暗記事項だけではなく、考え方も書いてあります。そういった部分にも注意して勉強を進めていってください。結論だけの暗記では、最近の宅建士試験の権利関係には対応できません。

ダイジョブ？

ちょ… ちょっと休憩……！

合格めざして がんばろう

第 **10** コース

合格の **トリセツ**
| 一問一答 | 分冊① 135〜152 |
| 過去問題集 | 分冊① 問56〜問60 |

抵当権

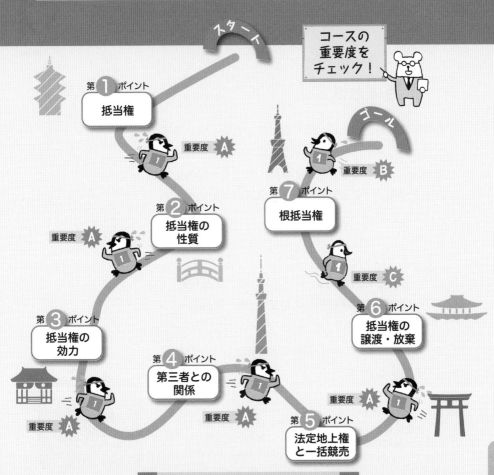

スタート

コースの
重要度を
チェック！

第 **1** ポイント
抵当権

重要度 **A**

ゴール

重要度 **B**

第 **7** ポイント
根抵当権

第 **2** ポイント
抵当権の
性質

重要度 **A**

重要度 **C**

第 **6** ポイント
抵当権の
譲渡・放棄

第 **3** ポイント
抵当権の
効力

第 **4** ポイント
第三者との
関係

重要度 **A**

重要度 **A**

重要度 **A**

重要度 **A**

第 **5** ポイント
法定地上権
と一括競売

このコースの特徴

● このコースでは、抵当権について学びます。抵当権も毎年出題されますが、第9コースの不動産登記法と同様、難問が多く出題されます。あくまで「基本問題が出題されたときには必ずとる」という程度の気持ちで学習することが大切です。

抵当権

第**1**ポイント 重要度 **A**

抵当権

1 抵当権とは

お金を貸した人間としては、必ず返してほしいと思うものです。しかし、借りた人間が返せない状況になってしまう場合もあります。そのときに、借りる人間の土地や建物を競売してそのお金で返済するという契約をしておけば、貸すほうも安心です。

つまずき注意の 前提知識

土地や建物に抵当権を付けることを「抵当権を設定する」といいます。そして、抵当権に基づいて土地や建物を売る（競売にかける）ことを「抵当権を実行する」といいます。

● 払えなかったら
　代わりの人が返す　　→　保証契約
　土地や建物を競売して返す　→　抵当権

まずは、抵当権についての言葉の意味をしっかりと理解しておきましょう。

一般的には抵当権者は銀行ですが、もちろん個人や企業が抵当権者になることもあります。

お金貸してください。
私の土地に抵当権つけていいです

お金貸してあげます！
ただ、抵当権つけてもらいますよ！

抵当権設定者　　　　　抵当権者

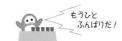
もうひと
ふんばりだ！

抵当権とは、目的物を競売にかけてお金にかえて、そのお金から優先的に弁済を受けとることができる権利のことです。

抵当権を設定できるのは債務者だけとは限りません。

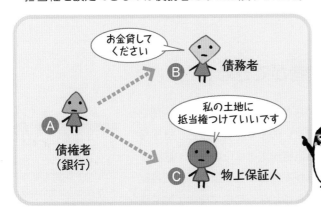

お金貸してください

B　債務者

私の土地に抵当権つけていいです

A

債権者（銀行）

C　物上保証人

このように、自分の借金ではないのに抵当権を設定した人（ここではC）のことを「物上保証人」といいます。

2　抵当権の仕組み

次に抵当権の仕組みについてです。

1つの物に複数の抵当権を設定した場合、登記の先後で優劣が決まります。土地や建物を競売したときには、そのお金で1番抵当権者から優先して支払われます。また、1番抵当権のついた債務を返して抵当権が消滅すると、2番抵当権者が繰り上がって1番抵当権者となります。

3　抵当権の成立

抵当権は合意のみで成立して、書面や登記などは必要ありません。しかし、自己の抵当権を第三者に主張するためには登記が必要です。

4 抵当権の目的物

　土地や建物という不動産のみならず、地上権などにも設定することができます。ただし、**賃借権には設定することができません**。

5 抵当権設定者ができること

　抵当権者としては、いざというときにその土地や建物を競売で売れればそれでよいのです。ですから、抵当権が実行されるまでは、抵当権設定者はその土地や建物を自由に使用、収益、処分ができます。つまり抵当権設定者は抵当権者の承諾を得ることなく自由にその土地や建物を使えるし、他人に貸してもよいし、売ることもできるのです。しかし、通常の利用方法を逸脱している場合、抵当権者は妨害排除請求をすることができます。いざというときに売れなくなると困るためです。

つまずき注意の
前提知識

抵当権の実行とはその土地や建物を競売にかけることを指します。

アドバイス

「抵当権設定者は、抵当権者の同意がなければ抵当権の目的物を自由に売却することができない」とあれば答えは×。自由に売却可能です。

ちょこっと**トレーニング**　本試験過去問に挑戦！

問　Aは、BのCに対する金銭債権を担保するため、Aの所有地にBの抵当権を設定し、その登記をした。Bの抵当権が消滅した場合、後順位の抵当権者の順位が繰り上がる。(1990-10-4)

解答　○：先の順位の抵当権が消滅したら繰り上がる。

第②ポイント　抵当権の性質

重要度 **A**

攻略メモ

● この性質は後で学習する保証と同じですので、ここでしっかりと学んでおけば、保証の学習が楽になります！　がんばって！

1 付従性

ひ　たん　ぼ　さいけん
被担保債権が成立しないときには、抵当権も成立しません。

お金を貸してください。抵当権も設定します

お金を借りることができなかった…

このときには、当然のことながら
抵当権も成立しません

被担保債権が消滅したときには、抵当権も消滅します。

1,000万円払い終わった！！

このときには、当然のことながら
抵当権も消滅します

　つまり、被担保債権があってはじめて抵当権が存在します。これを付従性といいます。

つまずき注意の前提知識

抵当権によって保護される債権を被担保債権といいます。

合格めざして　がんばろう

2 随伴性

被担保債権が移動した場合には、抵当権も移動します。
これを随伴性といいます。

俺、Bに
1,000万円貸してるんだけど、
その権利買わない？

いいよ！
買います！

A
（Bが抵当権を
つけている）

C
（Bの抵当権も
同時についてくる）

ちょこっとトレーニング　本試験過去問に挑戦！

問 AがBに対する債務の担保のためにA所有建物に抵当権を設定
し、登記をした。抵当権の消滅時効の期間は20年であるから、
AのBに対する債務の弁済期から10年が経過し、その債務が
消滅しても、Aは、Bに対し抵当権の消滅を主張することがで
きない。(1995-6-4)

解答 ×：被担保債権が消滅したとき抵当権も消滅する。

第❸ポイント  重要度 **A**

抵当権の効力

攻略メモ

● 「果実」「物上代位」…難しい言葉が登場しますが、負けないようにしてくださいね！そんなに難しい話ではありません。

1 抵当権の範囲

土地に抵当権を設定した場合、抵当権はその土地のみならず、庭木のような付加一体物にも及びます。

建物に抵当権を設定した場合、抵当権はその建物についているエアコンなどの従物にも、抵当権設定時に存在したのであれば及びます。

しかし、賃料などの果実には抵当権の範囲は及びません。ただし、債務不履行の場合には、その時以降の果実にも抵当権の範囲は及びます。

また、借地上の建物に抵当権が設定された場合、建物の敷地の賃借権には、従物と同様に、抵当権の効力が及びます。

つまずき注意の 前提知識

「果実」とは、物から生じる経済的利益のことです。木から果実が実ります。このようなものを「天然果実」といいます。不動産を貸したら地代や家賃が入ります。こういうものを「法定果実」といいます。

2 優先弁済の範囲

利息その他の定期金については満期の来た「最後の2年分」に限られます。これは、後順位抵当権者がいた場合、その人の取り分が少なくなってしまうためです。ということは、**後順位抵当権者がいない場合には、最後の2年分には限られません。**

つまずき注意の 前提知識

後順位抵当権者とは、1番抵当権者からみた場合、2番抵当権者や3番抵当権者などのことをいいます。

ファイト！
ファイト！

3 物上代位

　抵当権を設定していた建物が火事になってしまったら、もう競売にかけることができなくなってしまいます。そういう場合、その建物にかけられていた保険金が建物の代わりとなります。抵当権者はこの保険金を差し押さえてお金を回収できます。これを物上代位といいます。

　物上代位は、金銭が抵当権設定者に引き渡される前に抵当権者が差し押さえなければなりません。

ちょこっとトレーニング ▶本試験過去問に挑戦！

問1 AがBに対する債務の担保のためにA所有建物に抵当権を設定し、登記をした。抵当権の登記に債務の利息に関する定めがあり、他に後順位抵当権者その他の利害関係者がいない場合でもBは、Aに対し、満期のきた最後の2年分を超える利息については抵当権を行うことはできない。(1995-6-2)

問2 Aの抵当権設定登記があるB所有の建物が火災によって焼失してしまった場合、Aは、当該建物に掛けられた火災保険契約に基づく損害保険金請求権に物上代位することができる。(2012-7-3)

解答 1　×：後順位抵当権者がいなければ最後の2年分に限定されない。

　　　 2　○：差押えをすることにより物上代位が可能。

いい調子！

第④ポイント 第三者との関係

重要度 **A**

攻略メモ
● 抵当権設定者は自由に使用、収益、処分ができるので、問題が生じることがあります。

1 抵当権のついている土地・建物を借りた場合

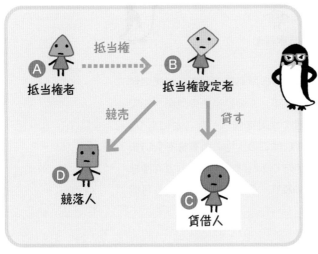

Aのための抵当権がついているBの建物を、Cが借りて住んでいます。Aが抵当権を実行してDが競落した場合、Cは家を出て行かなければならないのでしょうか？

　この場合、Aの抵当権とCの賃借権のどちらが先に登記をしたかで決着をつけます。Aの抵当権の登記が先であれば、Cはこの家を立ち退く必要がありますし、Cの賃借権の登記が先であれば、Cは立ち退く必要はありません。

　なお、**建物の賃貸借の場合**、立ち退かなければならない場合であっても、直ちにというわけではなく、**6カ月の猶予期間**があります。

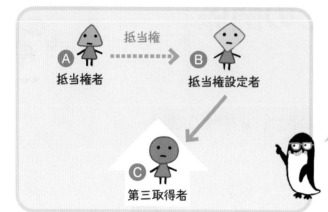

2 抵当権のついている土地・建物を買った場合

抵当権

Ⓐ 抵当権者　→　Ⓑ 抵当権設定者

Ⓒ 第三取得者

Aのための抵当権が
ついているBの土地
を、Cが購入しまし
た。Aが抵当権を実
行した場合、Cはど
うなってしまうので
しょうか？

　この場合、Aの抵当権とCの所有権のどちらが先に登
記をしたかで決着をつけます。Aの抵当権の登記が先で
あれば、Cは抵当権つきの土地を購入したことになり、
Aが抵当権を実行すればCはこの土地の所有権を失いま
す。Cの所有権の登記が先であれば、原則としてAは抵
当権の実行ができませんので、Cはこの土地を失う可能
性はありません。

3 第三取得者の保護

　上記のように、抵当権のついた土地や建物を買った第
三者は、いつ抵当権が実行されて所有権を失うかわかり
ません。そこで、その第三取得者を保護するための制度
があります。

1 第三者弁済

抵当不動産の第三取得者は、利害関係のある第三者なので、債務者に代わって債務を弁済できます。

2 抵当権消滅請求

抵当不動産の代価を抵当権者に提供して、抵当権の消滅を請求できます。

抵当権者は、承諾したくない場合には、書面の送付を受けた後2カ月以内に抵当権を実行する必要があります。実行（競売）しなければ承諾したことになります。

3 自ら競落

抵当権が実行されて競売が行われたら、自分が競落することにより、所有権を保つことができます。

つまずき注意の
前提知識

主債務者や保証人は、抵当権消滅請求をすることはできません。

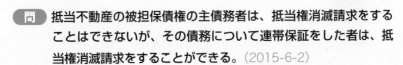

ちょこっと**トレーニング** 本試験過去問に挑戦！

問 抵当不動産の被担保債権の主債務者は、抵当権消滅請求をすることはできないが、その債務について連帯保証をした者は、抵当権消滅請求をすることができる。（2015-6-2）

解答 ×：第三取得者はできるが、連帯保証人はできない。

応援してるよ！
すごいすごい！

第 **❺** ポイント　重要度 **A**

法定地上権と一括競売

● 建物は財産だと民法は考えています。なので、なるべく建物を壊さないようにという発想から生まれたのが今回の話です。

1 法定地上権

（建物）Ａ

（土地）Ａ

抵当権

抵当権設定者　　抵当権者 Ｂ

Ａの土地と建物があり、そのうち土地にだけＢが抵当権を設定しました。

　抵当権を実行すると、競落した人（仮にＣとします）の土地の上にＡの建物があるという状態になります。つまり、Ｃの土地の上に、別人であるＡの建物があるわけです。すると、Ｃは当然のことながら、Ａに建物の取壊しを要求するでしょう。そうなると、Ａがかわいそうですし、建物がもったいないということになります。

　そこで、こういう場合には、自動的に地上権（土地を使う権利）を設定することにしました。そうすると、ＡはＣの土地を使う権利を自動的に取得するので、Ａは建物を取り壊す必要がなくなります。これを**法定地上権**といいます。

法定地上権の成立要件は次のとおりです。

> **1** 抵当権設定時に土地の上に建物が存在すること
>
> **2** 抵当権設定時に土地と建物の所有者が同一であること
>
> **3** 土地と建物の一方または両方に抵当権が存在すること
>
> **4** 抵当権が実行されて土地と建物の所有者が別々になること

アドバイス

「更地に抵当権を設定し … 法定地上権が成立する」という選択肢があったら答えは×。抵当権設定時に更地であれば法定地上権は成立しません。

2 一括競売

Aが所有する**更地にBが抵当権を設定**し、その後Aがその土地に建物を建てました。この場合、抵当権設定時に建物が存在していないので、法定地上権は成立しません。しかし、これでは競売の結果として建物が取壊しとなり、もったいないことになります。そこで、こういう場合、土地と建物を一括して競売にかけることができるようにしました。これが「一括競売」です。

しかし、あくまで抵当権は土地にしかついていませんので、優先弁済を受けられるのは土地の代金のみとなります。

あせらず着実にいこう！

問1 土地及びその地上建物の所有者が同一である状態で、土地に1番抵当権が設定され、その実行により土地と地上建物の所有者が異なるに至ったときは、地上建物について法定地上権が成立する。(2009-7-1)

問2 Aは、Bに対する貸付金債権の担保のために、当該貸付金債権額にほぼ見合う評価額を有するB所有の更地である甲土地に抵当権を設定し、その旨の登記をした。その後、Bはこの土地上に乙建物を築造し、自己所有とした。Aは、乙建物に抵当権を設定していなくても、甲土地とともに乙建物を競売することができるが、優先弁済権は甲土地の代金についてのみ行使できる。(2002-6-4)

解答 1 ○：成立要件を満たしており、法定地上権は成立する。
2 ○：一括競売である。

もうひと
ふんばりだ！

第**6**ポイント

重要度 **C**

抵当権の譲渡・放棄

1 抵当権の譲渡・放棄

AがBの利益のため譲渡

先に持っていって良いよ♪

A　B

抵当権の譲渡というのは、相手方に自己の優先権を取得させることです。

AがBの利益のため放棄

2人で分けよう♪

A　B

抵当権の放棄というのは、相手方に自己の優先権を主張しないことです。

つまずき注意の

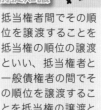

前提知識

抵当権者間でその順位を譲渡することを抵当権の順位の譲渡といい、抵当権者と一般債権者の間でその順位を譲渡することを抵当権の譲渡といいます。抵当権の順位の放棄と抵当権の放棄も同じ関係性です。

2 計算方法

抵当権の譲渡・放棄について、次の具体例で計算してみましょう。

【具体例】

甲土地 6,000 万円

1番抵当権者 Ⓐ（債権額 5,000 万円）
2番抵当権者 Ⓑ（債権額 2,500 万円）
一般債権者 Ⓒ（債権額 1,000 万円）

抵当権の順位の譲渡・放棄を計算する際は、次のステップで考えましょう。

【譲渡】（例：ⒶがⒷの利益のために順位を譲渡）
　①ⒶⒷの原則的配当額の合計を出す。
　②その合計額のなかで、Ⓑが優先で受け取る。
　　残額がⒶ。
【放棄】（例：ⒶがⒷの利益のために順位を放棄）
　①ⒶⒷの原則的配当額の合計を出す。
　②その合計額のなかで、債権額の割合により配当。

今回の例で計算しますと

①原則的配当額の合計
　を計算します。

甲土地 6,000 万円のうち、1番抵当権者であるⒶが 5,000 万円、2番抵当権者であるⒷが 1,000 万円となります。

② 【順位の譲渡】をした場合
　まずⒷが優先して 2,500 万円を受け取り、残りの 3,500 万円をⒶが受け取ります。

② 【順位の放棄】をした場合
　債権額の割合は 2：1 なので、6,000 万円を 2：1 でわけることとなります。すなわち、Ⓐが 4,000 万円、Ⓑが 2,000 万円となります。

第⑦ポイント

重要度 **B**

根抵当権

攻略メモ

● ここも言葉が難しいので、そこからマスターしましょう。「被担保債権」「極度額」「元本の確定」など…大丈夫ですか？

1 根抵当権とは

　抵当権には付従性があります（➡ P119参照）。つまり、弁済が終わると抵当権が消えてしまうのです。たとえば宝石屋を営もうとして、仕入のため自分の土地に抵当権を設定してお金を借りました。宝石を売って借金を返したら、同時に抵当権も消えます。また次の仕入のためにお金を借りようとする場合、再び抵当権を設定する必要があります。それは手間もお金もかかるので、非常に面倒になってしまいます。

　そこで、「宝石の仕入費用のため」というように、一定の取引の範囲内の債権であれば、まとめて担保し、付従性により消滅しない抵当権を設定することにしました。これを「根抵当権」といいます。

　根抵当権を設定する際には極度額を定めます。極度額というのは、その根抵当権で担保される最高限度額のことです。

ライバルに差をつける 関連知識

「包括根抵当権の設定」はできません。根抵当権は「宝石の仕入のため」などと一定の範囲内に限った債権でなければなりません。「どんな債権でもこの根抵当権で担保する」といったことはできないのです。

根抵当権

├─ 被担保債権
└─ 極度額

根抵当権は大きな容器、被担保債権は中に入っている物と考えてください。極度額とは容器の大きさだと思ってください。

2 根抵当権の特色

1 付従性なし

　根抵当権は将来発生する不特定の債権のために設定することができます。ですから、元本確定前に債権が弁済により消滅しても、根抵当権は消滅しません。

2 随伴性なし

　元本の確定前に被担保債権が譲渡されても、債権を譲り受けた者は、根抵当権を取得できません。

根抵当権　　　被担保債権

中の物を譲り受けても、容器は譲り受けることができません。

3 根抵当権の効力

　根抵当権は確定した元本のほか、利息や遅延損害金のすべてを極度額まで担保します。利息もすべて極度額の範囲内になるので、普通抵当権のように「利息は最後の2年分」という制限もありません。

3 元本の確定

　不特定の債権を担保するとなると、いつまでこの根抵当権は生き続けるのかという疑問が出てきます。「もう終わりにしよう」という日がくるはずです。それを「元本の確定」といいます。元本確定期日を決めていた場合には期日が到来したら元本が確定します。決めていなかった場合には、元本確定請求によって確定します。

1 **根抵当権設定者から元本の確定を請求する場合**
根抵当権設定時から３年経過すれば元本確定の
請求ができ、請求から２週間で確定する
2 **根抵当権者から元本の確定を請求する場合**
いつでも元本確定の請求ができ、請求時に確定
する

4 根抵当権の変更

　元本確定前であれば、根抵当権の内容を変更すること
ができます。極度額については、元本確定後でも変更で
きます。

　極度額の変更をする際には、利害関係者の承諾が必要
となります。

問1 元本の確定前に根抵当権者から被担保債権の範囲に属する債権を取得した者は、その債権について根抵当権を行使することはできない。（2011-4-2）

問2 根抵当権者は、総額が極度額の範囲内であっても、被担保債権の範囲に属する利息の請求権については、その満期となった最後の2年分についてのみ、その根抵当権を行使することができる。（2011-4-1）

解答 1　○：根抵当権に随伴性はない。
2　×：極度額の範囲内であれば最後の2年分に限定されない。

給水 コラム

問題を解きながら暗記する

テキストを眺めて重要なポイントに線を引く…、なかなかそれだけでは暗記できません。知識は問題を解くことによって定着します。そうはいっても、問題を解くのはハードルが高いかもしれません。そこで、本書にはなるべく多くの問題を「ちょこっとトレーニング」として入れてあります。実際の本試験の問題です。問題集への橋渡しとしてぜひご利用ください。

え？　えーと…なんでもいいだろう！
（まずい、すぐに思いだせないな…）

コーチ、昨日の夜はなに食べたんですか？

保証・連帯債務

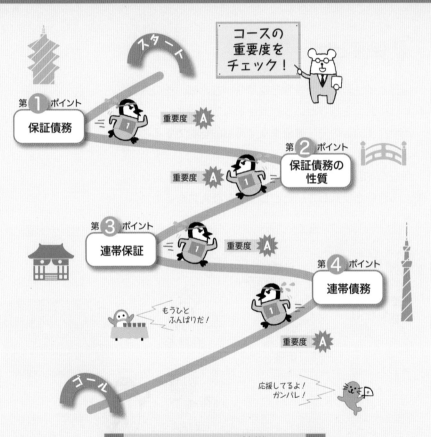

コースの重要度をチェック！

スタート

第**1**ポイント　保証債務　　重要度 **A**

第**2**ポイント　保証債務の性質　　重要度 **A**

第**3**ポイント　連帯保証　　重要度 **A**

第**4**ポイント　連帯債務　　重要度 **A**

もうひとふんばりだ！

ゴール

応援してるよ！ガンバレ！

このコースの特徴

● 保証も、馴染みのある言葉ですが、ちゃんと正確にとらえておかなければ問題に対処することはできません。保証と連帯保証との違い、連帯債務の絶対効など、意外と混乱を招く可能性のある分野です。落ち着いてしっかりと学習しましょう。

第 **1** ポイント　重要度 **A**

保証債務

攻略メモ

● お金を借りた本人（主たる債務者）が返せなかった場合、保証人に返済を迫ります。そのため、重要な契約になるので必ず書面でします。

1 保証とは

　保証とは、債務者が借金を返せないときに、その人の代わりにお金を払うという約束をすることです。

　重要な契約なので、**書面または電磁的記録ですること**が求められます。

　保証契約は債権者と保証人の間で結ばれる契約なので、債務者が反対していたとしても保証人になることはできます。

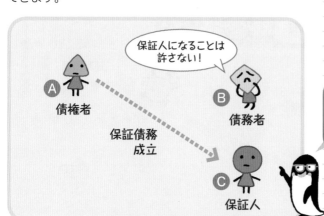

このように、Bが嫌がっていても、AとCで保証契約を結ぶことはできます！

　保証人は、賃借人の委託を受けて賃貸借契約上の賃借人の一切の債務を保証している場合、賃借人が賃料を滞納しているかどうかについて、賃貸人に情報提供を求め

応援してるよ！すごいすごい！

ることができます。

2 保証人になれる人

　原則としては、誰でも保証人になることができます。
しかし、制限がある場合も出てきます。

お金を借りる人は、ちゃんとした人を保証人に選ばないといけないけれど、貸す側が自分で選んだ場合には、自己責任となります。

1 主たる債務者が保証人をたてる義務を負う場合

お金貸してください。
私が保証人を探してきます！

行為能力者で弁済の資力を有する者でなければならない

➡ 保証人が途中で破産したりした場合には債権者は主たる債務者に「保証人をかえてください」といえる

2 債権者が保証人を指名した場合

お金は貸すけど、
保証人は○○さんにしてね！

特に制限はない

➡ 保証人が途中で破産したりした場合にも債権者は「保証人をかえてください」とはいえない

ちょこっとトレーニング　本試験過去問に挑戦！

問 保証人となるべき者が、口頭で明確に特定の債務につき保証する旨の意思表示を債権者に対してすれば、その保証契約は有効に成立する。(2010-8-2)

解答 ×：保証契約は書面でしなければならない。

第**2**ポイント　重要度 **A**

保証債務の性質

攻略メモ
● 抵当権で学んだこととほぼ同じですが、絶対効の話はしっかりとおさえておいてください。連帯保証・連帯債務でも重要なテーマとなります。

1 付従性

主たる債務が成立しないときには、保証債務も成立しません。

お金を貸してください。保証人もつけます

お金を借りることができなかった…

➡ 保証債務も成立しません

主たる債務が消滅したときには、保証債務も消滅します。

1,000万円払い終わった！！

➡ 保証債務も消滅します

つまり、主たる債務があってはじめて保証債務が存在します。

また、主たる債務者に生じた事由は保証人に及びますが、保証人に生じた事由は主たる債務者には及びません。

あせらず着実にいこう！

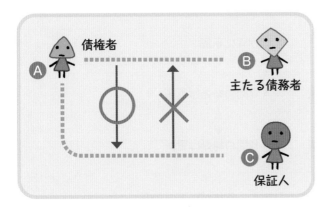

債権者 A

主たる債務者 B

保証人 C

たとえば、BがAに承認をしたとします。すると、AB間の時効は更新します。それに伴って、AC間の時効も更新します。しかし、CがAに承認をしたとします。すると、AC間の時効が更新しますが、AB間の時効は更新されません。

AがBに対して支払ってほしいと言ったところ、BがAに対して「少し待ってください」と言ったとします。これは承認にあたりますので、AB間の時効は更新します（時効の項目を参照）。すると、それに伴ってAC間の時効も更新されます。

AがCに対して支払ってほしいと言ったところ、CがAに対して「少し待ってください」と言ったとします。これは承認にあたりますので、AC間の時効は更新します。しかし、それに伴ってAB間の時効が更新することはありません。

つまずき注意の
前提知識

弁済
保証人が履行すれば、主たる債務者の債務も消滅します。

相殺
保証人が相殺すれば、主たる債務者の債務も消滅します。相殺とは簡単にいうとチャラにすることです。

これを「弁済と相殺は絶対効である」といういい方をすることもあります（→ P145参照）。

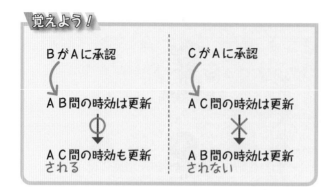

BがAに承認

↓

AB間の時効は更新

⇕

AC間の時効も更新
される

CがAに承認

↓

AC間の時効は更新

⇎

AB間の時効は更新
されない

　しかし、いくつか例外もあります。それが以下のもの
です。

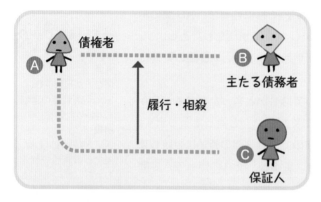

債権者

Ⓐ

Ⓑ
主たる債務者

履行・相殺

Ⓒ
保証人

　保証人が代わりに支払った（弁済などをした）場合に
は、主たる債務も消滅します。債権者Aはお金を回収
できたのですから、それ以上請求できるはずがありませ
ん。なお、保証人はその後、主たる債務者に対して求償
することができます。

　主たる債務者の債務が軽くなれば、保証人の債務も軽
くなります。しかし、主たる債務が重くなったとしても、
保証人の債務が重くなることはありません。保証人はあ
くまで主たる債務者のサブであるからです。

2 随伴性

主たる債務が移動した場合には、保証債務も移動します。

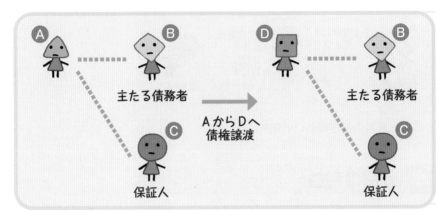

3 補充性

　保証人は、あくまで主たる債務者が破産したり行方不明になったりして弁済できなくなったときに登場するものです。

1 催告の抗弁権

　主たる債務者に請求せずに保証人に請求したのであれば、保証人は弁済を拒むことができます。

これを催告の抗弁権といいます。

2 検索の抗弁権

　主たる債務者に弁済の資力があれば、そこから支払うべきであり、保証人は弁済を拒むことができます。

　これを検索の抗弁権といいます。

4 分別の利益

　主たる債務が1,000万円で、保証人が2人いる場合、1人の保証債務は500万円ずつとなります。このように、それぞれの保証人は、主たる債務の額を保証人の数で割ることができます。これを**分別の利益**といいます。

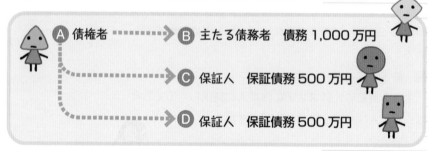

5 個人根保証

　1,000万円の借金の保証人となった場合、元本は1,000万円だとすぐにわかります。しかし、賃貸借契約における賃借人の保証人となった場合、何カ月滞納す

合格めざして がんばろう

るのかもわからず、原状回復の費用もわからないので、元本がいくらかわかりません。そのような保証を「根保証」といいます。**個人が根保証契約を締結する場合、負担の上限額（極度額）を定めなければ、当該保証契約は無効となります。**なお、個人が対象となる場合のみであり、法人の場合にはこの規制はないため、極度額を設定する必要はありません。

ちょこっとトレーニング 本試験過去問に挑戦！

問 Aは、BのCに対する1,000万円の債務について、保証人となる契約を、Cと締結した。BのCに対する債務が条件不成就のため成立しなかった場合、Aは、Cに対して保証債務を負わない。(1994-9-2)

解答 ○：主たる債務が成立しない場合、保証債務も成立しない。

＋α知識

　保証人は、賃借人の委託を受けて賃貸借契約上の賃借人の一切の債務を保証している場合、賃借人が賃料を滞納しているかどうかについて、賃貸人に情報提供を求めることができます。また、賃貸借契約が更新された場合には、継続に反対の趣旨をうかがわせるような特段の事情がない限り、更新後も保証債務を負うものとされています。

第**❸**ポイント 　重要度 **A**

連帯保証

1 連帯保証とは

　連帯保証も保証債務の一種ですから、基本的には保証と同じになります。違う部分をみていきましょう。

1 催告の抗弁権なし

　主たる債務者に請求せずに連帯保証人に請求したとしても、連帯保証人は弁済をしなければなりません。

2 検索の抗弁権なし

　主たる債務者に弁済の資力があったとしても、連帯保証人は弁済を拒むことができません。

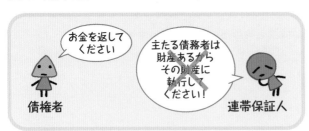

3　分別の利益がない

　保証人が複数いる場合でも、債権者はその全員に対して全額請求できます。たとえば、主たる債務が1,000万円で、連帯保証人が2人いる場合でも、1人の保証債務は1,000万円ずつとなります。

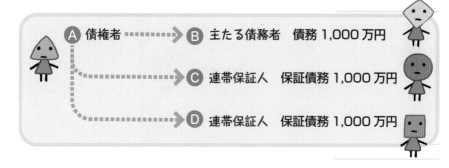

2　絶対効と相対効

　連帯保証も、保証と同様に付従性がありますが、いくつか違う点があります。

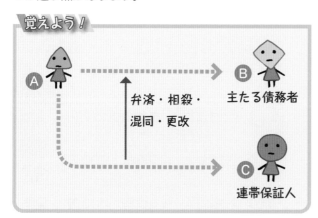

覚えよう！

弁済・相殺・混同・更改

Ⓐ　　Ⓑ　主たる債務者

Ⓒ　連帯保証人

　保証人に生じた事由が主たる債務者にも生じるもの（絶対効）が、保証では弁済と相殺だけでしたが、連帯

ファイト！
ファイト！

保証では混同・更改が加わります。

　「混同」とは何でしょうか。債権者と連帯保証人の1人（C）が親子で、債権者が亡くなってCが相続をしたという場合です。債権者と連帯保証人が同じ人になっています。

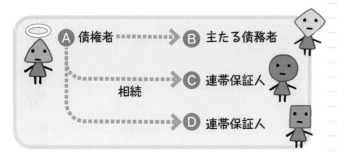

　この場合、Cが債務を弁済したという扱いになります。よって、Bの債務も消滅します。

　「更改」とは、要は契約内容の書換えです。「1,000万円支払う」という契約を「建物を引き渡す」という契約に変更する場合などがこれにあたります。

3　求償

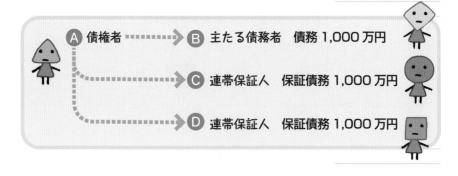

Cが1,000万円弁済した場合、主たる債務者であるBには1,000万円全額の求償が可能です。他の連帯保証人であるDには負担割合（特に取り決めがない場合には平等となるため今回は500万円）求償することができます。

ちょこっとトレーニング ▶ 本試験過去問に挑戦！

問1 AがBに1,000万円を貸し付け、Cが連帯保証人となった。この場合、Cは、Aからの請求に対して、自分は保証人だから、まず主たる債務者であるBに対して請求するよう主張することができる。(1998-4-2)

問2 連帯保証人が2人いる場合、連帯保証人間に連帯の特約がなくとも、連帯保証人は各自全額につき保証責任を負う。(2010-8-4)

解答 1　×：連帯保証人に催告の抗弁権はない。
　　　2　○：連帯保証に分別の利益はない。

応援してるよ！
すごいすごい！

第**④**ポイント　重要度 **A**

連帯債務

攻略メモ

● 「連帯」とついているから、連帯保証と似たようなものかと思われていますが、全く別物ですので注意しましょう。

1 連帯債務とは

たとえば、3人でランチを食べにいったとして考えてみましょう。

ABC は店員に対して連帯債務を負っています。全員に全額請求できますし、誰かが払えば全員の債務が消滅します。

Aさんが3人分をまとめて払ったとします。そうすると債務は消滅したわけですが、Aさんは納得できませんよね。

このようにAさんはBさんとCさんに支払いを要求します。こういうのを求償といいます。

2 絶対効と相対効

1人に対して生じたものは、原則として、他の連帯債務者には及びません。

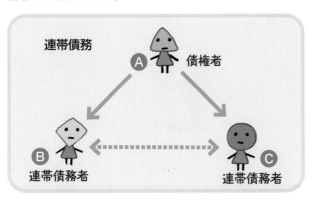

連帯債務

Ⓐ 債権者

Ⓑ 連帯債務者

Ⓒ 連帯債務者

たとえば、BとCがAに対して1000万円の債務を負っていたとします（負担部分は2分の1）。AがBに債務の免除をしたとします。それによりAB間の債務が消滅したとしても、AC間の債務は消滅しません。したがって、AはCに対して1000万円を請求することができます。ちなみに、負担部分についてはBとCとの間で取り決めであり、Aには関係ありません。CはAに対して「私の負担部分は500万円なので500万円だけ払えばよいですよね」とは言えないのです。

なお、Bが1,000万円全額を弁済した場合、Cの負担部分に従ってCに求償することができます。この場合は、500万円をCに求償することができます。

もうひと
ふんばりだ！

例外的に、下記4つについては、他の連帯債務者にも効力が及びます。

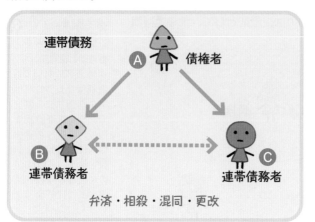

連帯債務

Ⓐ 債権者

Ⓑ 連帯債務者

Ⓒ 連帯債務者

弁済・相殺・混同・更改

ゴロ合わせで覚えよう

 高
更改

 層
相殺

 ベー
弁済

 コン
混同

ちょこっとトレーニング　本試験過去問に挑戦！

問 A及びBは、Cの所有地を買い受ける契約をCと締結し、連帯して代金を支払う債務を負担している。Aが債務を承認して、Cの代金債権の消滅時効が更新されたときでも、Bの債務については、更新されない。(1991-6-4 改)

解答 ○：承認は絶対効ではない。

 ファイト！ファイト！

共有

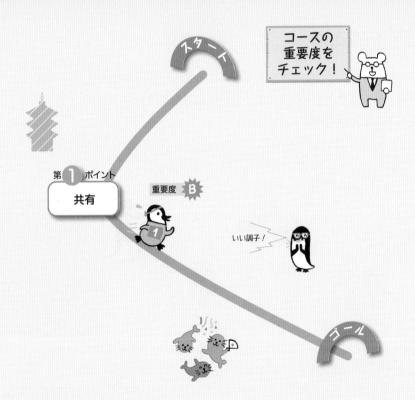

コースの
重要度を
チェック！

スタート

第 **1** ポイント
共有

重要度 **B**

いい調子！

ゴール

このコースの特徴

● このコースでは共有について学びます。複数の人で1つの物を所有するという考え方です。まず、民法は共有というものが基本的には好きではないこと、そのためなるべく共有を解消したがるという性質はおさえておいてください。

第 ❶ ポイント　　重要度 **B**

共有

攻略メモ
● 共有は、シェアハウスの考え方で考えないことがポイントとなります。これで考えてしまうと混乱してしまいます。

1 共有とは

　共有とは、1つの物を複数人で所有することです。各共有者は共有物の全部について、持分（もちぶん）に応じた使用や収益をすることができます。

> **例** AとBとCが3人で500万円ずつ出して1,500万円の車を買う。

> AもBもCも当然、車をすべて使うことができますよね。持分に応じてとは、「車の前半分」とかではなく、4カ月ずつ使えるということです。

　共有者の1人が占有している場合、他の共有者は当然には明渡請求（あけわたしせいきゅう）をすることはできません。

Aが車を使用中

私たちが使うからその車を渡して！

> 共有なので、AもBもCも車の持ち主です。

あせらず着実にいこう！

　共有物は自分だけのものではないため、大切に使用しなければなりません。そのため、各共有者には、共有物の使用について、善良な管理者としての注意義務（**善管注意義務**）があります。これは、自己に対するものと同一の注意ではないということに注意してください。それ以上の注意をもって行うことが求められます。

2 持分

　共有物の権利の割合のことを持分といいます。たとえば、ある車を二人で所有していて、半分ずつの権利である場合、「持ち分は各２分の１」という言い方をします。

　持分については、特に決めていない限り、**平等であると推定されます**。また、共有者の１人が相続人なくして死亡した場合、もしくは持分を放棄した場合には、その持分は他の共有者に帰属します。

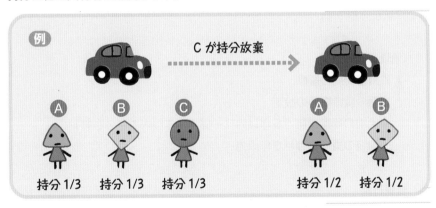

　また、共有者が自己の持分を処分するのは単独ですることができます。つまり、Ｃが持分を売却する際にも、ＡやＢの承諾は不要です。

3 共有物の管理

1 保存行為

保存行為は各共有者が**単独**ですることができます。

<保存行為の例>
- 共有物の修理
- 不法占拠者への妨害排除請求

ただし、不法占拠者へ損害賠償請求をする場合、自己の持分を超えて行うことはできません。

2 管理行為

管理行為は、**持分価格の過半数**で決めることができます。これは、共有物を使用する共有者がいる場合にも同様です。ただし、共有者間の決定に基づいて共有物の使用をしている共有者に特別の影響があるときには、その者の承諾が必要です。

<管理行為の例>
- 賃貸借契約の解除
- 短期の賃借権等の設定
  - 土地の賃借権等＝5年以内（一部10年以内のものも有）
  - 建物の賃借権等＝3年以内

3 変更行為

変更行為は、全員の同意が必要となります。

<変更行為の例>
- 共有物の売却
- 共有建物の増改築

ただし、共有物の形状または効用の著しい変更を伴わない変更行為（軽微変更）については、持分価格の過半数で決めることができます。

　ちなみに、共有者が他の共有者を知ることができない場合や、共有者の所在を知ることができない場合、当該他の共有者以外の共有者全員の同意を得て変更行為を行える旨の裁判をすることが可能です。

ライバルに差をつける 関連知識

共有の砂利道のアスファルト舗装や、共有の建物の外壁・屋上防水等修繕工事などが、軽微変更に該当します。

4　分割

　共有は争いを招くことが多いので、なるべく共有関係は解消してもらいたいと民法では考えています。そのため、基本的にいつでも自由に共有関係を解消することができるとしています。ただし、**5年を超えない期間内**なら共有物を分割しないという特約をすることも可能です。特約の更新も可能ですが、それも5年を超えない期間という制限があります。

5　分割の協議が調わない場合

　共有物の分割について、もめてしまった場合には裁判で解決することになります。その場合、裁判所は以下のことをします。

1　現物分割
　共有物自体を持ち分に応じて分割する方法です。これでわけることができます。土地などであればこの方法もできるでしょうが、車や別荘などではこの方法は難しいです。

もうひと
ふんばりだ！

② 価格賠償

　共有物を誰か１人のものとして、残りの人にはお金を渡すという方法です。これでわけることができます。

③ 競売

　共有物を競売にかけて、そのお金を全員で持分に応じてわけるという方法です。これでわけることができます。

ちょこっとトレーニング　本試験過去問に挑戦！

問1　不動産の共有に関し、共有物の保存行為については、各共有者が単独ですることができる。(2020 ⑫ -10-3)

問2　Ａ、Ｂ及びＣが、持分を各３分の１とする甲土地を共有している場合に、Ａ、Ｂ及びＣは、５年を超えない期間内は甲土地を分割しない旨の契約を締結することができる。(2007-4-3)

解答　１　○：保存行為は各共有者が単独で可。
　　　　２　○：分割しない特約は５年を超えない範囲内。

応援してるよ！
すごいすごい！

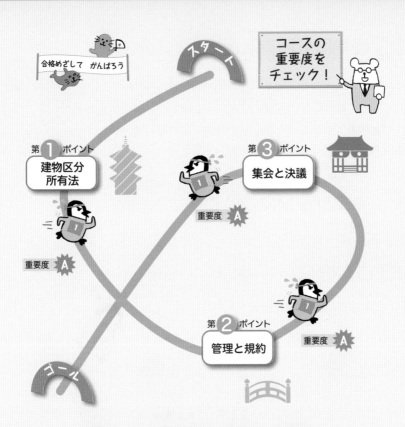

合格めざして がんばろう

スタート

コースの重要度をチェック！

第 **1** ポイント
建物区分所有法

重要度 **A**

第 **3** ポイント
集会と決議

重要度 **A**

第 **2** ポイント
管理と規約

重要度 **A**

ゴール

建物区分所有法

このコースの特徴

●このコースでは、区分所有建物、つまりマンションのための法律を学びます。毎年1問出題されますが、合格者と不合格者の正解率の差が激しい分野でもあります。合格者は建物区分所有法を苦手にはしていません。暗記の負担も多い分野ですが、しっかりがんばりましょう。

❶…②…③

第 ❶ ポイント　重要度 A

建物区分所有法

攻略メモ

● 建物区分所有法も使う言葉が難しいために敬遠される分野ですが、苦手意識をなるべくもたないようにしっかりと理解しながら学習しましょう！

1 建物区分所有法とは

　分譲マンションのことを区分所有建物ともいいます。ですから、建物区分所有法とはマンションについての法律だと考えてください。みんなで暮らす建物なので、いろいろ決めておく必要があります。

つまずき注意の 前提知識

ワンオーナーの賃貸型アパートなどは区分所有法の適用対象外となります。

2 マンションについて

まずは、用語を覚えてください。

覚えよう！

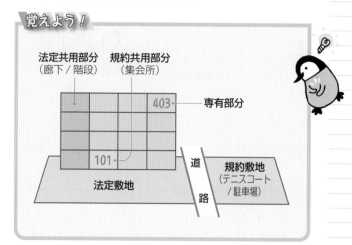

法定共用部分（廊下／階段）　規約共用部分（集会所）

403　専有部分

101

法定敷地

道路

規約敷地（テニスコート／駐車場）

ファイト！ファイト！

3 専有部分

専有部分の床面積は、壁その他の区画の**内側線**で測ります。

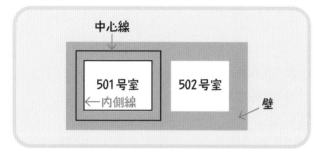

4 共用部分

共用部分は区分所有者全員で使うものなので、共有となります。持分は専有部分の床面積の割合で決定します。

アドバイス

規約で別段の定めをすることはできますが、区分所有者または管理者以外の者が共用部分を所有することはできません。

共用部分の登記に関しては、法定共用部分は登記できませんが、規約共用部分は登記することで第三者に対抗することができます。その際、登記は表題部にすることに注意してください。

共用部分の管理については以下のとおりです。

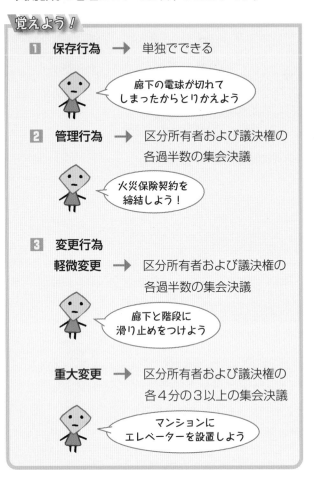

覚えよう！

1 **保存行為** → 単独でできる

    廊下の電球が切れて
    しまったからとりかえよう

2 **管理行為** → 区分所有者および議決権の
                各過半数の集会決議

    火災保険契約を
    締結しよう！

3 **変更行為**
  軽微変更 → 区分所有者および議決権の
                各過半数の集会決議

    廊下と階段に
    滑り止めをつけよう

  重大変更 → 区分所有者および議決権の
                各4分の3以上の集会決議

    マンションに
    エレベーターを設置しよう

費用については、規約に別段の定めのない限り、区分所有者が持分に応じて負担することになります。

また、管理行為や変更行為によって特別の影響を受ける区分所有者がいる場合、その者の承諾が必要となります。

つまずき注意の
前提知識

重大変更は試験問題では「変更行為（形状または効用の著しい変更を伴わない共用部分の変更行為を除く）」という表現で出題されます。

いい調子！

アドバイス

区分所有者数および議決権の各過半数とは、両方が過半数となることを要求します。

（例）5部屋（すべて同じ広さ）あり、Aが3部屋、B、Cが各1部屋所有

		（議決権）	（区分所有者数）		
A	A	A賛成／BC反対	3/5	1/3	→ 否決
A	B	BC賛成／A反対	2/5	2/3	→ 否決
C		AB賛成／C反対	4/5	2/3	→ 可決

Aが3部屋、BとCが1部屋ずつ（すべて同じ広さの部屋）のマンションで決議を行いました。

5 敷地利用権

　建物を建てるためには土地が必要です。そのための権利を敷地利用権といいます。所有権や地上権や賃借権などがこれにあたります。この敷地利用権も共用部分と同じように、各区分所有者が共有します。また、**専有部分と敷地利用権を分離処分することはできません**が、**規約で別段の定めをすれば分離処分することもできます**。

ちょこっとトレーニング　本試験過去問に挑戦！

問 敷地利用権が数人で有する所有権その他の権利である場合には、区分所有者は、規約で別段の定めがあるときを除き、その有する専有部分とその専有部分に係る敷地利用権とを分離して処分することができる。(2010-13-3)

解答 ×：規約で別段の定めがあるときを除き分離処分できない。

第❷ポイント　重要度 Ⓐ

管理と規約

1 管理組合

　マンションはみんなで暮らしていくものです。そのた
め、管理組合という自治組織のようなものをつくります。
これは任意加入ではなく全区分所有者が自動的に加入し
ます。加入するかどうかを選択するのではありません。
そして、管理組合には「管理者」を置くことができます。
この管理者は集会の決議によって選任・解任をします。
なお、区分所有者以外の者が管理者になることもできま
す。管理者は、区分所有者のために裁判の原告や被告に
なることもできます。

　管理組合を法人化することもできます。そのためには、
区分所有者および議決権の各4分の3以上の多数による
集会の決議と登記が必要で、理事と監事を置かなければ
なりません。

2 規約

　規約とは、各マンションで決めた独自のルールのこと
です。

　規約の設定・変更・廃止は、区分所有者および議決権
の各4分の3以上の集会決議によって行います。規約の

設定・変更・廃止によって特別の影響を受ける者がいる場合には、その者の承諾が必要になります。

規約は書面または電磁的記録によって作成しなければなりません。そして、規約は管理者が保管して、建物内の見やすい場所に保管場所を掲示しておかないといけません。また、閲覧したいという者がいた場合には、正当理由がある場合を除いて閲覧させなければなりません。

最初に建物の専有部分の全部を所有する者（分譲業者など）は、公正証書によって、一定の事項について規約の設定ができます。

> **1** 規約共用部分に関する定め
> **2** 規約敷地に関する定め
> **3** 専有部分と敷地利用権の分離処分を可能とする定め
> **4** 敷地利用権の割合の定め

また、規約は区分所有者だけでなく、包括承継人・特定承継人や占有者も守る必要があります。せっかく決めたことなので、決めた当事者以外にも、そこに暮らす全員が守らないと規約としての意味がないからです。

ライバルに差をつける **関連知識**

規約の保管場所は掲示さえしていればよく、各区分所有者に通知をする必要はありません。

つまずき注意の **前提知識**

包括承継人とは相続人、特定承継人とは売買によって購入した者のことです。

ちょこっとトレーニング 本試験過去問に挑戦！

問 他の区分所有者から区分所有権を譲り受け、建物の専有部分の全部を所有することとなった者は、公正証書による規約の設定を行うことができる。（2009-13-4）

解答 ×：できるのは最初に建物の専有部分全部を所有する者のみ。

応援してるよ！すごいすごい！

第3ポイント 重要度 A

集会と決議

1 集会の招集

　管理者は**毎年1回集会を招集**しなければなりません。区分所有者の**5分の1以上**で、議決権の**5分の1以上**を有する者は、管理者に対して集会の招集を請求することができます。この定数は規約で**減ずることができます**（増やすことはできません）。

　管理者がいないときは、区分所有者の**5分の1以上**で、議決権の**5分の1以上**を有する者は集会を招集することできます。この定数は規約で減ずることができます（増やすことはできません）。

つまずき注意の
前提知識

どちらの場合も5分の1以上で、規約で減ずることはできますが増やすことはできません。つまり、集会を開きやすくすることはできますが、集会を開きにくくすることはできないのです。

2 招集通知

　集会の招集通知は、少なくとも開催日の**1週間前**（規約で伸縮できます）に、会議の目的たる事項を示して通知しなければなりません。ただし、**建替え決議の場合には2カ月前**（規約で伸長できます）に通知する必要があります。また、全員の同意があれば、招集手続の省略をすることができます。

 あせらず着実にいこう！

3 決議

決議には原則として過半数の賛成が必要です。しかし、以下の事項は例外となります。

4分の3以上	共用部分の重大変更
	規約の設定・変更・廃止
	管理組合法人の設立・解散
	義務違反者に対する専有部分の使用禁止請求訴訟
	義務違反者に対する区分所有権の競売請求訴訟
	義務違反者（占有者）に対する引渡請求訴訟
	大規模滅失の場合の復旧
5分の4以上	建替え

実際に集会を開催して決議をするのが原則ですが、区分所有者全員の承諾があるときは、書面または電磁的方法による決議をすることができます。

集会で決まったことは、区分所有者だけでなく特定承継人や占有者も守らなければなりません。

占有者は、会議の目的たる事項につき利害関係を有する場合には、集会に参加して意見をいうことができます。しかし、議決権はありません。

つまずき注意の
前提知識

左の表に関して、議決権と区分所有者それぞれの規定数（4分の3以上または5分の4以上）の賛成が必要ですが、重大変更については、区分所有者の定数のみ、過半数まで減じることができます。しかし、その他のものは規約で別段の定めをすることはできません。

4 義務違反者に対する措置

① 行為停止等の請求

　単独でできますが、訴訟をする場合には、区分所有者および議決権の各過半数の決議が必要となります。

② 使用禁止請求

　この請求をするには、区分所有者および議決権の各4分の3以上の決議が必要となります。この決議を経たうえで、訴訟をしなければなりません。

③ 区分所有権の競売請求

　この請求をするには、区分所有者および議決権の各4分の3以上の決議が必要となります。この決議を経たうえで、訴訟をしなければなりません。

5 復旧および建替え

復旧および建替えをする場合には、以下のような決まりがあります。

小規模滅失 （建物価格の 1/2 以下）	単独で復旧可 →区分所有者および議決権の各過半数の賛成による（復旧決議がある場合には単独復旧は不可）
大規模滅失 （建物価格の 1/2 超）	区分所有者および議決権の各 3/4 以上の決議（決議賛成者以外の区分所有者から買取請求可能）
建替え	区分所有者および議決権の各 4/5 以上の決議（賛成した区分所有者から売渡請求可能）

ちょこっとトレーニング 本試験過去問に挑戦！

問 管理者は、少なくとも毎年1回集会を招集しなければならない。また、招集通知は、会日より少なくとも1週間前に、会議の目的たる事項を示し、各区分所有者に発しなければならない。ただし、この期間は、規約で伸縮することができる。(2009-13-1)

解答 ○：管理者は、年1回集会を開かなければならない。

つまずき注意の前提知識

大規模滅失の場合には、非賛成者から賛成者に対して「出て行きたいから買い取って」と請求ができます。建替えの場合には、賛成者から非賛成者に対して「作業が進まないから出て行って」と請求ができます。

第⑬コース 建物区分所有法

第❸ポイント 集会と決議

もうひとふんばりだ！

とにかく前へ進もう！

ふと以前のページを見てみると、覚えたはずの内容を忘れているということがあります。しかし、ここで戻ってはいけません。不安かもしれませんが、とにかく先へ進みましょう。完璧主義になってしまうと、全範囲終わらないまま試験突入などということにもなりかねません。一通り全範囲の勉強を終えてから戻ればよいのです。曖昧だった部分が、先の勉強をすることによって理解できることもあります。立ち止まらないで次の単元に進みましょう！

大丈夫！
ちゃんと進んでるよ

うう… なんだか
できる気が
しないんです

賃貸借

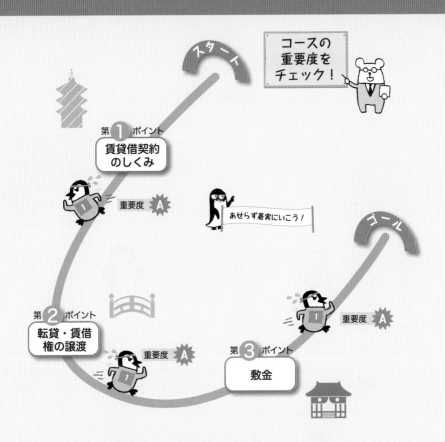

コースの
重要度を
チェック！

スタート

第 **1** ポイント
賃貸借契約
のしくみ

重要度 **A**

あせらず着実にいこう！

ゴール

第 **2** ポイント
転貸・賃借
権の譲渡

重要度 **A**

第 **3** ポイント
敷金

重要度 **A**

賃貸借

■■■ **このコースの特徴** ■■■

● このコースでは、賃貸借契約、つまり、お金を払って物の貸し借りをするときのルールを学びます。ここを理解しておかないと、次の借地借家法の理解に支障がありますので、しっかりと理解しておいてください。

第 ❶ ポイント 重要度 Ａ
賃貸借契約の
しくみ

攻略メモ

● お金をもらって貸している以上、ちゃんとした物を貸す必要があります。それが賃貸借の基本的な考え方となります。

1 賃貸借契約とは

　賃貸借契約とは、お金を払って物を貸し借りし、契約が終了したときに引渡しを受けていたものを返還することを約束することです。DVD レンタルやレンタカーなど、日常でも行われています。土地や建物を貸し借りする契約も賃貸借契約です。

賃貸人は貸す人、不動産だと大家さんや地主さんのことです。賃借人は借りて使う人です。

貸します！　ちんたいにん　賃貸人　ちんしゃくにん　賃借人　借ります！

　賃貸借契約が有効に成立すると、賃貸人には賃借人に物の使用・収益をさせる義務が生じ、賃借人には賃貸人に賃料を支払う義務が生じます。また、賃貸人は賃借人に賃料を請求する権利が生じ、賃借人は賃貸人に物の使用・収益をさせるよう請求する権利が生じます。

つまずき注意の
前提知識

物をただで貸し借りすることを使用貸借といいます。

2 賃貸借契約の内容

1 存続期間

　最長で 50 年ですが、最短期間は定められていません。

ファイト！
ファイト！

たとえば、レンタル DVD などは１泊２日などの契約もありますし、レンタカーなどは２時間程度の契約になることもあります。**50 年を超える期間を設定した場合、50 年に短縮されます。**また、期間を定めないで契約することも可能です。

例

| DVD | １泊２日 | → | OK！ |
| レンタカー | ２時間 | → | OK！ |

② 債務不履行解除

賃貸人が債務不履行による解除を行うためには、賃借人に債務不履行状態を是正するよう催告しなければなりません。「無催告で即時解除する」などという特約を設定することは、原則としてできません。しかし、長期にわたって賃料を滞納するなど義務違反が重大であり、信頼関係を著しく破壊していると認められる場合には、例外的に無催告で解除することも可能です。

③ 対抗力

賃貸借契約における目的物の所有者が変わった場合に、自分の借りる権利を主張するためには、対抗力が必要となります。対抗力がない場合、賃借人は新しい所有者に賃借権を対抗することができません。借りている人よりも買った人のほうが強いのです。民法では**賃借権の登記**が対抗力となります。したがって、借りている人があらかじめ賃借権の登記をしておけば、賃借権を対抗す

ることができます。

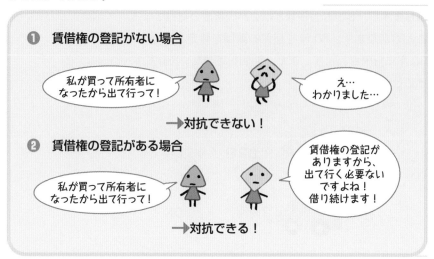

　賃借人が賃貸借の対抗要件を備えている場合に不動産が譲渡されたときは、その不動産の賃貸人の地位は、その譲受人に移転します。賃貸借契約における賃貸人の地位は、当然に旧所有者から新所有者に引き継がれ、その結果、新所有者と賃借人とが賃貸借の関係に立つことになるのです。

　賃貸人の地位の移転は、賃貸物である不動産について**所有権の移転の登記**をしなければ、賃借人に対抗することができません。つまり、所有権移転登記をしていなければ、賃貸人は賃借人に対して賃料を支払うように請求することはできません。

3　賃貸人の義務

1　使用収益させる義務

　賃貸人には、物の使用・収益をさせる義務があります。

いい調子！

賃貸人は、お金をもらって物を貸している以上、使用に適した状態で貸さなければなりません。

② 修繕義務

引渡しの時だけではなく、引渡し後にも使用に適した状態を維持する必要があります。壊れた場合には、修繕義務を負います。賃貸人が修繕義務を怠り、全く使用できなくなった場合、賃借人はその期間の賃料支払を免れます。また、賃貸人が相当の期間内に必要な修繕をしないときや、急迫の事情があるときには、賃借人が自ら修繕をすることもできます。さらに、一部の滅失により使用できない部分がある場合、賃料は減額されます。

③ 必要費

借りて住んでいる家が雨漏りしてしまった場合、すぐになおしてほしいでしょう。しかし、賃借人が、修繕が必要である旨を賃貸人に通知したにもかかわらず、賃貸人が相当の期間内に必要な修繕をしない場合、賃借人は自分で修繕をすることができます。このときの費用は、賃貸人になおす義務がある以上、賃貸人が負担するべきです。このような費用のことを「**必要費**」といいます。賃貸人に負担義務のある費用を賃借人が支出した場合、賃借人はその費用（必要費）を直ちに請求することができます。

④ 有益費

借りている家の和室をフローリングに変えるのは、別に賃貸人の義務ではありませんから、賃貸人がお金を支払う必要はありません。ですが、フローリングになったことで、その家の次の借り手を探しやすくなり、賃貸人にも利益があります。このような費用のことを「**有益費**」といいます。

つまずき注意の **前提知識**

賃貸人は、賃借人の責めに帰すべき事由によってその修繕が必要となった場合は修繕をする義務を負いません。

この場合、価格の増加が現存する場合に限り、**賃貸借契約の終了時に**、賃借人が支出した金額か価値の増加額のいずれかを、**賃貸人が選んで**償還することとなります。

4 賃借人の義務

1 賃料支払義務

建物の賃料は、原則として毎月末に支払わなければならないとされており、**後払い**が原則です。たとえば、令和7年5月分の賃料は令和7年5月31日に支払うこととなります。

2 通知義務

賃借人は、賃貸している物が修繕を要する場合であることを賃貸人が知らない場合には、賃貸人に通知しなければなりません。

3 修繕受忍義務

賃貸人が保存行為（修繕など）をする場合、賃借人はこれを拒むことはできません。賃借人が賃貸人による賃貸不動産の修繕に伴う保守点検のための立入りに正当な理由なく応じず、賃貸物件の使用・収益に支障が生じた場合は、賃貸人は賃貸借契約を解除することができる場合もあります。

④ 原状回復義務

賃借人は、賃貸物件の引渡しを受けた後に生じた損耗について、賃貸借契約が終了した際に元に戻す（原状回復）義務を負います。ただし、以下のものについては義務がないため、修繕やクリーニング等を行いたい場合には、賃貸人が費用負担をするべきだとされています。

- ❶ 通常の使用収益により生じた損耗（通常損耗）
- ❷ 経年劣化によるもの
- ❸ 賃借人に帰責事由のない損耗（第三者による損耗）

5 更新と解約申し入れ

① 期間の定めのある場合

原則として期間の満了をもって終了します。ただし、期間満了後も、賃借人が使用を続けていて、賃貸人がこれを知りながら異議を述べない場合、従前と同一の条件で更新されたものと推定されます。なお、期間の定めがある場合、その期間内は賃貸借契約を継続させなければならないため、中途解約は、期間内に解約できるという特約（期間内解約条項）がある場合や、双方が合意した場合（合意解除）を除き、することができません。

② 期間の定めのない場合

当事者はいつでも解約の申し入れをすることができます。解約申し入れがあった場合、土地については1年経過後、建物については3カ月経過後に終了します。

応援してるよ！
すごいすごい！

問 建物の賃貸人が賃貸物の保存に必要な修繕をする場合、賃借人は修繕工事のため使用収益に支障が生じても、これを拒むことはできない。(2013-8-4)

解答 ○：賃借人には修繕受忍義務があるため拒めない。

給水 コラム

判決文問題攻略法

最近の宅建士試験では、判決文を読んで答えるという問題が1題出題されています。判決文を読み取って、内容が合っているもの（または誤っているもの）を選ぶという「国語の問題」です。まずは、判決文を読む前に選択肢を見て知識で判定できる肢があ▶

るかどうか確かめてから、判決文を読むとスムーズに解くことができるでしょう。正解率もある程度高くなることが多く、きちんと対策をすれば1点とれる問題です。過去問や模試などでトレーニングしておきましょう。

あせらず着実にいこう！

第❷ポイント

重要度 **A**

攻略メモ

● 転貸のことを「サブリース」といったりもします。サブリース業者なども増えてきています。

転貸・賃借権の譲渡

1 転貸・賃借権の譲渡

　賃借人が借りているものを又貸しすることを「転貸」といいます。また、賃借人が賃借権を他人に譲り渡すことを「賃借権の譲渡」といいます。

　賃借権を譲渡したり、転貸をする場合には、原則として**賃貸人の承諾が必要**となり、無断で行うことはできません。もし賃借権の譲渡や転貸を無断でした場合には、賃貸人は契約を解除することができます。しかし、**背信的行為と認めるに足りない特段の事情**がある場合には解除することはできません。

2 転借人の扱い

1 履行義務

　賃借人が適法に賃借物を転貸<ruby>転貸<rt>てんたい</rt></ruby>したときは、転借人は、賃貸人との間の賃貸借に基づく賃借人の債務の範囲を限度として、賃貸人に対して転貸借に基づく債務を直接履行する義務を負います。しかし、賃貸人が、転借人に対して修繕義務を負う旨の規定はありません。この場合、転借人に対して修繕義務を負うのは、転貸人です。

つまずき注意の 前提知識

「背信的行為と認めるに足りない特段の事情があるとき」というのは、一言で言えば、裏切りとまではいえない事情があるときということです。個人の賃借人が同居している子に対して、賃貸人の承諾を得ることなく転貸した場合などがこれにあたります。

2　保管義務

　転借人は、転貸人（借主）の履行補助者とされている
ため、賃貸不動産が転借人の過失により損傷した場合、
借主は、貸主に対し保管義務違反として債務不履行に基
づく損害賠償責任を負います。

3　保護

　転借人がある場合の元の契約（原賃貸借契約）におけ
る正当事由の判断にあたっては、転借人の事情が考慮さ
れます。

3　賃料の請求

　賃借権の譲渡をした場合、賃貸人は新賃借人にのみ賃
料を請求することができます。

　賃貸人の承諾を得て転貸した場合、賃貸人は賃借人に
も転借人にも賃料を請求することができますが、転借人
へ請求する場合は、賃借料と転借料のうち**安いほう**です。

どちらも転借人には
安いほうの10万円
を請求することがで
きます。

応援してるよ！
すごいすごい！

ちょこっと**トレーニング** 本試験過去問に挑戦！

問1 賃貸人Aと賃借人Bとの間で締結した居住用建物の賃貸借契約に関し、BがAに無断でCに当該建物を転貸した場合であっても、Aに対する背信行為と認めるに足りない特段の事情があるときは、Aは賃貸借契約を解除することができない。(2020 ⑫-12-2)

問2 AがBに甲建物を月額10万円で賃貸し、BがAの承諾を得て甲建物をCに適法に月額15万円で転貸している場合、BがAに対して甲建物の賃料を支払期日になっても支払わない場合、AはCに対して、賃料10万円をAに直接支払うよう請求することができる。(2016-8-2)

解答 1 〇：背信的行為と認めるに足りない特段の事情があれば解除不可。

2 〇：安いほう（＝10万円）を請求可。

攻略メモ

● 敷金とは、ざっくり言うと「賃貸人が、何かあった時のために預かっておくお金」です。それを踏まえて学習してください。

第 **3** ポイント 重要度 **A**

敷金

1 敷金とは

敷金とは、「いかなる名目によるかを問わず、賃料債務その他の賃貸借に基づいて生ずる賃借人の賃貸人に対する金銭の給付を目的とする債務を担保する目的で、賃借人が賃貸人に交付する金銭」と民法に定義されています。もし、賃借人が家賃を滞納したりした場合に、賃貸人はその額を敷金からもらうことができます。

敷金を賃料として充当しようという場合、賃貸人からの主張は可能ですが、**賃借人からの主張はできません。**

このように、賃借人からいいだすことはできません。

賃料債務のほか、賃貸借契約終了時に発生する原状回復費用に充当することも可能です。

2 敷金返還と建物明渡し

敷金の返還債務と目的物の明渡しは**同時履行ではなく、明渡しが先**となります。そのため、賃借人は敷金の

返還を受けていないことを理由に目的物の明渡しを拒む
ことはできません。

3 敷金の承継

　賃貸借契約期間中に**賃貸人が変わった場合**には、原則
として敷金は新賃貸人に**承継されます**。

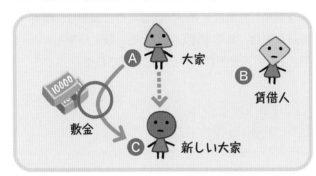

　賃貸借契約期間中に**賃借人が変わった場合**には、原則
として敷金は新賃借人には**承継されません**。

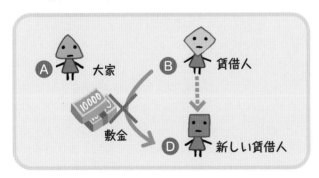

あせらず着実にいこう！

問1 建物の賃貸借契約が期間満了により終了した場合、賃借人は、未払賃料債務がある場合、賃貸人に対し、敷金をその債務の弁済に充てるよう請求することができる。なお、賃貸借契約は、令和7年7月1日付けで締結され、原状回復義務について特段の合意はないものとする。（2020 ⑩ -4-4）

問2 Aは、自己所有の甲建物（居住用）をBに賃貸し、引渡しも終わり、敷金50万円を受領した場合、Aが甲建物をCに譲渡し、所有権移転登記を経た場合、Bの承諾がなくとも、敷金が存在する限度において、敷金返還債務はAからCに承継される。（2008-10-2）

解答 1 ×：賃借人から充当主張はできない。
2 ○：敷金は新賃貸人に承継される。

合格めざして がんばろう

第15コース
借地借家法（借家）

合格の **トリセツ**
| 一問一答 | 分冊① | 213～233 |
| 過去問題集 | 分冊① | 問81～問88 |

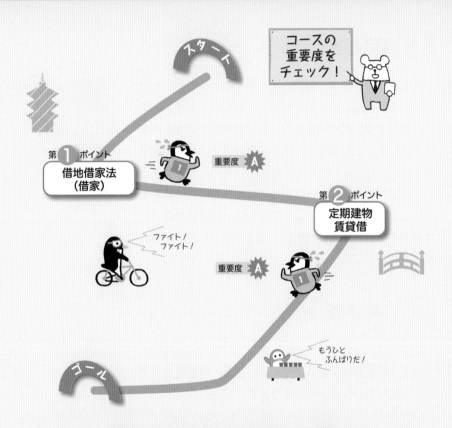

スタート

コースの
重要度を
チェック！

第 **1** ポイント
借地借家法
（借家）

重要度 **A**

第 **2** ポイント
定期建物
賃貸借

ファイト！
ファイト！

重要度 **A**

もうひと
ふんばりだ！

ゴール

このコースの特徴

● このコースでは、借地借家法の借家についてのルールを学びます。一時使用の場合には前コースの「賃貸借」のルールが適用されますので、まずは借地借家法のルールが適用されるかどうかが大事になります。

第 **1** ポイント　重要度 **A**

借地借家法（借家）

攻略メモ

● 住んでいる家を追い出されてしまったら、住む家がないということにもなってしまいます。そこで、借主を守ろうとしました。

1 適用範囲

　家を借りるときは、大家さんと借りる人とでは、どうしても大家さんのほうが立場は上になりがちです。そこで、対等な契約を結べるように借地借家法というものを定めました。したがって、借主保護というのが基本的な考え方となります。ただし、家を借りるときには必ず借地借家法が適用されるとは限りません。貸別荘や選挙事務所として利用するといった**明らかな一時使用の場合**には借地借家法は適用されずに、民法のルールが適用されます。

つまずき注意の
前提知識

借地借家法が適用される場合、借主に有利な特約は有効となり、借主に不利な特約は無効となるのが原則です。

2 存続期間

　民法では、最長 50 年と定められており、最短期間については特に定めはありません。しかし、借地借家法では、存続期間は次のようになります。

- 最長　＝　制限なし
- 最短　＝　制限なし
  （ただし、1 年未満の場合、期間の定めがないものとされる）

もうひと
ふんばりだ！

3 賃貸借契約の終了と更新

1 期間の定めのある場合

当事者が、期間満了の**1年前から6カ月前**までに、相手方に対して、更新をしない旨の通知をしなかったときは、契約を更新したものとみなされます。（法定更新）ただし、賃貸人がこの通知をするには、**正当事由が必要**です。

この通知をした場合であっても、期間満了後に賃借人が建物の使用を続けていて、賃貸人がそれを知りながら遅滞なく異議を述べない場合、契約を更新したものとみなされます。（法定更新）

つまずき注意の
前提知識

正当事由があるかどうかは、①賃貸人と賃借人のお互いの物件を必要としている事情、②賃貸借に関する従前の経過、③建物の利用状況、④建物の現況、⑤①～④の補充としての立退料の提供などを総合的に判断して決められます。したがって、立退料さえ支払えば正当事由があることになるわけではありません。

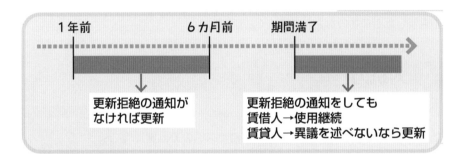

1年前　　　6カ月前　　　期間満了

更新拒絶の通知がなければ更新

**更新拒絶の通知をしても
賃借人→使用継続
賃貸人→異議を述べないなら更新**

法定更新をした場合、従前と同一の条件で更新したものとみなしますが、期間だけは、**「期間の定めのないもの」**となります。

2 期間の定めのない場合

解約の申入れをして一定の期間が経過すると、契約は終了することになります。ただし、賃貸人が解約の申入れをする場合、**正当事由が必要**です。

賃貸人からの解約申入れ＝解約申入れの日から6カ月
賃借人からの解約申入れ＝解約申入れの日から3カ月

　解約の申入れにより契約が終了する場合においても、期間満了後に賃借人が建物の使用を続けていて、賃貸人がそれを知りながら遅滞なく異議を述べない場合、契約を更新したものとみなされます。（法定更新）

4 対抗力

　民法では、対抗するためには賃借権の登記が必要でした。しかし、賃貸人には登記協力の義務がないので、賃借権の登記をしてもらうのは難しいのです。そこで、借地借家法では、**建物の引渡し**があれば、賃借人は第三者に建物の賃借権を対抗できることとしました。

住んでいる家が売られ、新しい大家さんが家を自分で使いたいといっています。引渡しで対抗可ですので、この場合、賃借人は出て行く必要がありません。

5 造作買取請求権

賃貸人の承諾を得てエアコンなどの造作を取り付けた場合、出て行くときに賃借人は賃貸人に買取請求ができます。これを造作買取請求権といいます。しかし、**造作買取請求権を認めないとする特約は有効となります。**

6 借賃増減請求権

賃料について不相当であると思われる場合には増減額請求をすることができます。裁判が確定するまでの間は、相当と認める額の支払いをすればよいこととなっています。「相当と認める額」はたいてい増減請求前の現在の賃料となります。

判決が出た場合、請求があったときから増減することとなるので、差が生じた場合には利息（年１割）を付けて支払うこととなります。

１ 増額について協議が調わない場合

家賃上げるよ！

賃貸人

納得できません…

賃借人

増額が正当だという裁判が確定するまでは相当と認める額を支払う

⬇

裁判が確定したら、すでに支払った額に不足がある場合、利息をつけて支払わなければなりません

合格めざして　がんばろう

2 減額について協議が調わない場合

賃貸人

賃借人

減額が正当だという裁判が確定するまでは相当と認める額を請求可

裁判が確定したら、すでに受けとった額に超過がある場合、
利息をつけて返還しなければなりません

　特約がある場合、増額しない特約は有効です。したがって、増額請求できない特約が設定されている場合には、賃貸人から増額請求をすることはできなくなります。しかし、**減額請求できない特約が設定されていても、賃借人から減額請求をすることは可能となります。**

暗記ポイント 総まとめ

増額しない特約　→　賃借人有利〔増額請求NG〕

減額しない特約　→　賃貸人有利〔減額請求OK〕

7 賃貸借契約の終了と転貸借

　転借して住んでいる場合、元の契約（原賃貸借契約）が終了した場合、転貸借がどのように扱われるのかは、元の契約がどのように終了するかによって次のような違いがあります。

覚えよう！

- 期間満了 → 賃貸人から転借人に通知＋6カ月で退去
- 合意解除 → 転借人は出て行く必要なし
- 債務不履行解除 → 転借人は出て行かなければならない！
（転借人に支払いの機会を与える必要なし）

8 転借人の保護

　賃貸人の承諾を得ている転借人には、借地借家法では、原則として賃借人と同様の保護が与えられています。
　したがって、転借人も賃貸人に対して造作買取請求権を行使することができます。

9 借地上の建物の賃借人の保護

　借地権の期間が満了した場合、借地上の建物の賃借人は土地を明け渡さなければなりません。ただし、建物の

ファイト！ファイト！

賃借人が、1年前までに借地権の期間満了による終了を知らなかった場合、1年を限度として猶予が与えられます。

ちょこっとトレーニング　本試験過去問に挑戦！

問1 賃貸人Aと賃借人Bとの間で締結した賃貸借契約について、BがAの同意を得て建物に付加した造作がある場合であっても、本件契約終了時にAに対して借地借家法第33条の規定に基づく造作買取請求権を行使することはできない、という特約は無効である。(2021 ⑫-12-4)

問2 Aを賃貸人、Bを賃借人とする甲建物の賃貸借契約が締結され、甲建物が適法にBからDに転貸されている場合、AがDに対して本件契約が期間満了によって終了する旨の通知をしたときは、建物の転貸借は、その通知がされた日から3月を経過することによって終了する。(2021 ⑩-12-3)

解答 1　×：造作買取請求権を認めない特約は有効。
　　　2　×：期間満了の場合、通知＋6カ月で終了する。

第❷ポイント 定期建物賃貸借

重要度 **A**

攻略メモ

● 特殊な分野はやはり出題されやすいです。定期建物賃貸借は、不動産サイトなどでは「定期借家」と書かれることもあります。

1 定期建物賃貸借契約

1 定期建物賃貸借契約とは

　定期建物賃貸借契約は更新がなく、期間を1年未満とすることも可能なものです。（公正証書等の）書面または電磁的記録で契約する必要があります。

　また、この書面とは別に、賃貸人は賃借人に対して「この契約は更新がなく、期間満了によって終了する旨」を、あらかじめ、書面を交付してまたは賃借人の承諾を得て電磁的方法により提供して、説明する必要があります。これをしなかった場合、「更新がない」という特約は無効となり、通常の借家契約となります。

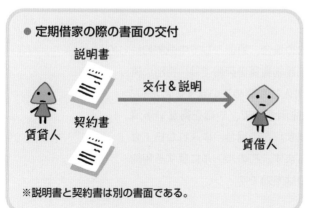

● 定期借家の際の書面の交付

説明書

契約書

交付＆説明

賃貸人　　　　　　　　　　　　賃借人

※説明書と契約書は別の書面である。

いい調子！

契約期間が終わったら契約は終了しますが、再契約をすることも可能です。一度契約が終了してからの再契約なので、保証人がいる場合には保証も再契約が必要ですし、宅建業者の重要事項説明も再度必要となります。

② 終了通知

契約期間が1年以上の定期建物賃貸借の場合には、期間満了の1年前から6カ月前までの間に、賃貸人から期間満了による賃貸借の終了の通知をしなければ終了を対抗することができません。ただし、定期建物賃貸借の場合には、賃貸人の正当事由は不要です。

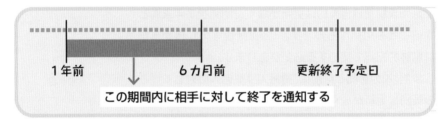

1年前　　　　　6カ月前　　　　　更新終了予定日

この期間内に相手に対して終了を通知する

なお、契約期間が1年以上の定期建物賃貸借契約で、期間満了による賃貸借の終了の通知を忘れてしまった場合には、通知の日から6カ月経過後に終了したことを対抗することができます。

③ 解約申し入れ

期間の定めのある契約の場合、原則として中途解約はできないのですが、定期建物賃貸借契約では、特別に賃借人からの中途解約の申入れを認めています。ただし、床面積200㎡未満の居住用建物で、やむを得ない事情がある場合のみとなります。この場合、申入れから1カ月で賃貸借契約は終了します。このルールに反する特約で、賃借人に不利なものは無効です。

4 借賃増減請求

　定期建物賃貸借契約の場合、借賃の増減請求をしない旨の特約があれば、借賃増減請求はできません。普通の賃貸借とは異なり、定期建物賃貸借契約の場合は特約があれば**減額請求**もできない点に注意してください。

覚えよう！

● 借賃増減請求

	増額しない特約	減額しない特約
通常の賃貸借	有効	無効
定期建物賃貸借	有効	有効

2 取壊し予定の建物賃貸借

　取壊し予定の建物賃貸借契約というものもあります。これは、法令または契約により一定期間経過後に建物を取り壊すべきことが明らかな場合において、建物を取り壊すことになる時に、建物賃貸借契約が終了する旨を定めた建物賃貸借契約です。この特約は、建物を取り壊すべき事由を記載または記録した**書面または電磁的記録**によってしなければなりません。

ちょこっとトレーニング 本試験過去問に挑戦！

問1 定期建物賃貸借契約を締結するには、公正証書による等の書面または電磁的記録によらなければならない。（2014-12-1 改）

問2 定期建物賃貸借契約を締結しようとする場合、賃貸人が、当該契約に係る賃貸借は契約の更新がなく、期間の満了によって終了することを説明しなかったときは、契約の更新がない旨の定めは無効となる。（2014-12-4）

解答 1 ○：定期建物賃貸借契約は書面または電磁的方法で行う。
2 ○：説明がない場合、更新がないという特約は無効。

いよいよ
ラストスパートです！

ガンバレー！

第16コース

合格の**トリセツ**
| 一問一答 | 分冊① | 234〜247 |
| 過去問題集 | 分冊① | 問89〜問97 |

借地借家法（借地）

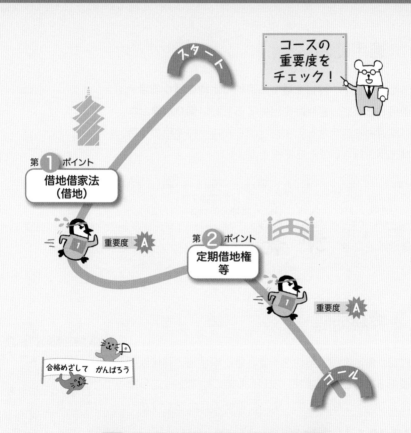

スタート

コースの
重要度を
チェック！

第❶ポイント
**借地借家法
（借地）**

重要度 **A**

第❷ポイント
**定期借地権
等**

重要度 **A**

ゴール

合格めざして　がんばろう

このコースの特徴

● このコースでは、借地借家法の借地についてのルールを学びます。建物所有目的でない場合には、第14コースの「賃貸借」のルールが適用されますので、まずは借地借家法のルールが適用されるかどうかが大事になります。

第 **1** ポイント 重要度 **A**

借地借家法（借地）

攻略メモ

● これも基本的には建物を壊す
ことを防ぐのが目的です。建
物は国の財産なのです。なる
べく長く使えるようにしたいの
です。

1 適用範囲

　借地借家法は、建物を建てる目的で土地を借りる場合
に適用されます。青空駐車場にするために借りた場合な
どには適用されません。また、明らかに一時使用の場合
には適用されないこともあります。

私の土地に
借地権つけて
いいです

建物を建てたいので
土地を使わせてください

借地権設定者　　　借地権者

2 存続期間

つまずき注意の
前提知識

借地借家法上、期間
の定めのない借地権
は存在しません。

　最初に借地権設定契約をするとき、借地権の存続期間
は最低 30 年となります。30 年未満の期間を設定した
場合も 30 年となります。また、期間の定めをしなかっ

暗記ポイント 総まとめ

● 30 年以上	→	定めた期間
● 30 年未満	→	30 年
● 定めなし	→	30 年

応援してるよ！
すごいすごい！

た場合にも 30 年となります。

　当事者の合意によって借地契約の更新ができます。また、次の場合には、借地上に**建物がある場合に限り**、借地契約は更新されます。

> **1** **期間満了時**
> 　借地権者が契約の更新を請求した場合
> **2** **期間満了後**
> 　借地権者が土地の使用を継続している場合

　ただし、上記の場合でも、借地権設定者が正当事由ある異議を述べた場合には更新されません。

　更新する場合の存続期間は、最初の更新のときは最低20 年、その次からは最低 10 年となります。

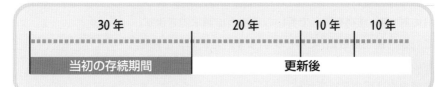

3 借地権の対抗力

　借りている土地の所有者（借地権設定者）がかわって、新しい所有者から土地を明け渡せといわれたらどうでしょうか。この場合、**借地上に借地権者本人の名義で登記してある建物がある場合、対抗力があります。**表示に関する登記でも大丈夫ですが、借地権者本人名義でなければならず、長男名義などの場合には対抗力はありません。

その建物が滅失した場合には対抗力はどうなるのでしょうか。土地に看板をたてておけば滅失から2年経過する日までは対抗力をもたせることができます。これを明認方法といいます。

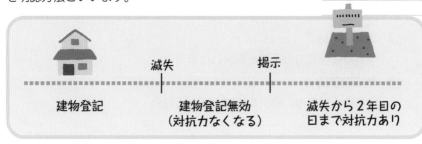

4 建物買取請求権

借地契約の更新がない場合、借地権者は、借地権設定者に対して、建物を時価で買い取るように請求できます。これを、建物買取請求権といいます。ただし、**借地権者の債務不履行により借地権が消滅した場合には建物買取請求権は認められません。**

5 借地上の建物の貸借・譲渡

借地上の建物を貸借する場合には、借地権設定者の承諾は必要ありません。それに対して、借地上の建物を譲渡する場合には、借地権設定者の承諾が必要です。

あせらず着実にいこう！

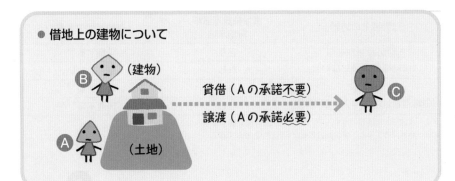

借地上の建物について
B（建物）
貸借（Aの承諾<u>不要</u>）
譲渡（Aの承諾<u>必要</u>）
C
A（土地）

　借地権設定者（賃貸人）の承諾がない場合、借地権者（賃借人）は、裁判所から承諾に代わる許可をもらえば、借地権の譲渡が認められます。

　そして裁判所に申し立てるのは、売買のときは建物の売主である借地権者が申立てをして、競売のときは建物の買主である競落人が裁判所に申立てをします。

6 借地上の建物の滅失

　借地権の存続期間中に建物が滅失してしまった場合、再築は可能でしょうか。それは、再築について借地権設定者の承諾があるかないかにより変わってきます。また、滅失が当初の存続期間中か更新後かでも変わってきます。

建物滅失の時期	借地権設定者の再築承諾	存続期間の延長
当初の存続期間中 （借地権は消滅しない）	あり	延長する*¹
	なし	延長しない
更新後 （借地権者は解約申入れが可能）	あり	延長する*¹
	なし	築造不可*²

＊1　承諾日と築造日のうち、早いほうから20年間延長する
＊2　無断築造すると、借地権設定者から解約申入れができる

ちょこっとトレーニング　本試験過去問に挑戦！

問1 ゴルフ場経営を目的とする土地賃貸借契約については、対象となる全ての土地について地代等の増減額請求に関する借地借家法第11条の規定が適用される。(2013-12-1)

問2 借地権の存続期間は、契約で25年と定めようと、35年と定めようと、いずれの場合も30年となる。(1993-11-1)

問3 建物の所有を目的とする土地の賃貸借契約において、建物が全焼した場合でも、借地権者は、その土地上に滅失建物を特定するために必要な事項等を掲示すれば、借地権を第三者に対抗することができる場合がある。(2012-11-2)

解答 1　×：建物所有目的の借地に借地借家法が適用される。

2　×：35年と定めた場合、35年となる。

3　○：看板などの明認方法により対抗できる場合がある。

第2ポイント

重要度 A

定期借地権等

1 定期借地権

定期借地権は**存続期間50年以上**とする借地権です。次のような特徴があります。

1　**契約の更新がない**
2　**建物が滅失して再築したとしても存続期間は延長しない**
3　**建物買取請求を認めない**

これらの特約は**公正証書等の書面**または**電磁的記録**によってしなければなりません。

つまずき注意の 前提知識

公正証書等とありますが、必ずしも公正証書でなくてもよいです。しかし、書面または電磁的記録で契約する必要があります。

2 事業用定期借地権

事業用定期借地権とは、専ら事業の用に供する建物（事業用建築物）の所有を目的とし、**存続期間を10年以上50年未満**とする借地権です。**公正証書**によらなければ契約をすることができません。

また、定期借地権と同様の特徴があります。

つまずき注意の 前提知識

事業用定期借地権は、居住用の契約を行うことは一切ダメです。「居住用建物賃貸事業のため」とあってもダメです。とにかく、住むために使うものはすべて×とおさえておきましょう。

もうひとふんばりだ！

3 建物譲渡特約付借地権

　建物譲渡特約付借地権とは、借地権を消滅させるため、借地権設定後 30 年以上経過した日に借地上の建物を相当の価格で借地権設定者に譲渡する特約が付いた借地権です。この特約は、書面による必要はありません。

暗記ポイント 総まとめ

	存続期間	目的	更新	契約方法
定期借地権	50 年以上	制約なし	なし	書面 （電磁的記録）
事業用定期借地権	10 年以上 50 年未満	事業用 （居住用不可）	なし	公正証書
建物譲渡特約付借地権	30 年以上	制約なし	なし	定めなし

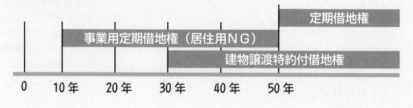

ちょこっとトレーニング　本試験過去問に挑戦！

問 事業の用に供する建物の所有を目的とする場合であれば、従業員の社宅として従業員の居住の用に供するときであっても、事業用定期借地権を設定することができる。(2010-11-1)

解答 ×：居住用は不可。

合格めざして がんばろう

第17コース その他の重要事項

合格のトリセツ

一問一答 分冊①	248〜266
過去問題集 分冊①	問98〜問110

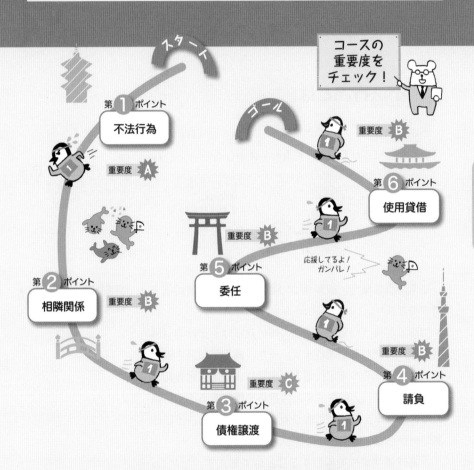

スタート

コースの
重要度を
チェック!

ゴール

第①ポイント
不法行為
重要度 **A**

重要度 **B**

第⑥ポイント
使用貸借

重要度 **B**

第⑤ポイント
委任

応援してるよ!
ガンバレ!

第②ポイント
相隣関係
重要度 **B**

重要度 **B**

第④ポイント
請負

重要度 **C**

第③ポイント
債権譲渡

このコースの特徴

● 民法は全部で1050条もあります。範囲が広すぎるので、そのすべてを対策しようとするのは困難です。そのため、よく出る分野に絞って学習していくのが最も効率的な対策になります。当然、この本の範囲外からも出題はされますが、この本の内容程度を学習しておけば、他の受験生に遅れはとりません。がんばりましょう。

攻略メモ

第**❶**ポイント　重要度 **A**

不法行為

● 故意または過失によって他人に損害を与えるのが不法行為。正当防衛などは不法行為としては扱われません。

1 不法行為とは

　不法行為とは、故意または過失によって違法な行為を行い、それによって他人に損害を与えることをいいます。

隣の家のガラスを割ってしまった

車ではねてケガさせてしまった

　このような場合、被害者は加害者に対して損害賠償を請求できます。

　加害者が負う損害賠償債務の履行遅滞は不法行為（損害発生）の時から始まります。また、損害賠償請求権は被害者またはその法定代理人が損害および加害者を知った時から3年（人の生命または身体を侵害する不法行為の場合は5年）で時効により消滅します。また、不法行為の時から20年で時効により消滅します。

　損害賠償請求権を相殺することはできます。ただし、①悪意による不法行為に基づく損害賠償の債務、②人の生命または身体の侵害による損害賠償の債務の場合には、①と②の債務者（加害者）は相殺をもって債権者（被害者）に対抗できません。

つまずき注意の
前提知識

即死の場合でも、慰謝料請求権は発生しますし、それが相続されます。

つまずき注意の
前提知識

正当防衛は不法行為として扱いません。

ファイト！ファイト！

2 使用者責任

従業員が仕事上の不法行為で他人に損害を与えた場合、その従業員のみならず、雇い主（使用者）にも損害賠償請求をすることができます。その際、使用者と従業員は連帯債務と同じような関係にたちます。

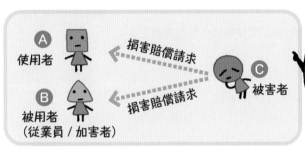

Cは、Aに対してもBに対しても損害賠償請求ができます。

使用者責任は、仕事中だけでなく、客観的に観察して仕事中にみえる場合にも成立します。たとえば、私用で会社の車を使用していた場合も状況によっては使用者責任が成立することもあります。

使用者が損害賠償をした場合、使用者は被用者に対して求償をすることができます。ただし、求償は、**信義則上相当と認められる範囲内**に限られます。

3 共同不法行為

数人が共同して他人に損害を与えた場合に、その加害者たちは連帯して損害を賠償する責任を負います。これを共同不法行為といいます。

つまずき注意の
前提知識

Aが6発、Bが4発
殴ったとしても、A
にもBにも10発分
の損害賠償請求がで
きるということです。
連帯債務の考え方で
とらえてください。

被害者は、加害者全員に対して損害の全額を同時に請求することができます。

4 工作物責任

工作物責任とは、建物などに欠陥があり、第三者に損害を与えた場合に被害者に対して損害を賠償する責任を負うことをいいます。

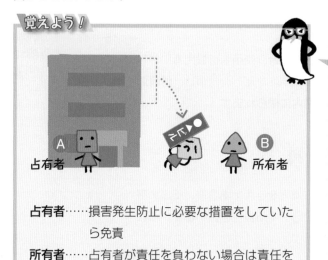

覚えよう！

占有者

所有者

そのビルを使っていたAがまず責任を負うのですが、損害発生防止に必要な措置をしていた場合、Bが責任を負います。所有者は無過失責任なので、予防策などを講じていたとしてもBは責任を免れません。

占有者……損害発生防止に必要な措置をしていたら免責

所有者……占有者が責任を負わない場合は責任を負う（損害発生防止に必要な措置をしていても責任を負う＝無過失責任）

いい調子！

損害発生の原因が欠陥のある建物を造った業者にあるような場合、損害賠償をした占有者や所有者は、その業者に対して求償することができます。

ちょこっとトレーニング ▶ 本試験過去問に挑戦！

問 不法行為による損害賠償債務の不履行に基づく遅延損害金債権は、当該債権が発生した時から 10 年間行使しないことにより、時効によって消滅する。(2014-8-2)

解答 ×：被害者又は法定代理人が損害及び加害者を知った時から 3 年間（人の生命はまたは身体を害する不法行為の場合は 5 年間）で時効消滅する。また、不法行為の時から 20 年で時効消滅する。

第❷ポイント　重要度 **B**

相隣関係

1 隣地使用権

　土地の所有者は、隣地との境界付近で壁や建物を築造・収去・修繕するため、または境界標の調査や境界に関する測量等のため必要な範囲内で、隣地の使用を請求することができます。ただし、住家については、その居住者の承諾がなければ立ち入ることができません。さらに、使用する際には、隣地所有者や隣地使用者のために最も損害の少ないものを選ばなければなりません。

　隣地を使用する者は、隣地所有者と隣地使用者に対して、隣地使用権の行使について事前に通知しなければなりません。ただし、事前の通知が困難な場合には、使用開始後、遅滞なく通知すれば足ります。

ライバルに差をつける
関連知識
竹木の所有者が境界線を越えた枝を切除するため隣地を使用することもできます。

2 土地の通行権

　ある土地が、他の土地に囲まれて公道に通じていない場合、その土地の所有者は、公道に出る目的でその土地を囲んでいる他の土地を通行できます。

　どこを通ってもよいというのではなく、最も損害の少ない場所と方法で通行しなければなりません。また、B

はＡに対して償金を払わなければなりません。

ＢはＡの土地を通らなければ公道に出ることができません。

　ただし、土地の分割によって公道に通じない土地になった場合、その土地の所有者は他の分割された土地しか通行できません。

3 竹木の枝と根

　隣地の竹木の枝が境界線を越えた場合、竹木の所有者にその枝を切らせることができます。土地の所有者は原則として隣地の竹木の枝を自分で切ることはできません。ただし、竹木所有者に枝の切除を催告したにもかかわらず相当期間内に切除されないときは自ら枝を切除することができます。また、竹木の所有者がわからないときや、所有者がどこにいるかわからない場合も、自ら枝を切除することができます。

　隣地の竹木の根が境界線を越えた場合、自分で根を切ることができます。

4 目隠し

　境界線より１ｍ未満の距離で他人の宅地を見渡せる窓やベランダを設けるときには、目隠しをつけなければなりません。

応援してるよ！
すごいすごい！

問1 複数の筆の他の土地に囲まれて公道に通じない土地の所有者は、公道に至るため、その土地を囲んでいる他の土地を自由に選んで通行することができる。(2009-4-2)

問2 土地の所有者は、隣地から木の根が境界線を越えて伸びてきたときは、自らこれを切断できる。(2004-7-4)

解答 1 ×:最も損害の少ない場所と方法で通行する。
2 ○:根は自ら切除できる。

第❸ポイント

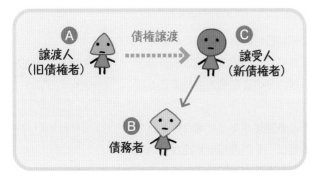

重要度 **C**

攻略メモ
● 物を売ることができるということは、債権だって売ることはできるはずです。ただ、売ったことを債務者に知らせなければなりません。

第❸ポイント 債権譲渡

1 債権譲渡とは

債権譲渡とは、ある人に対する債権を別の人に譲ることです。

2 債権譲渡を債務者に対抗する要件

債権譲渡があったことを債務者が知らなければ、対抗することができません。つまり、次のうちのいずれかが必要となります。

> **1** 譲渡人から債務者への通知
> **2** 債務者の承諾

あせらず着実にいこう！

3 二重譲渡が行われた場合

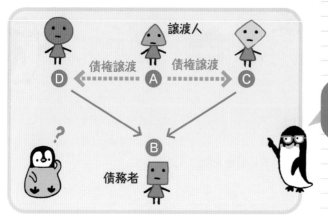

譲渡人

債権譲渡　債権譲渡

D ⟵ A ⟶ C

B

債務者

Aが債権をCとDに二重譲渡してしまいました。

　このような場合には、確定日付のある証書での通知で判断します。CかDのどちらかへの譲渡が確定日付のある証書で通知されていれば、その者が優先されることになります。

　では、両方確定日付のある通知があった場合はどうなるのでしょうか。その場合は、その通知の到達が早いほうを優先します。**先に届いたほうの通知が優先される**ことになるのです。

　確定日付の先後ではないので注意しましょう。

　たとえば、

つまずき注意の
前提知識

確定日付のある証書とは、内容証明郵便や公正証書を指します。

	【確定日付】	【到達日】
C	6月1日	6月4日
D	6月2日	6月3日

　このような場合、到達日の早いDの勝ちとなります。

4 債権譲渡制限特約

　債権譲渡を禁止または制限する特約を付けていたの
に、債権を譲渡してしまった場合でも、その譲渡は原則
として有効です。なぜなら、無効としてしまうと、譲渡
制限特約を知らずに買った譲受人がかわいそうだからで
す。しかし、債務者は、債権譲渡制限の意思表示につい
て、譲受人や第三者（譲受人からさらに譲り受けた者）が、
悪意または重過失がある場合には、その債務の履行を拒
むことができます。

ちょこっとトレーニング　本試験過去問に挑戦！

問 Aは、Bに対して貸付金債権を有しており、Aはこの貸付金債
権をCに対して譲渡した。Aが貸付金債権をEに対しても譲渡
し、Cへは平成15年10月10日付、Eへは同月9日付のそ
れぞれ確定日付のある証書によってBに通知した場合で、いず
れの通知もBによる弁済前に到達したとき、Bへの通知の到達
の先後にかかわらず、EがCに優先して権利を行使することが
できる。(2003-8-4)

解答 ×：Bへの通知の到達の先後で決まる。

第 **4** ポイント　重要度 **B**

請負

攻略メモ

● それほど出題が多い分野ではありませんが、重要なポイントだけでも確認しておいてください。

1 請負とは

　請負とは、当事者の一方がある仕事を完成させることを約束し、他方がこれに対して報酬を払うことを約束することによって成立する契約のことをいいます。仕事を依頼する人を「注文者」、依頼された人を「請負人」といいます。請負契約が成立すると、注文者は報酬を支払う義務を負い、請負人は仕事を完成させて、その完成した物を引き渡す義務を負います。なお、**請負の目的物の引渡しと報酬の支払いは同時履行の関係にたちますが**、仕事の完成と報酬の支払いは同時履行の関係にはたたず、仕事の完成が先となります。

2 請負人の担保責任

　請負人の担保責任は、売買契約における契約不適合責任とほぼ同じ内容です。

　次のことが認められています。

つまずき注意の 前提知識

注文者の責めに帰すべき事由で完成できなくなった場合、仕事の完成とみなすため、請負人は残りの債務を免れます。

契約不適合責任とほぼ同じですね。

1　建物の修補請求

2　損害賠償請求

3　請負契約の解除

4　報酬の減額請求

　ただし、契約不適合が注文者の指図によって生じた場合には、上記のいずれもすることができません。しかし、請負人が、注文者の指図が不適当であることを知りながら告げなかったのであればその限りではありません。

3　注文者の解除権

　注文者は、仕事の完成前であれば、請負人が受ける損害を賠償して、請負契約を解除することができます。

ちょこっと**トレーニング**　本試験過去問に挑戦！

問　**請負契約において請負人が仕事を完成しない間は、請負人は、損害を賠償して契約を解除することができる。**（1990-8-4）

解答　×：注文者はこの方法で解除可能だが、請負人はこの方法で解除できない。

第5ポイント 委任

重要度 **B**

1 委任とは

委任とは、委任者が法律行為をすることを受任者に委託し、受任者が承諾することで成立する契約のことです。行為が法律行為でない事実行為である場合は準委任となります。委託する者を「委任者」、委託を受ける者を「受任者」といいます。なお、委任は**無償で行うことが原則**で、特約がない限り委任者に報酬を請求することはできません。

つまずき注意の
前提知識

委任は請負とは異なり、仕事の完成を目的としているわけではありません。

2 受任者の権利・義務

受任者には善良な管理者としての注意義務（**善管注意義務**）があります。これは、自己に対するものと同一の注意ではないということに注意してください。それ以上の注意をもって行うことが求められます。なお、これは有償・無償を問わず課されるものであることにも気をつけてください。

次に、受任者には費用前払い請求権があります。これは、事務処理に必要な費用をあらかじめ委任者に請求することができるというものです。

もうひとふんばりだ！

3 委任契約の終了

委任者や受任者の死亡や破産手続開始の決定で終了し、相続人に承継はしません。また、受任者が後見開始の審判を受けた場合も終了します。

なお、受任者である法人が吸収合併された場合、消滅会社の権利義務は存続会社に承継されます。そのため、委任契約もそのまま存続会社に承継されます。

委任の終了事由

	死亡	破産手続開始	後見開始
受任者	●	●	●
委任者	●	●	✕

●：終了する　✕：終了しない

4 委任契約の解除

委任者・受任者のいずれも、特別の理由なくとも自由に解除することができるとしました。ただし、相手方の不利な時期に解除したときは、解除した者は相手方に対して損害賠償義務を負います。もっとも、その解除がやむを得ない場合には損害賠償義務は負いません。また、委任者が受任者の利益（専ら報酬を得ることによるものを除く）を目的とする委任を解除したときにも損害賠償義務を負います。

ライバルに差をつける 関連知識

委任者である建物所有者が建物の所有権を第三者に譲渡した場合であっても、その第三者には当然に委任者の地位が承継することはありません。

つまずき注意の 前提知識

「専ら報酬を得ることによるものを除く」とは、たとえば、マンション管理事務の委託で受任者が修繕積立金の運用を任され、その利益の一部は受任者が得てもよい旨の契約をしていた場合などが該当します。急に解除されたら得られたはずの運用利益を失うことになります。

ファイト！
ファイト！

問1 委託の受任者は、報酬を受けて受任する場合も、無報酬で受任する場合も、善良な管理者の注意をもって委任事務を処理する義務を負う。(2008-7-2)

問2 委任契約において、委任者又は受任者が死亡した場合、委任契約は終了する。(2001-6-1)

問3 委任契約は、委任者又は受任者のいずれからも、いつでもその解除をすることができる。ただし、相手方に不利な時期に委任契約の解除をしたときは、相手方に対して損害賠償責任を負う場合がある。(2006-9-1)

解答 1　○：有償・無償を問わず、受任者は善管注意義務を負う。

2　○：委任者が死亡した場合も、受任者が死亡した場合も、委任契約は終了する。

3　○：いつでも解除可能だが、相手方が不利なときに解除した場合には損害賠償責任を負う場合がある。

第**❻**ポイント

使用貸借

重要度 **B**

1 使用貸借契約とは

　使用貸借契約とは、無償で物を貸し借りする契約です。使用貸借契約も賃貸借契約と同様、諾成契約となります。

　使用貸借の場合、借地借家法は適用されません。したがって、貸主が使用貸借契約を終了しようという際にも、正当事由は必要ありません。

2 賃貸借と使用貸借

　賃貸借契約と使用貸借契約を比較すると次のようになります。

	賃貸借	使用貸借
金銭	有償	無償
第三者に対抗	賃借権の登記	対抗不可
必要費	償還請求可能	借主は通常の必要費を負担
契約不適合責任	売主と同様の責任を負う	原則負わない※
賃貸人死亡	相続する	相続する
賃借人死亡	相続する	相続しない

※負担付使用貸借の場合、その負担の限度で売主と同様の責任を負う

無断転貸が禁止されているのは、賃貸借契約も使用貸借契約も同様です。

　なお。使用貸借契約では、解除については次のようなルールとなります。

1　貸主からの解除

　借主が借用物を受け取るまでの間で、書面によらない契約であれば、貸主が契約を解除することができます。

2　借主からの解除

　借主は、いつでも使用貸借契約を解除できます。

ちょこっと**トレーニング**　本試験過去問に挑戦！

問　Aは、自己所有の建物について、災害により居住建物を失った友人Bと、適当な家屋が見つかるまでの一時的住居とするとの約定のもとに、使用貸借契約を締結した。Bは、Aの承諾がなければ、この建物の一部を、第三者に転貸して使用収益させることはできない。(2005-10-3)

解答　○：賃貸借と同様に無断転貸は禁止されている

「忙しくて暇がない」という人へ

「忙中閑あり」という言葉があります。忙しい中にも、わずかな暇はあるものだという意味です。トイレに行く、電車を待つ、この5分間があれば、テキストを2ページ程度は進められます。塵も積もれば山となります。1日5分だって、1年間積み重ねれば30時間になります。「本気⑦で勉強する」というのはこういうことです。試験が終わった後、「あのときちゃんと勉強していれば…」という後悔をしないように、今、がんばりましょう。宅建士試験には平均300時間の勉強が必要とよくいわれています。忙しいからこそ、こういったスキマの時間を大切にしましょう。

そこで寝るのを選ぶか…

ちょっとの時間さえあればお昼寝もはかどるよね！

権利関係クリアしました！

ゴ～ル

お疲れさま！長い道のりをよく走りきったね！

索引

MEMO

MEMO

持ち運びに便利な「セパレート方式」

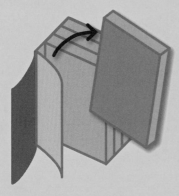

各分冊を取り外して、
通勤や通学などの外出時、
手軽に持ち運びできます!

❶各冊子を区切っている、うすオレンジ色の厚紙を
　残し、中の冊子をつまんでください。
❷冊子をしっかりとつかんで、手前に引っ張ってく
　ださい。

見た目もきれいな「分冊背表紙シール」

背表紙シールを貼ることで、
分冊の背表紙を保護することができ、
見た目もきれいになります。

見た目も
きれい!

❶付録の背表紙シールを、ミシン目にそって切り離してください。
❷赤の破線（…）を、ハサミ等で切り取ってください。
❸切り取ったシールを、グレーの線（—）で山折りに折ってください。
❹分冊の背表紙に、シールを貼ってください。

第 2 編
宅建業法

2025 年版
宅建士 合格のトリセツ
基本テキスト
分冊 ②

第2編 宅建業法　目次

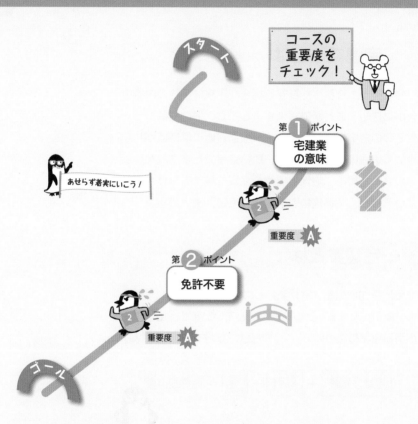

スタート

コースの
重要度を
チェック！

第**1**ポイント
宅建業
の意味

あせらず着実にいこう！

重要度 **A**

第**2**ポイント
免許不要

重要度 **A**

ゴール

このコースの特徴

● シチュエーションごとに、免許が必要か不要かを聞いてくるので、みきわめができるようになりましょう。「宅地」「建物」「取引」「業」の定義を1つ1つていねいにおさえていくことが重要になります。

第 **1** ポイント

重要度 **A**

宅建業の意味

攻略メモ

● 「宅地」「建物」「取引」「業」の定義をしっかりとマスターしましょう！ 免許は必要か不要か？

1 宅建業法とは

　物を売ったり買ったりする場合、本来は契約の内容を自由に決めることができます。しかし、宅地や建物は一生ものの買い物になるうえ、一般消費者には価値がわかりにくいものです。そこで、悪い業者にだまされないようにするために、宅地や建物の売買に条件をつけたりしているのが、宅地建物取引業法（宅建業法）です。

2 宅建業とは

　宅地建物取引業（宅建業）とは、「宅地」または「建物」の「取引」を「業」として行うことをいいます。**宅地建物取引業を営むためには、免許を受けなければなりません。**

> 宅地・建物 ＋ 取引 ＋ 業 ＝ 免許が必要

　宅地建物の取引であっても、それが業でなければ免許は不要です。宅地建物の業であっても、それが取引に該当しなければ免許は不要です。要するに、「宅地・建物」＋「取引」＋「業」の全てに該当するなら免許が必要で、どれか１つでも違っていたら

あせらず着実にいこう！

免許は不要ということです。

　1つ1つ、みていくことにしましょう。

3　宅地

　宅建業法における宅地とは、次の3種類です。

覚えよう！

> ■1　現在、建物が建っている土地
> ■2　建物を建てる目的で取引される土地
> ■3　用途地域内の土地

つまずき注意の 前提知識

用途地域とは、詳しくは「法令上の制限」で学びますが、簡単に言うと、ここは住宅地にしよう、ここは商業地にしよう、ここは工場を建てようというように、建物を建てることを前提とした土地のことです。

　登記簿上の地目は関係ありません。登記簿に「山林」と記載されていようとも、建物を建てる目的で取引されるなら宅地として扱います。

> **例** 用途地域外の原野を原野として利用しようとして取得する場合
> →現在、原野なので「今現在」建物は建っていない
> →原野として利用するので「建物を建てる目的」でもない
> →用途地域外
> したがって、これは「宅地」に該当しない

　用途地域内の土地であっても、現在、公園・広場・道路・水路・河川であるものは除きます。

ゴロ合わせで覚えよう

コー	ヒー	どう	っす	か？
公園	広場	道路	水路	河川

4 建物

　宅建業法における「建物」とは屋根・柱・壁のある工作物のことです。普通に思い浮かぶ「建物」のイメージでかまいません。倉庫やマンションの一室も建物として扱います。

5 取引

　宅建業法における「取引」とは、以下の8種類のことをいいます。

	自　ら	代　理	媒　介
売　買	●	●	●
交　換	●	●	●
貸　借	×	●	●

●：取引にあたる　×：取引にあたらない

　自ら貸借は取引ではありません。自ら貸借とは、大家さんがアパート経営するような形態のことです。また、**転貸**も自ら貸借として扱います。

> **例 取引に該当しない行為**
> 1　建物の建築を請け負う行為（建設業）
> 2　ビルの管理を行う行為（管理業）

6 業

　宅建業法における「業」とは、**不特定多数の人に反復継続して取引を行うこと**です。

ライバルに差をつける 関連知識
その他、リゾートクラブ会員権も建物として扱うことに注意してください。

つまずき注意の 前提知識
媒介とは、お客さんを探すものです。簡単に言うと「仲介」です。代理とは、お客さんを探して契約行為を代行するものです。

いい調子！

● 「不特定多数」にあたるか？

　Ａ 多数の友人・知人　➡　● 業にあたる
　Ｂ 自社の従業員に限定　➡　× 業にあたらない

　友人知人は「ここまでが友人」としっかり定義できない以上、都合よく解釈される可能性もあるため、限定しているとはみなしません。

● 「反復継続」にあたるか？

　Ａ 一括して売却　➡　× 業にあたらない
　Ｂ 分譲　➡　● 業にあたる

　一括して売却するのは１回限りのため、反復継続とはいえません。それに対して、分譲は原則として業にあたります。

例 Ａは、Ｂを代理して用途地域内の土地を不特定多数の人に反復継続して売買している。このとき、ＡとＢは免許が必要か？

Ａは　　「用途地域内の土地」　→　宅地
　　　　「売買の代理」　　　　→　取引
　　　　「不特定多数に反復継続」→　業

と、宅建業を行っているので免許が必要です。

では、Ｂは免許が必要でしょうか？

　実際にＢは業務をしていないので不要に思えます。しかし、ＡはＢの代理として業務を行っています。権利関係のところで学びましたが、代理人の行為は本人に帰属する、つまり、代理人が宅建業をやっているということは、本人が宅建業をやっているに等しいのです。よって、Ｂも免許が必要です。ただし、代理人が貸借の代理をしている場合には、本人は自ら貸借になるので、本人は免許不要となります。

問 B社は、所有するビルの一部にコンビニエンスストアや食堂など複数のテナントの出店を募集し、その募集広告を自社のホームページに掲載するほか、多数の事業者に案内を行う場合、宅地建物取引業の免許を要する。(2018-41-2)

解答 ×：自ら貸借のため、「取引」にあたらない。

＋α知識

　組合方式による住宅の建築という名目で、組合員以外の者が、業として、住宅取得者となるべき組合員を募集し、当該組合員による宅地の購入等に関して指導・助言等を行うことは、通常、宅地建物の売買の媒介にあたります。

第**2**ポイント　重要度 **A**

免許不要

攻略メモ

● 免許不要の例外です。信託会社・信託銀行は免許のみ不要ですが、その他の業法は守る必要があります。

1 免許不要な団体

　宅建業を行うためには免許が必要ですが、以下の団体に関しては、免許不要で宅建業を行うことができます。

覚えよう！
- 国・地方公共団体
- 信託会社・信託銀行

2 国・地方公共団体

　国や地方公共団体（都道府県・市町村）が宅建業を行う場合には、宅建業の免許も不要ですし、そもそも宅建業法のルール自体が適用されません。

3 信託会社・信託銀行

　信託会社や信託銀行が宅建業を行う場合には、宅建業の免許は不要です。しかし、**その他の宅建業法のルールは適用されます**。免許に関する規定のみが適用されない点に気をつけましょう。なお、宅建業を始める場合、一定事項を国土交通大臣に届け出なければなりません。

つまずき注意の
前提知識

都市再生機構は国として扱い、地方住宅供給公社は地方公共団体として扱います。なお、農業協同組合・宗教法人などは国や地方公共団体ではありませんので注意しましょう。

もうひと
ふんばりだ！

問1 甲県住宅供給公社Dが、住宅を不特定多数に継続して販売する場合、Dは免許を受ける必要はない。(2003-30-3)

問2 Fが、甲県からその所有する宅地の販売の代理を依頼され、不特定多数の者に対して売却する場合、Fは、免許を必要としない。(2004-30-4)

解答　1　○：地方公共団体は免許不要。
　　　　　2　×：甲県は免許不要だが、依頼されたFは免許必要。

給水 コラム

宅建業法を学習する

宅建業法は配点が20点と最も高い分野です。ぜひとも高得点をとれるように学習してください。この分野はひっかけ問題が多いので気をつけてください。問題文を細かく見ておかないと、どこにひっかけがあるかわかり🈀

ません。ひっかけ問題に対処するコツは、たくさんひっかかることです。「ひっかけ問題が多い」と気をつけるだけでは無理です。実際にひっかかって警戒心は芽生えます。だから何回も過去問を解いてほしいのです。がんばりましょう。

1つ1つ
ていねいにね！

第**2**コース

事務所

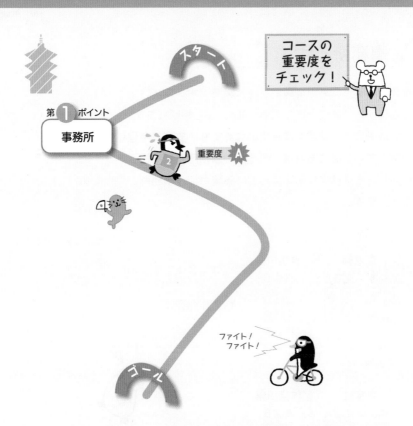

スタート

コースの
重要度を
チェック！

第**1**ポイント

事務所

重要度 **A**

ファイト！
ファイト！

ゴール

このコースの特徴

●事務所にはその事務所ごとに5点セットが必要です。そして
少々細かい内容まで出題されるので、5点セットについては
しっかり学習しておかなければなりません。

● 宅建業の事務所には5点セットを揃えておかないといけません。その5つは他のもので代用はできません。

第①ポイント　重要度 A

事務所

1 事務所とは

　事務所は宅建業者が宅建業を行う場所です。「本店（主たる事務所）」「支店（従たる事務所）」等と呼ばれます。

　本店はそこで宅建業を営んでいなくても、支店で宅建業を営んでいるのであれば、宅建業の事務所として扱うのに対し、支店は宅建業を営んでいる場合のみ事務所として扱います。

つまずき注意の前提知識

その他、継続的に業務を行うことができる施設を有する場所で、宅建業に係る契約締結権限を有する使用人を置くものも事務所として扱います。

東京都		神奈川県
本店	支店A	支店B
宅建業	建設業	建設業
↓		
事務所		

→ 事務所数：1

東京都		神奈川県
本店	支店A	支店B
建設業	宅建業	建設業
	↓	
事務所	事務所	

→ 事務所数：2

ファイト！
ファイト！

2 事務所に必要なもの（5点セット）

事務所には次の5つが必要です。

覚えよう！

① 標識の掲示
② 報酬額の掲示
③ 帳簿の備え付け
④ 従業者名簿の備え付け
⑤ 成年者である専任の宅地建物取引士の設置

　主たる事務所に一括ではなく、**事務所ごとに備えてお**く必要があります。なお、**これらの設置等がない場合、罰則の適用があります。**

1 標識の掲示

　公衆の見やすい場所に掲示しなければなりません。この標識は宅建業者が自分で作成するものであり、**免許証とは別物です。**なお、**免許証の掲示義務はありません。**

標　識

	宅地建物取引業者票	
免 許 証 番 号	国土交通大臣（　　）第　　　　号 知事	
免 許 有 効 期 間	年　　月　　日から 年　　月　　日まで	
商 号 又 は 名 称		
代 表 者 氏 名		
この事務所の代表者氏名		
この事務所に置かれている 専任の宅地建物取引士の数	（宅地建物取引業に従事する者の数　　　　　人）	
主たる事務所の所在地	電話番号（　　　　　）	

↕ 30cm以上

←──────── 35cm以上 ────────→

② 報酬額の掲示

事務所ごとに報酬額の掲示をする必要があります。

③ 帳簿の備え付け

事務所ごとに帳簿を備え付ける必要があります。帳簿とは取引台帳のことです。帳簿については、取引の関係者から閲覧請求があっても、見せる必要はありません。この帳簿は、**取引のあった都度記載**して、**閉鎖後5年間**保存しなければなりません。ただし、宅建業者が自ら新築住宅の売主となった場合には**10年間**保存する必要があります。

なお、必ずしも紙でなければならないというわけではなく、パソコンなどの保存であってもかまいません。ただし、プリンタ等が常備してあってすぐに紙に印刷できるものに限られます。

④ 従業者名簿の備え付け

事務所ごとに一定の事項を記載した従業者名簿を備え付けなければなりません。**最終の記載をした時から10**

つまずき注意の
前提知識

宅建業法の後半で扱いますが、宅建業者のもらえる報酬額には限度があります。それをお客様に教えるために掲示が必要なのです。

つまずき注意の
前提知識

アルバイトとして一時的に事務の補助をする者も従業者名簿に記載する必要があります。

いい調子！

年間保存する必要があります。また、取引の関係者から閲覧請求があった場合、正当な理由がない限り、閲覧を拒むことはできません。この名簿には、**宅建士か否かを記載する必要があります。**

こちらも、紙でなくてもパソコンなどの保存であってもかまいません。

つまずき注意の **前提知識**
住所は記載不要です。

⑤ 成年者である専任の宅建士の設置

業務に従事する者**5人に1人以上の割合**で、成年者である専任の宅地建物取引士（宅建士）を設置する必要があります。既定の数を下回った際には、**2週間以内に補充などの措置をとらなければなりません。**

宅建士　　　従業員

従業者が8人の場合、最低2人の宅建士が必要です。

「専任」というのは、宅建業者の事務所に常勤して、専ら宅建業に従事することをいいます。ただし、IT等を活用して業務ができる環境であれば、事務所以外の勤務（リモート勤務等）でもよいとされています。

つまずき注意の **前提知識**
宅建業者（法人である場合においてはその役員）が宅地建物取引士である場合、その者が主として業務に従事する事務所等については、成年者である専任の宅地建物取引士とみなされます。

3 従業者証明書

宅建業者は、業務に従事する者には、従業者証明書を携帯させなければなりません。**アルバイトなど一時的に業務補助をする者であっても非常勤の役員であっても必**

要です。なお、宅建士証とは別物なので、宅建士証で代用することはできません。

　そして、従業者は、取引の関係者の請求があったときは、従業者証明書を提示しなければなりません。

暗記ポイント 総まとめ

標識	———————
報酬額の掲示	———————
帳簿の備え付け	保存＝原則５年 閲覧義務＝なし
従業者名簿の備え付け	保存＝ 10 年 閲覧義務＝あり
宅建士の設置	５人に１人以上の割合

ちょこっとトレーニング　本試験過去問に挑戦！

問 宅地建物取引業者は、その業務に関する帳簿を、一括して主たる事務所に備えれば、従たる事務所に備えておく必要はない。

（2017-35-2）

解答 ×：５点セットは「事務所ごとに」設置。

🐧✚α知識

　事務所とは、①本店、②支店、③継続的に業務を行うことができる施設を有する場所で、宅建業に係る契約を締結する権限を有する使用人を置くものをいいます。①と②については原則として商業登記簿に搭載されているものが該当しますが、商業登記簿に登載されていなくても③に該当すれば事務所となります。

あせらず着実にいこう！

第**3**コース

合格の **トリセツ**

| 一問一答 | 分冊② | 293〜320 |
| 過去問題集 | 分冊② | 問12〜問20 |

免許

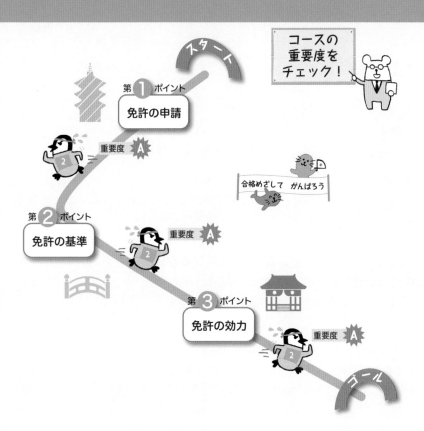

コースの重要度をチェック！

スタート

第**1**ポイント
免許の申請

重要度 **A**

合格めざして がんばろう

第**2**ポイント
免許の基準

重要度 **A**

第**3**ポイント
免許の効力

重要度 **A**

ゴール

このコースの特徴

● 免許の基準については、複雑なのでグループにわけて覚える
　ほうがよいでしょう。試験では細かい部分まで聞かれますの
　で、しっかりと学習することが大事になります。挫折しない
　ようにがんばりましょう！

第 **1** ポイント 重要度 **A**

免許の申請

攻略メモ
● 誰から免許をもらうのか、どのようにして免許をもらうのか、制度的なことを中心に学んでいきましょう！

1 免許権者

宅建業を営むための免許は、

覚えよう！
● 1つの都道府県内に事務所 ＝ 都道府県知事
● 複数の都道府県内に事務所 ＝ 国土交通大臣

からもらうことになっています。あくまで事務所の所在地のみで考えます。

東京と埼玉に1カ所ずつ、計2カ所の事務所がある場合には国土交通大臣から、東京に事務所が50カ所あっても、東京都内だけなら東京都知事から免許をもらうことになります。

そして、免許を与えた人を免許権者といいます。なお、都道府県知事免許であっても国土交通大臣免許であっても、直接申請します。

東京都
本店 **支店A**

宅建業 建設業
↓
事務所

神奈川県
支店B

建設業

申請 ⇢

東京都知事
（免許権者）

（事務所数：1）

事務所が
都内だけなので
私が免許を
与えます

東京都
本店 **支店A**
建設業 宅建業
↓ ↓
事務所 事務所

神奈川県
支店B

建設業

申請 ⇢

東京都知事
（免許権者）

（事務所数：2）

東京都
本店 **支店A**

建設業 建設業
↓
事務所

神奈川県
支店B

宅建業
↓
事務所

申請 ⇢

国土交通大臣
（免許権者）

（事務所数：2）

複数の都道府県に
事務所があるので
私が免許を
与えます

ファイト！
ファイト！

● 宅建業に関して誠実に仕事を
しないと思われる人に免許を
与えると、大変なことになる
から、あらかじめそれを防ぐ
目的で制定しています

第❷ポイント　重要度 Ⓐ

免許の基準

1 免許の申請

　宅建業者としてふさわしくない者には宅建業の免許を
与えないようにしています。次のような欠格事由に該当
する者に免許は与えられません。

❶ 破産手続開始の決定を受けて復権を得ない者

　復権を得れば**すぐに**免許を受けられます。5年待つ必
要はありません。

❷ 心身の故障により宅建業を適正に営むことができない者

　精神の機能の障害により宅建業を適正に営むにあたっ
て必要な認知、判断及び意思疎通を適切に行えない者で
す。成年被後見人だからといって一律に欠格事由にしな
いで、個別に審査します。

❸ 一定の刑罰に処せられた者

科料	犯罪名に関係なく免許を受けることが可能
拘留	
罰金	通常の犯罪＝免許可能 宅建業法違反・背任・暴力系の犯罪＝刑執行後5年間は免許不可
禁錮	犯罪名に関係なく刑執行後5年間は免許不可
懲役	

もうひと
ふんばりだ！

```
<暴力系の犯罪にあたる例>暴行罪、傷害罪、現場助勢罪、
　　　　　　　　　脅迫罪、凶器準備集合罪
<暴力系の犯罪にあたらない例>過失致死、過失傷害、
　　　　　　　　　器物損壊
```

犯罪名に「過失」がついた場合（過失致死など）は暴力系の犯罪とはなりません。

有罪判決を受けたとしても、控訴・上告中は免許申請ができます。

判決に刑の全部の執行猶予がついている場合、執行猶予期間中は免許を受けることができません。しかし、**執行猶予期間が満了すると、その翌日から直ちに免許を受けることができるようになります。**

つまずき注意の 前提知識

控訴とは、1回目の判決に不服がある場合、2回目の裁判を要求することです。上告とは、2回目の判決に不服がある場合、3回目の裁判を要求することです。

4 一定の理由で免許取消処分を受けた者

以下の理由（＝三悪）で免許取消処分を受けた者で、免許取消しの日から5年を経過しない者は、免許を受けることができません。

```
<三悪>
❶ 不正の手段により免許を取得した
❷ 業務停止処分事由にあたり情状が特に重い場合
❸ 業務停止処分に違反した
```

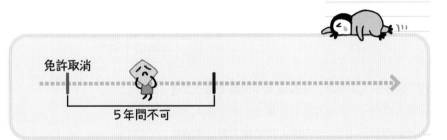

免許取消　　　5年間不可

⑤ ④が法人の場合、その法人の役員であった者

　免許取消しに係る聴聞公示の日前 60 日以内にその法人の役員であった者は、その取消しの日から 5 年間は免許を受けることができません。

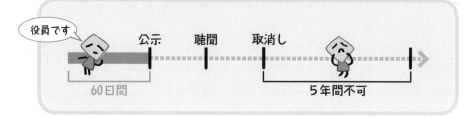

⑥ 一定の事由で聴聞の期日が公示された後に解散・廃業した者

　三悪に該当するとして免許取消しの聴聞の期日及び場所を公示された日から、処分をするかしないかを決定する前の間に解散・廃業の届出（＝かけこみ廃業）をした者で、届出の日から 5 年を経過しない者は、免許を受けることができません。

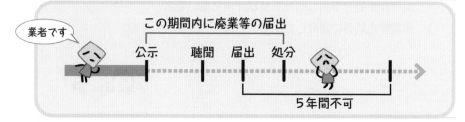

⑦ ⑥が法人の場合、その法人の役員であった者

　法人がかけこみ廃業をした場合、その法人の聴聞の公示日前 60 日以内にその法人の役員であった者は、その届出の日から 5 年間は免許を受けることができません。

あせらず着実にいこう！

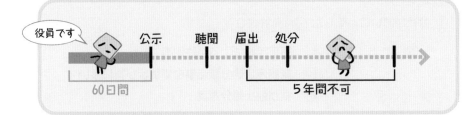

8 未成年者の法定代理人が欠格事由に該当

営業に関して成年者と同一の行為能力を有しない未成年者は、法定代理人が欠格事由に該当している場合、免許は受けられません。なお、営業に関して成年者と同一の行為能力を有する未成年者に関しては、成年者として扱うため、法定代理人についての欠格事由をみる必要はありません。

つまずき注意の
前提知識

「営業に関して成年者と同一の行為能力を有しない未成年者」とは、宅建業を営むことについて法定代理人の許可を得ていない人のことです。

9 役員・政令で定める使用人が欠格事由に該当

役員や政令で定める使用人が欠格事由に該当する場合、その法人は免許を受けることができません。役員だけでなく、政令で定める使用人も含まれるので注意しましょう。

つまずき注意の
前提知識

政令で定める使用人とは、支店長などの地位の者を指します。

10 その他

1 暴力団員または暴力団員でなくなってから5年経過しない者
2 免許の申請前5年以内に宅建業に関し不正もしくは著しく不当な行為をした者
3 宅建業に関し不正または不誠実な行為をするおそれが明らかである者

① 会社が悪いことをした ➡ 免許NG

（悪いこと：三悪）
1 不正手段による免許取得
2 業務停止処分該当事由で情状が特に重い
3 業務停止処分違反

➡ 役員も欠格者になる（政令で定める使用人は欠格者とならない！）

② 会社の中[役員／政令で定める使用人]に欠格者がいる ➡ 免許NG

➡ 他の役員や政令で定める使用人は欠格者にならない！

➡ その人を追い出せば、すぐに免許OK！

（例1）宅建業者Aが不正の手段により免許を取得したことにより免許が
取り消された時の政令で定める使用人B

➡ 上記①のバージョンのため

➡ 役員のみ欠格者となる（政令で定める使用人は欠格者とはならない）

（例2）宅建業者Aの政令で定める使用人Bが懲役1年・執行猶予3年の刑！

➡ 上記②のバージョンのため、宅建業者Aは免許取消し

➡ AはBを役員・政令で定める使用人から追い出せばすぐに免許OK！

➡ B自身は執行猶予期間中の3年間は免許NG！

ちょこっとトレーニング　本試験過去問に挑戦！

問1 免許を受けようとするE社の取締役について、破産手続開始の決定があった場合、復権を得た日から5年を経過しなければ、E社は免許を受けることができない。（2020⑩-43-4）

問2 免許を受けようとする法人の非常勤役員が、刑法第246条（詐欺）の罪により懲役1年の刑に処せられ、その刑の執行が終わった日から5年を経過していなくても、当該法人は免許を受けることができる。（2019-43-1）

解答 1　×：復権すれば免許可。
　　　　2　×：懲役は犯罪名に関係なく5年間不可。

第 ❸ ポイント　重要度 Ⓐ

免許の効力

攻略メモ

● ここで学ぶ分野は、後の「宅地建物取引士」の項目と似ています。まずは業者の免許の制度をしっかり学びましょう！

1 免許

① 免許の発行

免許権者は、免許をしたときは、その業者に免許証を交付しなければなりません。また、免許権者は、免許に条件を付けたり、条件を変更したりすることができます。

② 業者名簿

免許権者は、免許をしたときは、宅地建物取引業者名簿に一定の事項を登載しなければなりません。免許権者は、業者名簿を一般の閲覧に供しなければなりません。

つまずき注意の
前提知識

「取引状況を毎年報告すること」等の条件を付して免許を与えることがあるということです。

> 国土交通大臣免許の宅建業者の名簿は、国土交通省のみならず、主たる事務所の所在する都道府県にも備え付けられます。

③ 免許の効力

免許を受けた宅建業者は、日本全国どこでも宅建業を行うことができます。東京都知事免許の業者であっても、神奈川県の物件を取り扱ったりすることが可能ですし、大阪府で営業活動を行うことも可能です。

2 有効期間等

免許の有効期間は**5年**です。よって、5年ごとに更新が必要になります。

なお、更新申請したにもかかわらず、従前の免許の有効期間満了日までに新免許証が届かない場合、従前の免許は有効とされています。

3 免許換え

つまずき注意の 前提知識

手続きはきちんとしているので業者に落ち度がないからです。なお、新免許証は旧免許証の有効期間満了の翌日から5年間となります。

免許自体は全国で有効なので、どこで宅建業を行ってもかまわないのですが、事務所の場所が移転したり、事務所を新設・廃止したりして、現在の免許が不適当になる場合には、**免許換え**をしなければなりません。免許換えは以下のように行います。

覚えよう！

① **知事免許に免許換えする場合**

　➡ **新免許権者となる知事に直接申請**

② **大臣免許に免許換えする場合**

　➡ **新免許権者となる大臣に直接申請**

宅建業者Ａ（東京都知事免許：事務所数1）が、事務

所を東京都から神奈川県に移転する場合、神奈川県知事に直接申請します。なお、その際に東京都知事に対して廃業等の届出は不要です。

新しい免許は、**免許換えの時から5年間有効となります**。

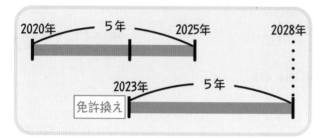

また、**免許換えをすると、免許証番号が変わります**。

4 変更の届出

業者名簿に登載されている以下の内容に変更が生じた場合には、**変更後30日以内に届出をしなければなりません**。

覚えよう！
① 商号または名称
② 事務所の名称・所在地
③ 法人業者の役員および政令で定める使用人の氏名
④ 個人業者およびその政令で定める使用人の氏名
⑤ 成年者である専任の宅建士の氏名

いい調子！

1 商号または名称

社名変更をした場合や、有限会社を株式会社に変更した場合などがこれに該当します。

2 事務所の名称・所在地

事務所を増設したり、本店を支店にして支店を本店にしたりした場合などがこれに該当します。

3 役員・政令で定める使用人・宅建士の氏名

役員・政令で定める使用人・専任の宅地建物取引士の氏名が変更した場合にも届出が必要です。しかし、これらの者の住所や本籍が変わったとしても変更の届出は必要ではありません。

つまずき注意の **前提知識**

業者が宅建業の他に新たに兼業を始めても、変更の届出は必要ではありません。

5 廃業等の届出

以下の場合には、廃業等の届出をしなければなりません。期限は廃業等の日から **30日以内**ですが、死亡の場合のみ、死亡を**知った時**から30日以内となります。

	届出義務者	失効
死亡	相続人	死亡時
合併	消滅会社の代表役員だった者	合併時
破産	破産管財人	届出時
解散	清算人	届出時
廃業	代表役員（個人業者なら本人）	届出時

死亡や合併により免許は失効しますので、相続人や合併後の存続会社が免許を承継することはありません。ただし、免許が失効した場合でも、一定の者は、当該宅建業者が締結した契約に基づく取引を結了する目的の範囲

内においては、なお宅建業者とみなされます。

ちょこっと**トレーニング** ── 本試験過去問に挑戦！

問1 免許の更新を受けようとする宅地建物取引業者Bは、免許の有効期間満了の日の2週間前までに、免許申請書を提出しなければならない。(2009-26-2)

問2 宅地建物取引業者A社（甲県知事免許）がD社に吸収合併され消滅したとき、D社を代表する役員Eは、合併の日から30日以内にその旨を甲県知事に届け出なければならない。(2006-31-3)

解答 1 ×：更新申請は90日前から30日前までに行う。
2 ×：消滅したA社の代表役員だった者が届出をする。

＋α知識

免許証を返納しなければならないのは、①免許換えにより従前の免許が効力を失ったとき、②亡失した免許証を発見したとき、③廃業等の届出をするとき、④免許取消処分を受けたとき、となります。免許証の有効期間が満了した場合は、返納する必要はありません。

あせらず着実にいこう！

第4コース
事務所以外の場所の規制

合格の **トリセツ**

| 一問一答 | 分冊② | 321〜330 |
| 過去問題集 | 分冊② | 問21〜問24 |

スタート

コースの
重要度を
チェック！

第1ポイント
事務所以外
の場所

応援してるよ！
すごい すごい！

2 重要度 A

ゴール

事務所以外の場所の規制

このコースの特徴

● 事務所には「5点セット」が必要でした。事務所以外の場所（現地・案内所等）に必要なものは何なのか、しっかりと確認していきましょう。案内所は事務所ではありません。

第 **1** ポイント　　重要度 **A**

事務所以外の場所

攻略メモ

● いわゆるモデルルームや駅前案内所のことを指すと思ってください。大事なことは、案内所は事務所ではないということです。

1 事務所以外の場所とは

　営業活動を行うのは事務所だけではありません。分譲マンションのモデルルームや駅前案内所などでも業務を行うことがあります。このような案内所などにもさまざまな規制がかけられています。

2 設置するもの

　事務所には5点セットを設置する必要がありました。5点セットの中には、案内所にも設置するものがあります。案内所の場合、そこで申込みを受けるかどうかで設置するものが違います。また、現地（分譲する宅地や建物が所在する場所）にも設置するものがあります。

1 標識の設置

　現地には、売主の標識を掲示しなければなりません。

　案内所には、その案内所を設置した業者が標識を掲示しなければなりません。

> **覚えよう！**
> ● 現地　　＝　売主の標識
> ● 案内所　＝　案内所を設置した業者の標識

たとえば、売主である宅建業者Aが、宅建業者Bに媒介を依頼し、Bが案内所を設置した場合、案内所に標識を設置する義務があるのはBです。売主Aには設置義務はありません。ですが、それでは案内所に来たお客様が売主について知ることができなくなってしまいます。そのため、案内所に設置する代理・媒介業者の標識には、**売主の商号・名称及び免許証番号等も記載する**ことにしています。

② 専任の宅地建物取引士の設置

専任の宅建士は案内所で契約の申込みを受けたり契約を締結したりする場合のみ設置義務があります。設置義務は案内所を設置した業者です。事務所とは異なり**1人設置すればかまいません。**また、複数の宅建業者で1つの案内所を設置する場合には、いずれかの宅建業者が専任の宅建士を1人設置すればかまいません。それぞれの宅建業者から1人ずつではありません。

③ 報酬額の掲示・帳簿の備え付け・従業者名簿の備え付け

現地や案内所には設置の必要はありません。

暗記ポイント 総まとめ

	標識	成年者である専任の宅建士	従業者名簿・帳簿報酬額掲示	案内所など届出
事務所	●	5人に1人以上	●	―
案内所など(申込みを受ける)	●	最低1人	✕	●
案内所など(申込みを受けない)	●	✕	✕	✕
現地	●	✕	✕	✕

●:必要　✕:不要

合格めざして がんばろう

3 案内所の届出

　契約や申込みを行う案内所の場合、案内所の設置をした業者が届出をする必要があります。以下のルールで届出をします。

届出期間	業務開始の10日前まで
届出事項	所在地・業務内容・期間・専任の宅地建物取引士の氏名
届出先	①案内所等の所在地を管轄する知事 ②免許権者

　案内所で契約や申込を行わないというのであれば、案内所の届出は必要ありません。

ちょこっとトレーニング ▶ 本試験過去問に挑戦！

問1 宅地建物取引業者A社（甲県知事免許）がマンション（100戸）を分譲する場合において、A社は、売買契約の締結をせず、契約の申込みの受付も行わない案内所を設置する場合、法第50条第1項に規定する標識を掲示する必要はない。（2011-42-イ）

問2 宅地建物取引業者は、20戸以上の一団の分譲建物の売買契約の申込みのみを受ける案内所を設置し、売買契約の締結は事務所で行う場合、当該案内所には専任の宅地建物取引士を置く必要はない。（2011-28-1）

解答 1　×：案内所には標識を掲示しなければならない。
　　　 2　×：少なくとも1人の宅建士を設置する。

宅地建物取引士

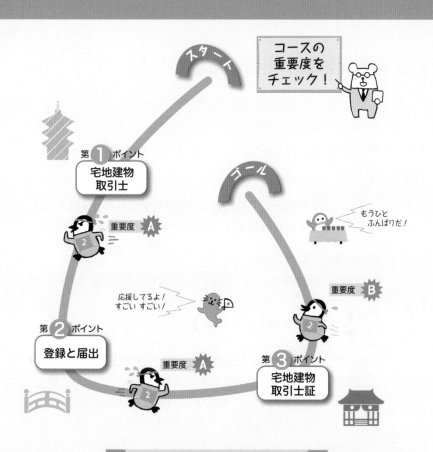

コースの重要度をチェック！

スタート

第**1**ポイント
宅地建物取引士

重要度 **A**

ゴール

もうひとふんばりだ！

重要度 **B**

応援してるよ！
すごい すごい！

第**2**ポイント
登録と届出

重要度 **A**

第**3**ポイント
宅地建物取引士証

このコースの特徴

● 第3コースの「免許」と同じ内容や似た内容が多いので、比較しながら学習すると習得しやすいと思います。特に、宅建業者と宅建士で異なる部分は試験でよくねらわれますから、しっかり学習しましょう！

第**❶**ポイント　重要度 **A**

宅地建物取引士

1 宅地建物取引士になるまで

　宅建士試験に合格したらすぐに宅地建物取引士（宅建士）になれるわけではありません。次のようなステップを経て宅建士となれるのです。

覚えよう！

> **宅建士試験合格**
> 原則として住所地の都道府県知事が行う試験を受験
> ※不正受験者は、3年以内の期間を定めて受験禁止
>
> ● 欠格事由に該当しない
> ● 2年以上の実務経験or国土交通大臣の登録を受けた講習（登録実務講習）
>
> **宅建士資格登録**
> 有効期間　→　一生有効
>
> ● 都道府県知事が指定する講習（法定講習）の受講
> 　（交付の申請前6カ月以内に行われるもの）
>
> 　（例外）①試験合格の日から1年以内に宅地建物取引士証の交付を受ける者
> 　　　　　②登録の移転の申請とともに宅地建物取引士証の交付を受けようとする者
>
> **宅建士証交付**
> 有効期間　→　5年間
> 更新の際には都道府県知事が指定する講習を受講
> （交付の申請前6カ月以内に行われるもの）

あせらず着実にいこう！

2　宅地建物取引士の事務

　宅地建物取引士になると、以下のことができるようになります。

> **覚えよう！**
> ① 重要事項の説明
> ② 重要事項説明書面への記名
> ③ 37 条書面への記名

3　宅地建物取引士資格試験

　宅地建物取引士資格試験は、都道府県知事が行います。試験に合格した身分は、合格が取り消されない限り、**一生有効**です。
　不正手段によって試験を受けようとした者は、その試験の受験を禁止されることがあります。このような者に対して、都道府県知事は、**3 年以内**の期間を定めて、受験を禁止することができます。

4　登録

　宅地建物取引士資格試験に合格をしたら、**その合格をした都道府県知事の登録を受けることができます**。宅地建物取引士登録は、都道府県知事が宅地建物取引士資格登録簿に一定事項を登載して行います。ただし、試験に合格したら誰でも登録できるというわけではなく、以下の者は登録を受けることができません。

つまずき注意の
前提知識
宅地建物取引士資格登録簿は、業者名簿とは異なり、一般の閲覧に供する必要はありません。

１ ２年以上の実務経験のない者

　　２年以上の実務経験がない場合、国土交通大臣の登録を受けた講習（登録実務講習）を受講し、一定の基準に該当したときには、実務経験がなくても登録を受けることができます。

２ 欠格事由に該当する場合

　一度登録を受けると、登録の消除を受けない限り**一生有効**です。また、**登録の効力は全国に及びます**ので、登録している都道府県以外でも、宅地建物取引士として勤務することが可能です。具体的には、東京都知事の登録を受けている宅地建物取引士が、大阪の宅建業者に専任の宅地建物取引士として勤務することも可能ですし、重要事項説明書面に記名することも可能です。

5 欠格事由

　宅地建物取引士としてふさわしくない者は登録を受けることができません。

１ 宅建業者の免許の欠格事由と共通するもの

１ 破産手続開始の決定を受けて復権を得ない者

２ 心身の故障により宅建士の事務を適正に行うことができない者

３ 一定の刑罰に処せられた者

４ 一定の理由で免許取消処分を受けた者

いい調子！

2

5 **4**が法人の場合、その法人の役員であった者

6 一定の事由で聴聞の期日が公示された後に解散・廃業した者

7 **6**が法人の場合、その法人の役員であった者

8 暴力団員または暴力団員でなくなった日から5年を経過しない者

2 一定の事由で登録消除処分を受けた者

以下の理由で登録消除処分を受けた者で、登録消除の日から5年を経過しない者は、登録を受けることができません。

覚えよう！

1 不正の手段で登録を受けた

2 不正の手段で宅地建物取引士証の交付を受けた

3 事務禁止処分に該当し、情状が特に重い

4 事務禁止処分に違反した

5 登録をしたが宅地建物取引士証の交付を受けていない者が宅地建物取引士としての事務を行い、情状が特に重い

3 事務禁止処分を受け、その禁止期間中に本人の申請により登録の消除がなされ、まだ事務禁止期間が満了していない者

事務禁止期間中は登録できません。ただし、事務禁止期間が満了したら直ちに登録することができます。

4 宅建業に係る営業に関し成年者と同一の行為能力を
有しない未成年者

	宅建業免許	宅建士登録
成年者と同一の行為能力を有する未成年者	●	●
成年者と同一の行為能力を有しない未成年者	△	×

●：免許・登録可　×：登録不可
△：未成年者本人と法定代理人がともに欠格事由にあたらないとき免許可

6 業務処理

　宅地建物取引士は、宅地建物取引の専門家として、消費者が安全に取引を行えるように、公正かつ誠実に事務を行うとともに、宅建業周辺の業務に従事する者との連携を図るように努めなければなりません。また、宅地建物取引士は、その信用を失墜させるような行為や品位を害する行為をしてはいけません。そして、知識および能力の維持向上に努めなければなりません。

つまずき注意の
前提知識

早い話が、みんなと協力し、品行方正で、勉強熱心でないといけないということですね。

ちょこっとトレーニング ➤ 本試験過去問に挑戦！

問1 宅地建物取引士資格試験に合格した者は、合格した日から10年以内に登録の申請をしなければ、その合格は無効となる。
（2020 ⑩ -28-1）

問2 未成年者は、成年者と同一の行為能力を有していたとしても、成年に達するまでは宅地建物取引士の登録を受けることができない。（2011-28-2）

解答 1　×：合格は取り消されない限り一生有効。
2　×：成年者と同一の行為能力を有する未成年者は登録可。

第**2**ポイント 重要度 **A**

> ● 宅建士として登録してある内容に変更が生じたら、ちゃんと報告しなければいけません。それはどういう場合でしょうか。

登録と届出

1 変更の登録

　宅地建物取引士資格登録簿に登載されているもののうち、以下の事項に変更があった場合、**遅滞なく変更の登録**を申請しなければなりません。

覚えよう！

① **氏名**　　※**宅建士証の書換え交付も必要**

② **住所**　　※**宅建士証の書換え交付も必要**

③ **本籍**

④ **商号または名称（宅建業者に勤務している場合）**

⑤ **免許証番号（宅建業者に勤務している場合）**

　「宅建業者の商号または名称」が変更するものとしては、勤務先の業者が社名変更をしたり、宅建士が退職や転職をしたりした場合があたります。また、勤務先の宅建業者の住所が変わった場合、その業者が免許換えを行わないのであれば届出は不要ですが、免許換えを行うのであれば、免許証番号が変更するため、届出が必要です。

　なお、事務禁止処分期間中でも変更の登録の申請は必要です。

もうひとふんばりだ！

2 登録の移転

　登録の効力は全国に及びますので、全国どこでも勤めることができます。しかし、宅建士証は5年ごとの更新があり、その際には登録地の都道府県知事の指定する法定講習を受けなければならないので、そのたびに登録地の都道府県に行くのは面倒です。そのため、勤務先が変更になった場合、登録の移転を申請することができます。登録の移転はあくまで**任意**なので、義務ではありません。また、事務禁止期間中は登録の移転ができません。

① 方法

　現在の知事を経由して登録の移転の申請をします。

> （例）甲県知事登録の宅建士Aが、乙県に登録の
> 　　　移転をする場合
> 　　　→甲県知事を経由して乙県知事に申請する

② 要件

　勤務先の都道府県が変更になった場合のみです。自宅の住所が変更になっただけでは登録の移転はできません。

> （例）甲県知事登録の宅建士Aが、乙県に引っ越し、
> 　　　丙県の宅建業者に勤務した場合
> 　　　→丙県知事に登録の移転を申請できる

③ 有効期間

　移転後の宅建士証の有効期間は、**移転前の有効期間を引き継ぎます**。新たに5年ではないので注意してくださ

い。

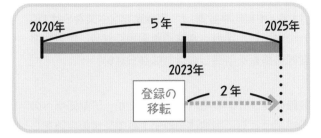

3 死亡等の届出

　登録をしている者が死亡等により宅建士としての事務ができなくなった場合には、その旨を登録している都道府県知事に届け出なければなりません。

	届出義務者	失効
死亡	相続人	死亡時
心身故障	本人・法定代理人・同居の親族	届出時
破産	本人	届出時
その他	本人	届出時

　届出期限はその日から **30 日以内**（死亡の場合のみ死亡を知った日から 30 日以内）となります。

合格めざして　がんばろう

問1 宅地建物取引士A（甲県知事登録）が、宅地建物取引業者B社（乙県知事免許）に従事した場合、Aは乙県知事に対し、甲県知事を経由して登録の移転を申請しなければならない。(2004-34-1)

問2 丙県知事の登録を受けている宅地建物取引士が、丁県知事への登録の移転の申請とともに宅地建物取引士証の交付の申請をした場合は、丁県知事から、移転前の宅地建物取引士証の有効期間が経過するまでの期間を有効期間とする新たな宅地建物取引士証が交付される。(2020⑩-34-4)

問3 宅地建物取引士が死亡した場合、その相続人は、死亡した日から30日以内に、その旨を当該宅地建物取引士の登録をしている都道府県知事に届け出なければならない。(2018-42-1)

解答 1 ×：登録の移転は義務ではない。
　　　 2 ○：前の宅建士証の有効期間とする。
　　　 3 ×：「死亡した日」ではなく「死亡を知った日」から。

第**❸**ポイント 重要度 **B**

宅地建物取引士証

1 宅地建物取引士証

　宅地建物取引士証を持っていなければ、宅地建物取引
士としての事務を行うことはできません。宅地建物取引
士証は以下のようなものです。

宅地建物取引士証

氏　名　皇帝太郎
　　　　（平成 7 年 7 月 7 日生）
住　所　東京都○○区○○町○‐○‐○
登録番号　（東京）第 1234567 号
登録年月日　令和 7 年 3 月 25 日

令和 12 年 5 月 6 日まで有効

東京都知事　○○○○
交付年月日　令和 7 年 5 月 7 日　　　　　
発行番号　第 123456789 号

1 有効期間
　有効期間は **5 年**で、更新も可能です。

2 条件
　宅建業の免許とは異なり、宅地建物取引士に条件を付
けて宅地建物取引士証を交付することはできません。

ファイト！
ファイト！

③ 提示義務

取引の関係者から請求があったときには提示しなければなりません。また、重要事項説明を行う際には、請求がなくても、必ず提示しなければなりません。

④ 講習

宅建士証の交付を申請しようとする場合、都道府県知事の指定する講習で、交付の申請前**6カ月以内に行われるもの**（法定講習）を受講しなければなりません。更新の際にも、講習を受講する必要があります。ただし、以下の場合には講習を受講する必要はありません。

> **覚えよう！**
>
> ① 試験合格から**1年以内**に交付申請をする場合
> ② 登録の移転とともに宅地建物取引士証の交付申請をする場合
> ③ 紛失して再発行申請する場合

⑤ 新宅建士証

① 登録の移転

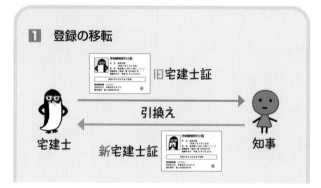

2 紛失再発行の後、古い宅建士証がみつかった場合

新宅建士証

旧宅建士証

返納

知事

　登録の移転の申請とともに新しい宅建士証の交付を申請した場合、失効した前の宅建士証と引換えに新しい宅建士証を交付します。また、紛失による再交付を受けた後、亡失した宅建士証を発見した際は、すみやかに、発見した宅建士証を、その交付を受けた都道府県知事に返納しなければなりません。

2 提出と返納

1 提出

　宅地建物取引士が事務禁止処分を受けた場合には、**宅建士証の交付を受けた知事に宅建士証を提出しなければ**なりません。たとえば、甲県知事から宅建士証の交付を受けた宅建士が、乙県知事から事務禁止処分を受けた場合、速やかに交付を受けた甲県知事に提出します。なお、事務禁止処分期間が終わり、返還請求をすれば、宅建士証は返してもらえます。

2 返納

　宅建士証が効力を失った場合や登録が消除された場合、速やかに交付を受けた都道府県知事に宅建士証を返

納しなければなりません。

3 書換え交付

　宅建士証に記載されている事項のうち、**住所または氏名が変更になった場合**には、変更の登録の申請だけでなく、宅建士証の書換え交付（かきか こうふ）の申請も必要となります。なお、宅建士証には勤務先の記載はないため、勤務先が変更しても書換え交付の申請は必要ありません。

4 プライバシー

　重要事項説明の際には宅建士証を見せなければならないのですが、宅建士証には住所欄もあります。住所などの個人情報を見せたくないということもあるでしょう。そのため、住所欄にシールをはることは認められています。しかし、黒く塗りつぶしたり、はがすことのできない強いシールをはるなど、取り外しができない形式での方法は認められていません。

ちょこっと**トレーニング** 本試験過去問に挑戦！

問 宅地建物取引士は、勤務先を変更したとき、宅地建物取引士証の書換え交付の申請を行わなければならない。(1994-37-4)

解答 ×：勤務先は宅建士証に記載がないので書換え交付の申請は不要。

第6コース 営業保証金

コースの重要度をチェック！

スタート

第1ポイント
営業保証金制度とは

応援してるよ！
すごい すごい！

重要度 A

ゴール

このコースの特徴

●まずは何よりも「免許→供託→届出→開始」の順番を頭に入れることが第一。この順番で新規事業を開始します。事務所の新設も基本的にはこの順序。順序を入れ替える問題が多いので、これをしっかり頭に入れましょう！

第①ポイント　重要度 Ⓐ

営業保証金制度とは

攻略メモ

● 宅建業を始めるのにもお金がかかります。もちろん、廃業したりして宅建業をやめたら戻ってきますが負担は大きいですね。

1 営業保証金の供託

　宅建業は扱う金額が大きいので、お客様に大きな損害を与えてしまう可能性もあります。そのときに宅建業者がお客様に支払いができないと困りますので、業務を開始するには、営業保証金というものを供託所に供託する必要があります。供託所にお金を預けておけば、お客様が損害を受けて、宅建業者がお金を払えないという状況になってしまっても、ここから支払うことができます。

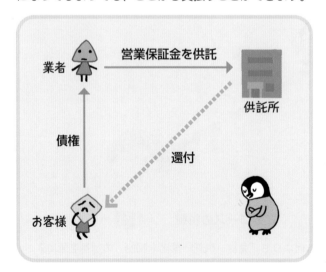

応援してるよ！
すごい すごい！

以下の金額を、**主たる事務所の最寄りの供託所**に供託します。

> **覚えよう！**
> ● **主たる事務所　1,000 万円**
> ● **従たる事務所　500 万円×事務所の数**

例 本店と支店3つで営業したい場合
　　本店　1,000 万円
　　支店　500 万円×3 = 1,500 万円
　　合計　2,500 万円

合計 2,500 万円の供託が必要です。

供託方法は、**金銭でも有価証券でもどちらでもかまいません。** 有価証券の場合は以下の評価額になります。

> ● 国債証券　　　　　　　　　→ 額面通り（100%）
> ● 地方債証券・政府保証債証券　→ 額面の90%
> ● その他の有価証券　　　　　　→ 額面の80%

例 本店のみで営業する場合
　　国債 1,000 万円　→　OK
　　地方債 1,000 万円　→　NG（900 万円扱い）

1,000 万円分の地方債と現金 100 万円なら、合計 1,000 万円となるためＯＫです！

2 供託の流れ

宅建業の事業開始までの流れは次のようになります。

免許 ┅┅➤ 供託 ┅┅➤ 届出 ┅┅➤ 事業開始

宅建業者は、営業保証金を供託した旨を免許権者に届け出た後でなければ、事業を開始することができません。

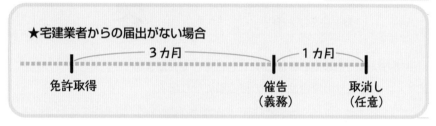

★宅建業者からの届出がない場合

┃ ──3カ月── ┃ ─1カ月─ ┃
免許取得　　　　　　　　　　催告　　　　取消し
　　　　　　　　　　　　　（義務）　　（任意）

　免許権者は、免許を与えた宅建業者が、3カ月経過しても営業保証金を供託した旨の届出をしない場合、催告をしなければなりません。そして、催告から1カ月経過しても届出がなければ、その宅建業者の免許を取り消すことができます。

3 事務所の新設

　新たに事務所を設置した場合には、主たる事務所の最寄りの供託所に追加の供託をして、その旨を免許権者に届け出た後でなければ、その事務所での事業開始ができません。

4 保管替え等

　主たる事務所の移転によって、最寄りの供託所が変更した場合には、新しい供託所に営業保証金を供託しなければなりません。

■ **金銭のみ** → **保管替え**を請求

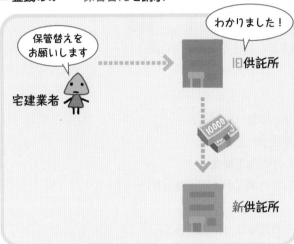

■ **有価証券を含む場合** → **新たに供託して取り戻す**

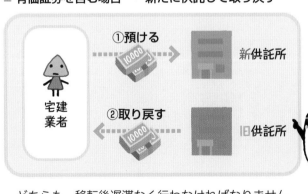

> 古い供託所から供託金を取り戻してからその供託金を新しい供託所に持っていくのではありません。新しい供託所に供託して、その後、二重供託状態になっているので、前の供託所から取り戻します。こうすれば、一時的にも供託所に供託金がないという事態は防げます。

どちらも、移転後遅滞なく行わなければなりません。

あせらず着実にいこう！

有価証券が少しでも含まれている場合、保管替え請求はできません。「金銭の部分のみ保管替え請求ができる」とあれば答えは×となります。

5 営業保証金の還付

還付は誰でも受けられるわけではありません。宅建業者と宅建業の取引により生じた債権を有する者に限られます。

覚えよう！

> ★**還付を受けることができない者（例）**
> - 宅建業者の広告を扱った広告業者
> - 電気工事を実施した電気工事者
> - 宅建業者の発注した内装工事を請け負った内装業者
> - 給料を支払ってもらえなかった従業者
> - 建築工事を請け負った請負代金債権を持つ建設業者

還付の額は、供託されている営業保証金の範囲内です。また、いくら取引による債権を有していたとしても、宅建業者は還付を受けることができません。

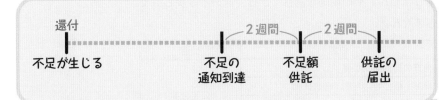

還付があれば、供託額の不足分を補充する必要があります。宅建業者は免許権者から**不足の通知があった日から2週間以内**に供託所に供託しなければなりません。そして、**供託から2週間以内**に免許権者に届け出なければなりません。

アドバイス

「不足の生じた日から2週間以内に供託しなければならない」という問題があったら答えは×。「不足の生じた日」ではなく「不足の通知を受けた日」からです。

6 営業保証金の取戻し

宅建業者が営業保証金を供託所から返してもらうことを取戻しといいます。宅建業をやらなくなった場合など、もう営業保証金を供託する必要がなくなったときに行います。不正行為を理由として免許を取り消された場合でも、営業保証金を取り戻すことができます。

ただし、還付を受けることができるお客様（債権者）がいるかもしれないので、すぐに取り戻すことができるわけではありません。

宅建業者は、**6カ月を下らない一定期間**（6カ月以上の一定期間のこと）を定めて、公告（「債権者は申し出てください」と広く一般に知らせること）をしなければ

もうひとふんばりだ!

なりません。その期間を過ぎてからでないと取戻しはできません。

原因	公告
免許の有効期間が満了した	公告必要
廃業・破産等の理由で免許失効	
免許取消処分を受けた	
一部の事務所を廃止した	
二重供託	公告不要
保証協会の社員になった	
取戻事由が発生して10年を経過した	

ちょこっとトレーニング 本試験過去問に挑戦！

問1 宅地建物取引業者A（甲県知事免許）が甲県内に本店及び2つの支店を設置して宅地建物取引業を営もうとする場合、供託すべき営業保証金の合計額は1,200万円である。（2020 ⑩ -35-4）

問2 新たに宅地建物取引業を営もうとする者は、営業保証金を金銭又は国土交通省令で定める有価証券により、主たる事務所の最寄りの供託所に供託した後に、国土交通大臣又は都道府県知事の免許を受けなければならない。（2014-29-1）

問3 宅地建物取引業者は、主たる事務所を移転したためその最寄りの供託所が変更した場合、国債証券をもって営業保証金を供託しているときは、遅滞なく、従前の主たる事務所の最寄りの供託所に対し、営業保証金の保管替えを請求しなければならない。（2020 ⑫ -33-2）

解答 1　×：本店と支店2つの場合、供託額は2,000万円。

2　×：免許→供託の順番。免許を受けてから供託をする。

3　×：有価証券が含まれている場合は保管替え請求不可。

弁済業務保証金

弁済業務保証金

スタート

コースの
重要度を
チェック！

第**1**ポイント
弁済業務
保証金とは

2

あせらず着実にいこう！

ゴール

重要度 **A**

このコースの特徴

● 第5コースの「営業保証金」と同じ内容や似た内容が多いので、比較しながら学習すると習得しやすいと思います。特に、営業保証金と弁済業務保証金で異なる部分はよくねらわれますから、しっかり学習しましょう！

第**1**ポイント 重要度 **A**

弁済業務保証金とは

攻略メモ

●「みんなで助けあおう」というのが保証協会の基本的なスタンス。営業保証金の免除は大きいでしょう。

1 保証協会とは

宅建業をはじめるには営業保証金を供託しなければなりません。しかし、その金額は大きく、なかなか新規開業にふみきれないでしょう。

そこで、保証協会という制度が用意されているのです。保証協会は宅建業者のみが加入できる一般社団法人です。保証協会に加入した宅建業者は「社員」と呼ばれます。現在、保証協会は全国宅地建物取引業保証協会（ハトのマーク）と不動産保証協会（ウサギのマーク）の2種類があります。**どちらか一方の社員である者は、他の保証協会の社員にはなれません。**

保証協会に加入すると、営業保証金が免除されます。また、保証協会に加入しようとする者は、**加入しようとする日までに**弁済業務保証金分担金を以下の金額分、保証協会に納付しなければなりません。

つまずき注意の 前提知識

保証協会への加入は任意であり、営業保証金を供託して宅建業を営むことも可能です。

覚えよう！

● **主たる事務所** → **60万円**

● **その他の事務所** → **30万円 ×事務所の数**

そして、保証協会は、1週間以内に宅建業者から納付されたお金に相当する額を供託所に供託します。これを

ファイト！
ファイト！

弁済業務保証金といいます。供託した後、保証協会は、社員である宅建業者の免許権者に対して、供託した旨の届出をしなければなりません。

弁済業務保証金 分担金
宅建業者 [納付]→ 保証協会 **弁済業務保証金** [供託]→ 供託所

金銭のみ　　　　　　　　金銭 or 有価証券
加入しようとする日まで　納付後1週間以内

※供託した旨を保証協会が免許権者に届出（宅建業者ではない！）

　社員から少しずつ集めたお金で、営業保証金の代わりをしようというのが、弁済業務保証金の趣旨です。

2 事務所新設

　新たに事務所を設置した場合には、設置した日から2週間以内に追加の弁済業務保証金分担金を保証協会に納付します。

　もし、この期間内に納付をしなかった場合、社員の地位を失います。

3 弁済業務保証金の還付

　保証協会の社員である宅建業者に対する債権を持つ者（宅建業者を除く）は、弁済業務保証金で弁済してもらえます。還付請求できる者は、営業保証金同様、宅建業者と宅建業の取引により生じた債権を有する者に限られます。

還付を受けるには、まず保証協会の認証が必要となります。債権者はまず保証協会に認証をもらい、それから還付を受けることになります。

　また、その宅建業者が社員になる前に取引した者も還付を受けることができます。

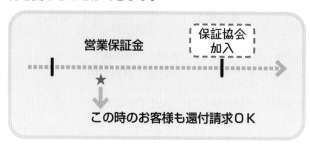

　還付額は、その宅建業者が社員でなかった場合に供託すべき営業保証金の額に相当する額までとなります。また、いくら取引による債権を有していたとしても、宅建業者は還付を受けることができません。

例 弁済業務保証金分担金を 210 万円払っている業者Aと取引したお客様は、いくらまで還付を受けられるか？

● 本店が 1 つ、支店が 5 つの業者となる。

● もし、営業保証金を払うなら、本店 1,000 万円、支店 1 カ所 500 万円
　つまり、3,500 万円となる。

● 業者Aと取引したお客様は 3,500 万円まで還付を受けることができる。

 いい調子！

4 不足分の補充

　還付によって弁済業務保証金が不足した場合、次のような手順で補充をしなければなりません。

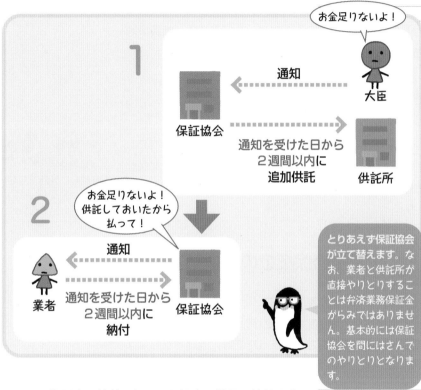

　もし、期間内に納付しなかった場合、社員の地位を失います。

5 弁済業務保証金準備金

　還付により不足した額をまず保証協会が供託するための財源として、保証協会は弁済業務保証金準備金という

積立てをしておかなければなりません。足りなくなった際にはここから費用を出します。それでも足りない場合には、社員全員に負担してもらうことになります。これが**特別弁済業務保証金分担金**です。全社員は、通知を受けてから**1カ月以内**に、特別弁済業務保証金分担金を納付しなければなりません。納付しない場合には社員の地位を失います。

6 社員の地位を失った場合

社員の地位を失っても宅建業を続けていきたいのであれば、社員の地位を失った日から**1週間以内**に営業保証金を供託し、その旨を免許権者に届け出なければなりません。

7 弁済業務保証金の取戻し

社員でなくなったときには、保証協会は弁済業務保証金の取戻しができますが、取り戻した額に相当する弁済業務保証金分担金を社員であった者等に返還する際には営業保証金と同様の、**6カ月以上の期間**を定めた公告が必要となります。

公告は保証協会が行います。それに対して、一部の事務所を廃止した場合、保証協会は公告をすることなく、直ちに取戻しが可能です。

● 一部の事務所の廃止　営業保証金　　＝　公告必要

　　　　　　　　　　　弁済業務保証金　＝　公告不要

8 保証協会の業務

① 必須業務

　保証協会は、以下のものについては、必ず行わなければなりません。

> **1** 苦情の解決
> **2** 宅建業に関する研修
> **3** 弁済業務

② 任意業務

　保証協会は、以下の**1 2**および**4**については、国土交通大臣の承認を受けて実施することができます。

> **1** 一般保証業務
> **2** 手付金等保管事業
> **3** 研修実施に要する費用の助成業務
> **4** 宅建業の健全な発達を図るために必要な業務

応援してるよ！
すごい すごい！

問1 本店と3つの支店を有する宅地建物取引業者が保証協会に加入しようとする場合、当該保証協会に、110万円の弁済業務保証金分担金を納付しなければならない。(2020 ⑫ -30-1)

問2 宅地建物取引業保証協会は、弁済業務保証金の還付があったときは、当該還付に係る社員又は社員であった者に対し、当該還付額に相当する額の還付充当金をその主たる事務所の最寄りの供託所に供託すべきことを通知しなければならない。(2020 ⑩ -36-3)

解答
1　×：本店と支店3つの場合、分担金の額は150万円。
2　×：供託所に供託ではなく保証協会に納付。

給水 コラム

不動産業開業へ！

宅建士の資格があれば、独立開業することも可能です。会社の代表が宅建士であれば、4人までは宅建士の資格のない人を雇うことが可能です。営業保証金が払えないのであれば、保証協会に加入することもできます。本編⑦では、弁済業務保証金分担金が60万円だとありましたが、当然のことながら、その他にも保証協会の入会金などの諸費用はかかります。興味がございましたら、保証協会のホームページで確認してみてはいかがでしょうか。

宅建業法の折り返し地点に近づいてきました！

あせらず着実にいこう！

第**8**コース

合格の**トリセツ**
| 一問一答 | 分冊② | 381～397 |
| 過去問題集 | 分冊② | 問50～問57 |

媒介・代理

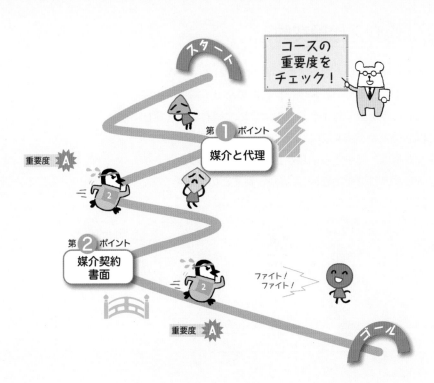

コースの重要度をチェック！

スタート

第**1**ポイント
媒介と代理

重要度 **A**

第**2**ポイント
媒介契約書面

重要度 **A**

ファイト！
ファイト！

ゴール

このコースの特徴

●ここでは、媒介や代理の際の規制について学びます。一般媒介契約・専任媒介契約・専属専任媒介契約の3種類の違いをまずはしっかり学習しましょう。媒介契約書面については、記載内容はもちろん、貸借では不要だということも忘れずに。

第 ① ポイント　重要度 **A**

媒介と代理

1 媒介・代理契約

　土地を売りたいと思っても、買ってくれる人を探すのは大変です。そういう場合、プロに頼んで契約相手を探してもらうと楽でしょう。このように、契約相手を探してほしいという契約のことを「媒介契約」といいます。媒介業者は、売主から依頼があれば買主を探し、買主から依頼があれば売主を探し、売主と買主との間にたって、売買契約の成立に向けてあっせん尽力します。

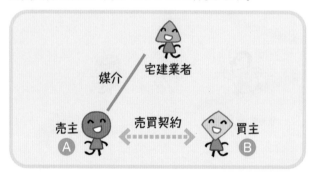

　ちなみに、媒介は契約相手を探すことであり、代理は媒介業務に加えて、当事者に代わり契約を締結する権限まであります。したがって、媒介と代理は同様の規制がかかります。

もうひとふんばりだ！

2 契約の形態

媒介には**一般媒介契約・専任媒介契約・専属専任媒介契約の3種類があります**。依頼者と宅建業者は、この3種類の契約のうち、いずれかを選んで契約を締結することになります。

一般媒介契約は、依頼者から**他の宅建業者に重ねて依頼できる**のに対して、専任媒介契約や専属専任媒介契約は、**他の宅建業者に依頼することはできません**。

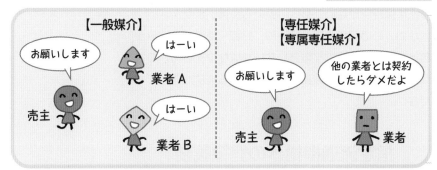

【一般媒介】
お願いします
はーい
業者A
売主
はーい
業者B

【専任媒介】
【専属専任媒介】
お願いします
他の業者とは契約したらダメだよ
売主
業者

専任媒介契約と専属専任媒介契約の違いは、自己発見取引ができるかどうかです。自己発見取引とは、依頼者が自分でお客さんをみつけてくることです。専属専任媒介契約ではそれさえも禁止しています。

3 有効期間

一般媒介契約の場合、規制は特にありません。したがって、半年であろうと1年であろうと問題ありません。しかし、専任媒介契約と専属専任媒介契約は、**3カ月以内**となります。更新も可能ですが、**更新には依頼者からの**

申出が必要であり、自動更新とすることはできません。
また、更新後も同様に有効期間は3カ月以内となります。

4 業務処理状況の報告義務

　一般媒介契約の場合、規制は特にありません。しかし、専任媒介契約では2週間に1回以上（休業日を含む）、専属専任媒介契約では1週間に1回以上（休業日を含む）の頻度で報告することが義務づけられています。報告の方法には規制がないため、口頭でもかまいません。

　なお、この報告義務とは別に、売買・交換の申込みがあった際には遅滞なく報告しなければなりません。これは一般媒介契約でも義務付けられている点に注意してください。

5 指定流通機構への登録義務

　指定流通機構（レインズ）とは、宅建業者のみが閲覧できる物件検索システムのことです。専任媒介契約の場合は契約締結日から7日以内（休業日は除く）、専属専任媒介契約の場合は契約締結日から5日以内（休業日は除く）、にレインズに登録する義務があります。一般媒介契約の場合、義務ではありませんが、任意で登録することは可能です。

　指定流通機構には、宅地または建物の所在・規模・形質・売買すべき価格や、法令上の制限の主要なものなどの一定の事項につき、登録をしなければなりません。

　依頼を受けた宅建業者は、登録が完了したら、指定流

つまずき注意の **前提知識**

依頼者の氏名・住所は登録事項となっていません。

通機構から交付される登録済証を、遅滞なく、依頼者に引き渡さなければなりません。

　依頼を受けた宅建業者は、契約が成立した際には遅滞なく、以下の事項を指定流通機構に通知しなければなりません。

覚えよう！

1️⃣ 登録番号
2️⃣ 取引価格
3️⃣ 契約成立年月日

物件の所在、契約当事者の氏名などは通知事項ではありません。

暗記ポイント 総まとめ

	一般媒介契約	専任媒介契約	専属専任媒介契約
他の業者への依頼	可	不可	不可
自己発見取引	可	可	不可
有効期間	制限なし	3カ月以内（超えたら3カ月に短縮）自動更新不可（依頼者からの申出必要）	
業務処理状況報告		2週間に1回以上（休業日含む）	1週間に1回以上（休業日含む）
指定流通機構への登録期間		契約締結日から7日以内（休業日除く）	契約締結日から5日以内（休業日除く）
売買・交換の申込があった旨の報告	遅滞なく		

※この表よりも依頼者に有利な特約は有効ですが、依頼者に不利な特約は無効となります。

合格めざして がんばろう

攻略メモ

貸借の場合には必要ないという点、宅地建物取引士の記名は必要ない点、この2点に注意して学習しましょう！

第**2**ポイント 重要度 **A**

媒介契約書面

1 媒介契約書面（34条の2書面）

媒介契約が成立した際には、媒介契約をめぐるトラブルを防止するため、契約成立後、遅滞なく、媒介契約書面を作成し依頼者に交付しなければなりません。なお、この書面は貸借の媒介の場合には必要ありません。売買や交換の契約のときのみ必要です。そして、この書面には、宅建業者の記名押印が必要です。

媒介契約書面は、依頼者の承諾があれば、電磁的方法により提供することも認められています。

アドバイス

「宅地建物取引士の記名押印が必要」とあったら答えは×。宅建士ではなく業者の記名押印です。

2 記載事項

この書面に記載する事項は以下のとおりです。

① **物件を特定するために必要な表示**
② **売買すべき価額または評価額**
③ **媒介のかたち**

ファイト
ファイト

④ 既存建物であるときは建物状況調査（いわゆるインスペクション）を実施する者のあっせんに関する事項

⑤ 報酬

⑥ 有効期間

⑦ 解除

⑧ 媒介契約違反の場合の措置

⑨ 指定流通機構への登録に関する事項（一般媒介でも省略不可）

⑩ 標準媒介契約約款に基づくか否か

つまずき注意の **前提知識**

標準媒介契約約款とは、国土交通大臣が定める媒介契約書のひな形です。あくまで「見本」のような位置づけなので、これを使用しなければならないというわけではありません。使用するか否かは任意です。

なお、売買価格や評価額に宅建業者が意見を述べる際には、必ず根拠を示さなければなりません。ただし、書面で行う必要はなく、口頭でもかまいません。

ちょこっとトレーニング ▶ 本試験過去問に挑戦！

問1 宅地建物取引業者Aは、B所有の宅地の売却の媒介依頼を受け、Bと専任媒介契約を締結した。媒介契約の締結にあたって、業務処理状況を5日に1回報告するという特約は無効である。（2004-39-4）

問2 宅地建物取引業者Aは、宅地建物取引業者でないEから宅地の売却についての依頼を受け、専属専任媒介契約を締結したときは、当該宅地について法で規定されている事項を、契約締結の日から休業日数を含め5日以内に指定流通機構へ登録する義務がある。（2016-41-4）

解答 1　×：依頼者に不利な特約ではないから有効。
　　　 2　×：休業日は除く。

不動産業者の定休日

美容室は火曜日休みが多い、というように、業界によって定休日がある程度決まっていることがあります。不動産業者は水曜日休みが多いようです。これは、水曜日は「契約が水に流れてしま う」という縁起の悪い日だから、定休日にしたという説があります。とにもかくにも、不動産業者は契約をして報酬をいただく形態なので、契約がなければ、報酬もないことになってしまいます。

第9コース
広告等の規制

スタート

コースの
重要度を
チェック！

第1ポイント
広告

もうひと
ふんばりだ！

重要度 **A**

ゴール

このコースの特徴

● ここでは広告等の規制について学びます。常識で対処できる
問題もあるので、そういう部分は軽く通過してしまいましょ
う。おとり広告などがいけないことは特に覚えずともわかる
と思います。ただし、重要論点はしっかりと！

第❶ポイント 重要度 Ａ

広告

攻略メモ

● まず、広告は多くの人が見るものなので、影響力が大きいというイメージを持ちましょう。なので、罰則も厳しめになっています。

1 取引態様の明示

　宅建業者は、宅建業に関する広告をする際や注文を受けた際に、**取引態様を明示する必要があります**。取引態様の明示とは、第1コースで学んだ8種の「取引」のうち、どれに該当するのかをきちんとお客様に知らせることです。

　なお、広告をする際に取引態様を明示したとしても、注文を受ける際には改めて取引態様の明示をする必要があります。

　また、宅地を数回にわけて分譲するときも、その都度、取引態様を明示する必要があります。

　ちなみに、明示の方法は自由なので、口頭でもかまいません。

2 誇大広告等の禁止

　当然のことながら、誇大広告をしてはいけません。では、誇大広告とは具体的にどのようなものなのでしょうか。

 いい調子！

- 物件（所在・規模・形質）
- 環境（現在または将来の「環境・利用の制限・交通」）
- 代金（代金の額や融資のあっせん）

について

- 著しく事実に相違する表示
- 実際より著しく優良・有利と誤認させるような表示

をしてはならない

なお、誰も信じなかったので実害が発生しなかったとしても、そういう広告をした時点で誇大広告となります。

3 おとり広告等の禁止

売る意思もない条件の良い物件の広告を出し、実際には他の物件を販売するために事務所に誘いこむ目的で広告をすることも当然のことながら禁止です。具体的には、次のような物件です。

- 存在しない物件
- 存在するが取引するつもりのない物件
- 存在するが取引対象となりえない物件

ちなみに、新聞広告・インターネットなど、あらゆる広告が規制対象となっています。

広告をインターネットで行った場合、売買契約成立後に継続して広告を掲載していた場合、宅建業法違反となります。

つまずき注意の
前提知識

おとり広告は、広告と実際に取引しようとする物件が全く別のものとなります。したがって、誇大広告等の禁止の「著しく事実に相違する表示」となります。

4 広告・契約の開始時期

　宅建業者は、未完成物件についていつから広告や契約ができるのでしょうか。それは、**建築などに必要な許可や確認が下りて、売ることができると確認されたとき**です。よって、開発許可や建築確認など、必要な許可や確認が下りるまで、未完成物件の広告や契約をしてはいけないことになっています。

■建築確認（建物）・開発許可（宅地）の前に広告・契約ができるか

	売 買	交 換	貸 借
広告	×	×	×
契約	×	×	●

●：できる　×：できない

　ただし、許可や確認が下りる前でも、**貸借の契約だけは可能**です。

アドバイス

「建築確認申請中の場合、申請中である旨を表示すれば広告ができる」とあったら答えは×。申請中ということは確認が下りていないということ。まだ広告をしてはなりません。

■広告と監督・罰則

	監督処分	罰則※
取引態様 明示義務違反	●	×
誇大広告等の 禁止違反	●	●
広告・契約開始 時期の制限違反	●	×

●：あり　×：なし
※監督処分＝指示処分／業務停止処分／免許取消処分
※罰則＝罰金／懲役

ちょこっとトレーニング 本試験過去問に挑戦！

問1 複数の区画がある宅地の売買について、数回に分けて広告をする場合は、広告の都度取引態様の別を明示しなければならない。(2020 ⑩ -27-ウ)

問2 宅地建物取引業者は、建築確認申請中の建物について、建築確認申請中である旨を表示すれば、自ら売主として当該建物を販売する旨の広告をすることができる。(2020 ⑫ -27-2)

解答 1 ○：取引態様は広告のたびに明示する。
2 ×：確認が下りた後でなければ広告をすることはできない。

応援してるよ！
すごい すごい！

宅建士試験の計算問題

宅建士試験では、手付の額をはじめ相続・報酬額の計算・建蔽率や容積率など、さまざまな分野で計算問題が出題されることがあります。しかし、小学校の算数の範囲です。苦手にしている人は多いかもしれませんが、ここ⑦を克服すれば1〜2点を獲得することができます。慣れないうちは電卓を使ってでも答えを出してみましょう。試験会場では電卓は使えないので、本番までにはちゃんと計算できる実力もつけておいてください。

どうしたの？

算数ほとんど忘れてるなんていえねぇ…

重要事項説明

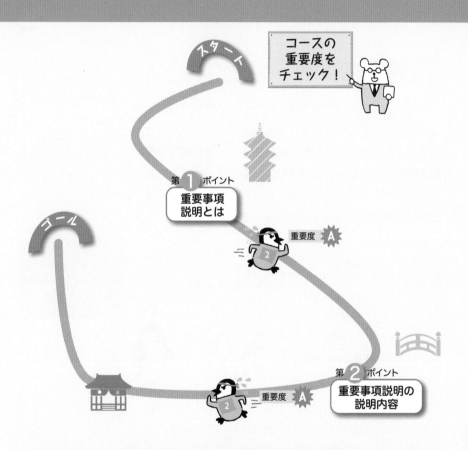

コースの
重要度を
チェック！

第 **1** ポイント
重要事項説明とは

重要度 **A**

第 **2** ポイント
重要事項説明の説明内容

重要度 **A**

スタート

ゴール

このコースの特徴

● 重要事項説明とは、一言でいうと商品説明です。ですから、わからなくなった場合「これは契約の前に聞いておいたほうがよいかな？」と考えれば正解にたどり着くことができるでしょう。

第❶ポイント　重要度 **A**

重要事項説明とは

● 宅建士試験最大のポイントです。宅建士の仕事のメインですから当然ですよね。重要事項説明は商品説明というイメージでとらえましょう！

1 重要事項説明

商品はよく検討してから購入したいものです。しかし、土地や建物の詳しい情報は、素人が見ただけではよくわかりません。そこで、**不動産の契約では、契約前に重要事項説明**というものを義務付けています。この重要事項説明は、これからその不動産を使う人（買主・借主・交換の両当事者）に対して行う必要があります。

この物件は
こういうものです

そうなんだ
ならば購入します！

宅地建物取引士

買主

買うかどうかの判断材料に使うものですから、契約締結前に行わなければなりません。

この説明は宅地建物取引士でなければすることができません。ただし、**専任である必要はない**ので、アルバイトであっても、宅地建物取引士であればすることができます。なお、説明の際には、**相手方からの請求がなくても宅建士証を見せなければなりません。**

合格めざして　がんばろう

2 説明義務

重要事項説明は業者の義務です。宅建業者が宅地建物取引士に説明させる義務があるのです。つまり、重要事項説明をしないで契約してしまった場合、業者は業務停止処分を受けることがあります。**重要事項説明を行う場所について、特に決まりはありません。**

1つの取引に複数の宅建業者が関与するときは、すべての宅建業者が重要事項の説明義務を負います。ただし、自ら貸主となる宅建業者、買主または借主となる宅建業者は除きます。

3 重要事項説明書

重要事項説明は書面を交付して説明しなければなりません。この書面を重要事項説明書（35条書面）といいます。**重要事項説明書への記名は宅建士でなければすることができませんが、専任である必要はありません。**

相手方が宅建業者の場合、重要事項説明は省略できますが、書面の交付を省略することはできません。

重要事項説明書面は、相手方の承諾があれば、電磁的方法により提供することも認められています。

4 IT 重説

重要事項の説明について、テレビ会議等の IT を活用できます。ただし、次の条件を満たしている場合に限られます。

① 双方向でやりとりできる環境において実施していること
② 重要事項説明書と添付書類を、説明を受ける者にあらかじめ交付していること（電磁的方法による提供を含む）
③ 映像及び音声の状況について、宅地建物取引士が説明開始前に確認していること
④ 相手方が、宅地建物取引士が提示した宅地建物取引士証を視認できたことを確認していること

ちょこっとトレーニング　本試験過去問に挑戦！

問1 重要事項の説明は、宅地建物取引業者の事務所において行わなければならない。(2020 ⑩ -41-4)

問2 宅地建物取引士は、宅地建物取引業法第35条の規定による重要事項説明を行うにあたり、相手方から請求があった場合にのみ、宅地建物取引士証を提示すればよい。(2010-28-3)

解答 1　×：場所はどこで行ってもよい。
　　　　2　×：相手方から請求がなくても見せなければならない。

第**2**ポイント 重要度 **A**

重要事項説明の説明内容

攻略メモ

● つらいかもしれませんが、ここを記憶しておかないと点数がとれません。大事なものだけに絞り込みましたので、最低限この程度は覚えましょう。

1 全てに必要な説明事項 (売買・交換・貸借)

1 **登記された権利の種類・内容**

所有権や抵当権などについて説明します。抵当権は近々抹消される予定であっても説明します。

2 **飲用水・電気・ガスの供給施設及び排水施設の設備の状況**

整備されていない場合には、整備の見通しや、それにかかる特別の負担がある場合には、それも併せて説明します。

3 **契約の解除に関する事項**

どういう場合に解除できるのか（手付・債務不履行など）、解除の方法（催告の期間）、解除後の効果（原状回復など）について説明します。

4 **損害賠償額の予定や違約金**

損害賠償額について、賠償額の予定の有無などを説明します。

5 **代金・交換差金・借賃以外に授受される金銭の額・目的**

売買の場合には諸費用（印紙代・登記費用など）や手付金について、貸借であれば事業用の場合は権利金や保

つまずき注意の
前提知識

代金や借賃の額については、説明不要です。

証金、居住用であれば敷金や礼金について説明します。

⑥ 土砂災害警戒区域・造成宅地防災区域・津波災害警戒区域

土砂災害や津波災害については、命にかかわります。指定があるのであれば説明します。

⑦ 水害ハザードマップの提示

取引の対象となる宅地・建物の位置を含む、入手可能な最新のハザードマップを提示します。ハザードマップが存在しない場合は、存在しない旨の説明が必要です。

⑧ （未完成物件の場合）完成時の形状・構造

未完成物件では、完成時にどうなるのかは知りたいはずです。完成時の予定について説明します

水害ハザードマップは「水防法施行規則第11条第1号の規定により市町村（特別区を含む。）の長が提供する図面」という表現で出題されることもあります。

2 建物の場合には必要 （土地の場合には不要）

① 既存建物状況調査（インスペクション）の結果の概要等

建物状況調査の実施の有無（実施後1年を経過していないもの。ただし、鉄筋コンクリート造または鉄骨鉄筋コンクリート造の共同住宅等については、2年を経過していないもの）について説明します。実施している場合における建物状況調査の結果の概要も併せて説明します。さらに、**貸借以外では設計図書・点検記録等の書類の保存の状況も説明します。**

2 石綿使用調査の内容　記録があればその旨

　石綿の調査がされている場合には、その調査結果を説明します。調査されていない場合には、「されていない」との説明が必要です。**業者に調査をする義務はありません。**

3 耐震診断の結果　記録があればその旨

　耐震診断を受けた場合には、その調査結果を説明します。調査されていない場合には、「されていない」との説明が必要です。**業者に調査をする義務はありません。**なお、昭和 56 年 6 月 1 日以降に新築のものについては、調査結果があったとしても説明する義務はありません。

つまずき注意の
前提知識
石綿とは、アスベストのことです。

---

3 売買・交換の場合に必ず必要（貸借の場合には必要とは限らない）

1 法令上の制限

　都市計画法や建築基準法などの制限について説明します。売買の場合は全て、貸借の場合には自分にからむものを説明します。たとえば「この地域には 10 mを超える建物は建てられない」という制限があった場合、建物の貸借であれば関係ありません（建てることはありえません）から説明不要ですが、土地の貸借の場合、借りた土地に建物を建てる可能性があるので説明が必要です。

10 mを超える建物は建てられません

いや、私はこの部屋に住むだけで、建物は建てません

宅地建物取引士　　　　　建物の賃借人

いい調子！

2　私道負担

　私道の区域内には建物は建てられません。また、勝手に変更や廃止をすることができません。したがって、説明しないとトラブルを招きます。私道の場所、負担金、負担面積などについて説明します。なお、建物の貸借では説明不要ですが、土地の貸借の場合には説明が必要です。

4　売買・交換のみ（貸借では不要）

1　住宅性能評価を受けた新築住宅である場合、その旨

　新築住宅分譲時にこの評価を受けた住宅に不具合が生じた場合、紛争処理機関（弁護士会）に紛争処理を申請することができます。購入者の利益となるため、新築住宅の買主には説明します。しかし、**貸借の場合には説明の必要はありません。**

2　契約不適合担保履行措置

　契約不適合責任（→権利関係）や住宅瑕疵担保履行法に基づく瑕疵担保責任について、措置を講じるか否か（講じない場合は「講じない」と記載）、講じる場合にはその措置の概要（供託／保証／保険等）について説明します。

3　手付金等保全措置の概要（宅建業者が自ら売主の場合）

　自ら売主の場合、保全措置を講じなければ一定額を超える手付金等を受け取ることはできません（→自ら売主制限）。そのため、措置を講じるか否か（講じない場合は「講じない」と記載）、講じる場合にはその措置の概要を説明します。

つまずき注意の
前提知識

契約不適合責任の内容（特約）については説明不要です。

5 貸借のみ（売買・交換では不要）

1 契約期間・契約の更新に関する事項

定めがない場合は「定めなし」と記載します。

2 宅地・建物の用途その他利用の制限に関する事項

貸主が決めたルールについて説明します。「部屋内では禁煙」などのルールについては、あらかじめ知っておく必要があります。

3 敷金その他契約終了時において精算される金銭の精算について

賃料等の滞納分との相殺に関する内容や、原状回復に敷金が充当される予定があるのか否かなどについて説明します。

4 定期借家・定期借地である場合にはその旨

定期借家や定期借地の場合、更新しない性質のものなので、その期間等について説明する必要があります。

5 台所・浴室・便所その他の当該建物の設備の整備状況

売買であれば自ら交換等が可能ですが、貸借の場合、貸主の所有物であるため、勝手に交換等はできません。したがって、日常生活に通常使用する設備についてはしっかりと説明する必要があります。

6 マンション追加説明事項（売買・交換・貸借）

1 専有部分に関する規約の定めがあるときは、その内容

ペットの可否やピアノ演奏の可否など、規約で決めら

れている内容を説明する必要があります。なお、規約が案の段階であっても、集会で可決されたら成立するので、説明する必要があります。

2　管理委託先の氏名・住所（登録番号）

管理会社の名称や所在地について説明します。なお、管理受託の内容については説明する必要はありません。

7 マンション追加説明事項 （売買・交換のみ）

1　敷地に関する権利の種類・内容

敷地利用権についてです。借地権の場合、地代・賃借料・存続期間等についても説明する必要があります。

2　共用部分に関する規約の定めがあるときは、その内容

共用部分の持分（専有部分の床面積の割合で決まる等）や規約共用部分について説明する必要があります。まだ案の段階であっても説明します。

3　専用使用権の規約の定めがあるときは、その内容

バルコニーや専用庭など、本来は共用部分であるが専用使用することができる部分について説明します。

4　修繕積立金・管理費の額（滞納がある場合は滞納額も説明）

マンションの区分所有者は管理費や修繕積立金を支払わなければなりません。その額については説明が必要です。なお、売主が滞納していると、買主が請求されることもあります。トラブルになりやすいので滞納状況についても説明します。そして、特定の者にのみ減免する旨の規約の定めがあるときは、その内容についても説明が

必要です。これは、新築分譲などで売れ残りがある場合、売主である業者が区分所有者になるため、本来は買主が決まるまで業者が負担しなければならないのですが、それを減免する規約の定め（案を含む）がある場合には説明が必要です。

⑤ 一棟の建物の維持修繕の実施状況が記録されているときは、その内容

大規模修繕や計画修繕について、記録の有無を確認した上で、記録がある場合にはその内容を説明する必要があります。

ちょこっとトレーニング ▶ 本試験過去問に挑戦！

問1 建物の売買の媒介の場合は、住宅の品質確保の促進等に関する法律第5条第1項に規定する住宅性能評価を受けた新築住宅であるときはその旨を重要事項説明として説明しなければならないが、建物の貸借の媒介の場合は説明する必要はない。(2010-35-3)

問2 自ら売主となって建物の売買契約を締結する場合、買主が宅地建物取引業者でないときは、当該建物の引渡時期を説明する必要がある。(2011-32-4)

問3 宅地建物取引業者は、分譲マンションの売買の媒介を行う場合、建物の区分所有等に関する法律第2条第4項に規定する共用部分に関する規約の定めが案の段階であっても、その案の内容を説明しなければならない。(2013-33-2)

解答 1 ○：売買の時のみ説明。貸借の場合は不要。

2 ×：建物の引渡時期は説明不要。

3 ○：「案」であっても説明必要。

合格めざして がんばろう

参考

■重要事項の説明書面（35条書面）の記載事項

		売買・交換	建物の貸借	宅地の貸借
基本的説明事項	1	登記された権利の種類，内容，登記名義人又は登記簿の表題部に記録された所有者の氏名 ※1,5		
	2	飲用水，電気，ガスの供給ならびに排水のための施設の整備の状況（整備されていない場合には，その整備の見通し及びその整備についての特別の負担に関する事項）※5		
	3	契約の解除に関する事項		
	4	損害賠償額の予定又は違約金に関する事項		
	5	支払金，預り金を受け取る場合に保全措置を講ずるかどうか，及び講ずる場合の保全措置の概要 ※2		
	6	代金・交換差金に関する金銭の貸借のあっせんの内容及びあっせんに係る金銭の貸借が成立しないときの措置		
	7	代金及び交換差金以外に授受される金銭の額・目的（手付金・申込証拠金など）	借賃以外に授受される金銭の額・目的（敷金・権利金・保証金など）	
	8	都市計画法，建築基準法その他の法令に基づく制限で政令で定めるものに関する事項の概要 ※5		
		全て	建物賃借人に適用される制限のみ ※3	土地所有者に限って適用される制限は除く
	9	宅地又は建物が土砂災害警戒区域等における土砂災害防止対策の推進に関する法律7条1項により指定された土砂災害警戒区域内にあるときは，その旨 ※5		
	10	宅地又は建物が宅地造成及び特定盛土等規制法45条1項により指定された造成宅地防災区域内にあるときは，その旨 ※5		
	11	宅地又は建物が津波防災地域づくりに関する法律53条1項により指定された津波災害警戒区域内にあるときは，その旨 ※5		
	12	水防法施行規則11条1号の規定により当該宅地又は建物が所在する市町村の長が提供する図面（ハザードマップ）に当該宅地又は建物の位置が表示されているときは，当該図面における当該宅地又は建物の所在地 ※5		
	13	石綿の使用の有無の調査の結果が記録されているときは，その内容（建物のみ）※5		
	14	建物が建築物の耐震改修の促進に関する法律4条1項に規定する一定の耐震診断を受けたものであるときは，その内容（建物のみ）※4,5		
	15	既存建物であるときは，既存建物状況調査を実施しているかどうか，及びこれを実施している場合におけるその結果の概要		

		売買・交換	建物の貸借	宅地の貸借
基本的説明事項	16	既存建物である場合において，設計図書，点検記録その他の建物の建築及び維持保全の状況に関する書類の保存の状況		
	17	手付金等の保全措置の概要（自ら売主の場合に限る）		
	18	割賦販売の場合，現金販売価格・割賦販売価格・引渡しまでに支払う金銭の額・賦払金額・支払時期と方法		
	19	建物が住宅の品質確保の促進等に関する法律5条1項に規定する住宅性能評価を受けた新築住宅であるときは，その旨（建物のみ）※5		
	20	宅地又は建物の契約不適合担保責任の履行に関し保証保険契約の締結その他の措置を講ずるかどうか，及びその措置を講ずる場合におけるその措置の概要※5		
	21	私道に関する負担に関する事項※5		私道に関する負担に関する事項※5
	22		①契約期間及び契約の更新に関する事項	
			②宅地又は建物の用途その他の利用の制限に関する事項	
			③宅地，建物の管理が委託されているときはその委託を受けている者の氏名及び住所（登録番号）	
			④敷金その他契約終了時において精算することとされている金銭の精算に関する事項	
			⑤借地借家法38条1項に規定する定期建物賃貸借をしようとするときは，その旨	⑤借地借家法22条1項に規定する定期借地権（長期の定期借地権）を設定しようとするときは，その旨
			⑥高齢者の居住の安定確保に関する法律52条1項に規定する終身建物賃貸借をしようとするときは，その旨	

応援してるよ！
すごい すごい！

		売買・交換	建物の貸借	宅地の貸借
基本的説明事項	22			⑦契約終了時における当該宅地の上の建物の取壊しに関する事項を定めようとするときは，その内容
			⑧台所,浴室,便所その他の当該建物の設備の整備の状況	
追加説明事項	23 未完成物件※5	工事完了時の形状・構造（宅地は道路からの高さ，擁壁，階段，排水施設，井戸等の位置，構造等について，建物は鉄筋コンクリート造，ブロック造，木造等の別，屋根の種類，階数等について，平面図を交付して説明）		
		宅地：造成工事完了時の宅地に接する道路の幅及び構造 建物：建築工事完了時の建物の主要構造部,内装・外装の構造や仕上げ,設備の設置及び構造		
追加説明事項	24 区分所有建物※5	①一棟の建物の敷地に関する権利の種類・内容		
		②共用部分に関する規約の定め（案を含む）があるときは，その内容		
		③専有部分の用途その他の利用の制限に関する規約の定め（案を含む）があるときは，その内容		
		④一棟の建物・敷地の一部を特定の者のみに使用を許す旨の規約の定め（案を含む）があるときは，その内容		
		⑤一棟の建物の計画的な維持修繕のための費用の積立てを行う旨の規約の定め（案を含む）があるときは，その内容とすでに積み立てられている額（滞納があれば滞納額も）		
		⑥建物の所有者が負担しなければならない通常の管理費用の額（滞納があれば滞納額も）		
		⑦一棟の建物・敷地の管理が委託されているときは，委託を受けている者の氏名・住所（登録番号）		

		売買・交換	建物の貸借	宅地の貸借
追加説明事項	24区分所有建物※5	⑧一棟の建物の計画的な維持修繕のための費用，通常の管理費その他の建物の所有者が負担しなければならない費用を特定の者にのみ減免する旨の規約の定め（案を含む）があるときは，その内容		
		⑨一棟の建物の維持修繕の実施状況が記録されているときは，その内容		

※1 「登記された権利」とは，所有権，地上権，質権，抵当権，賃借権等で登記されたものをいう。

※2 「支払金，預り金」とは，代金，交換差金，借賃，権利金，敷金等の金銭で，①受領する額が50万円未満のもの，②手付金等の保全措置により保全措置が講じられている手付金等，③売主又は交換の当事者である宅建業者が登記以後に受領するもの，④報酬，のいずれにも該当しないものをいう。

※3 建物の貸借の場合，「法令上の制限」について説明対象となるのは，①新住宅市街地開発法（一部），②新都市基盤整備法（一部），③流通業務市街地の整備に関する法律（一部）のみである。したがって，都市計画法上の開発許可に基づく制限，建築基準法上の建蔽率，容積率，用途規制などについての説明は不要である。

※4 昭和56年6月1日以降に新築の工事に着手したものを除く。

※5 宅建業者が宅地又は建物の信託（当該宅建業者を委託者とするものに限る）の受益権の売主となる場合は，原則として，売買契約が成立するまでの間に，売買の相手方に対して，その者が取得しようとしている信託の受益権に係る信託財産である宅地又は建物に関し，宅地建物取引士をして，表中の1，2，8〜14，19〜21，23，24の事項について書面を交付して説明させなければならない（20については，措置が講じられている場合のみ）。

（例外として説明不要の場合）

① 特定投資家及び特定投資家とみなされる者を信託の受益権の売買の相手方とする場合

② 信託の受益権の売買契約の締結前1年以内に売買の相手方に対し当該契約と同一の内容の契約について書面を交付して説明をしている場合（書面を交付して説明をした日から1年以内に当該説明に係る売買契約と同一の内容の売買契約の締結を行った場合には，当該締結の日において書面を交付して説明をしたものとみなす）

③ 売買の相手方に対し目論見書（書面を交付して説明すべき事項のすべてが記載されているものに限る。）を交付している場合

重要事項説明をしないで契約？

[問] 宅地建物取引業者Aは、自ら所有している物件について、直接賃借人Bと賃貸借契約を締結するに当たり、宅地建物取引業法第35条に規定する重要事項の説明を行わなかった。この場合、Aは、甲県知事から業務停止を命じられることがある。(2016-26-4) 答えは×で

す。業法の最初に学習した内容です。「自ら貸借は取引にあたらない」というものです。今回の場合、自ら貸借は宅建業にあたらないため、宅建業法の適用がありません。ということは、重要事項説明も不要なのです。こういう判断ミスを誘う問題が出題されます。

もう宅建業法も
後半戦まで
来てるんだから
あと一息だよ

も…文字が
いっぱい…
ボクもうムリ…

第 11 コース

合格の **トリセツ**

| 一問一答 | 分冊② | 433〜439 |
| 過去問題集 | 分冊② | 問74〜問80 |

37 条書面

コースの重要度をチェック！

スタート

第 **1** ポイント

37 条書面

重要度 **A**

合格めざして がんばろう

ゴール

このコースの特徴

● 37条書面は一言でいえば契約書です。ですから、お互い合意したものを中心に記載することになります。また、特約などを設定した際には、基本的には記載するというイメージをもちましょう。

37 条書面

攻略メモ

● 37 条書面はカンタンに言うと契約書。なので、お互いに合意した内容が書かれています。説明は不要で書面を交付するだけです。

1 37 条書面とは

1 書面作成義務

契約は意思表示の合致のみで成立しますが、宅建業法では、トラブル防止のため、**契約締結後遅滞なく**、契約内容を証する書面の交付が必要となります。これを **37 条書面**といいます。

1 つの取引に複数の宅建業者が関与するときは、すべての宅建業者が 37 条書面の交付義務を負います（ただし、自ら貸主となる宅建業者は除く）。

2 交付

交付の相手は、重要事項の説明とは異なり、**契約の両当事者**（売主・買主／貸主・借主／交換の両当事者）です。これにも宅建士の記名が必要ですが、**説明は不要**です。そして、交付については誰が行ってもかまわず、宅地建物取引士がする必要はありません。また、これも重要事項説明と同様、交付場所はどこでもよいことになっています。

37 条書面は、交付すべき両当事者の承諾があれば、電磁的方法により提供することも認められています。

ファイト！
ファイト！

2 37条書面の記載事項

37条書面には、「必ず記載するべき事項」と「定めが
あるなら記載する事項」の2種類があります。

◻1 必ず記載すべき事項（必要的記載事項）

> **A** 契約当事者の氏名・住所
>
> **B** 物件を特定するために必要な表示
>
> **C** 既存建物であるとき建物の構造耐力上主要
> な部分等の状況について当事者双方が確認
> した事項
>
> **D** 代金・交換差金・借賃の額・支払時期・方法
>
> **E** 引渡し時期
>
> **F** 移転登記申請時期

※上記の**C**と**F**については、貸借の場合は記載不要

こちらの事項については、必ず記載するのがルールな
ので、決まっていなかったとしても、両当事者から承諾
を得ていたとしても、記載しなければなりません。

◻2 定めがあれば記載する事項（任意的記載事項）

特約として定めたものがある場合にも記載する必要が
あります。売買の場合には原則として定めがあるなら全
て記載します。貸借の場合には以下のものは定めがあっ
たとしても記載する必要はありません。

> **A** ローン（代金・交換差金に関する貸借）のあっ
> せんに関する定め
>
> **B** 契約不適合担保責任に関する定め
>
> **C** 租税公課の負担に関する定め

重要事項説明 説明します！ 37条書面

契約

	重要事項説明	37条書面
いつ？	契約成立前	契約成立後遅滞なく
何が必要？	宅建士の記名 宅建士の説明	宅建士の記名
誰に？	買主・借主・交換 の両当事者	契約の両当事者

ちょこっとトレーニング 本試験過去問に挑戦！

問 宅地建物取引業者Aが行う媒介業務に関し、Aが建物の売買契約を成立させた場合において、天災その他不可抗力による損害の負担に関する定めがあるときは、重要事項説明書にその旨記載していたとしても、その内容を37条書面に記載しなければならない。（2020 ⑫ -35-ウ）

解答 ○：定めがある場合には記載する。

暗記ポイント 総まとめ

● 35条書面と37条書面の記載の比較

	35条書面	37条書面
既存建物であるときは、建物の構造耐力上主要な部分等の状況について当事者の双方が確認した事項	×	● ★
代金・交換差金・借賃の額・支払時期・支払方法	×	●
移転登記の申請時期	×	● ★
物件の引渡し時期	×	●

	35条書面	37条書面
天災その他不可抗力による損害の負担（危険負担）	×	▲
契約不適合担保責任の内容	×	▲ ★
租税その他公課の負担	×	▲ ★

	35条書面	37条書面
契約の解除	●	▲
損害賠償額の予定・違約金	●	▲
代金・交換差金・借賃以外の金銭の額・時期・目的	● ※	▲
代金・交換差金に関する貸借のあっせんが不成立の場合の措置	● ★	▲ ★
契約不適合担保責任の履行に関する保証保険契約その他の措置	● ★	▲ ★

●：必要　▲：定めがあれば必要　×：不要　★：売買・交換のみ（貸借では不要）
※時期の説明は不要

　いい調子！

独学 vs スクール

独学で失敗する方の多くは、勉強時間が確保できないという理由によるものだそうです。「独学だと内容が理解できない」というよりも「独学だと結局勉強しなくなる」という理由でスクールに通う方も多いようです。「宅建は独学では合格できない」などということは決してありませんが、⑦

やはり学校・会社・子育てなどと勉強の両立は意外と大変です。ここまで順調に勉強が進んでいる方は心配いりませんが、挫折しそうな方は、スクール通学も考慮に入れてみてはいかがでしょうか。ぜひ、LECの生講義にも足を運んでみてください。一緒に勉強する仲間とも出会えるかもしれません。

第12コース
その他業務上の規制

コースの
重要度を
チェック!

スタート

第1ポイント
**供託所に
関する説明**

重要度 **A**

第2ポイント
**業務上の
規制**

重要度 **B**

ファイト!
ファイト!

ゴール

その他業務上の規制

このコースの特徴

●宅建業の業務を行う際には、さまざまな規制があります。お客様を守るために宅建業者がしてはいけないことや、守らねばならないことを学習しましょう。なお、このコースの内容は、常識的に解ける問題も多くあります。

攻略メモ

第❶ポイント 　重要度 Ⓐ

供託所に関する説明

・「供託所で還付を受けることができる」とはいえ、どこの供託所に供託されているのかがわからなければ、還付請求もできませんよね。

1 供託所に関する説明

　お客様が損害を被ると営業保証金や弁済業務保証金から還付を受けることができます。しかし、宅建業者がどこの供託所に供託しているかがわからないと、還付請求ができません。そこで、宅建業者は、契約前にお客様に供託所等に関して説明する必要があります。ただし、宅建業者には説明の必要はありません。

　重要事項説明と同じ時期に説明しますが、重要事項説明とは別物です。以下の違いに気を付けてください。

> ① 取引の両当事者に説明する
> ② 宅地建物取引士が説明する必要はない
> ③ 口頭でもよい

2 説明事項

① **保証協会に加入していない場合**
　　→営業保証金の供託所とその所在地

つまずき注意の
前提知識

供託している金額については説明不要です

2 保証協会に加入している場合

→保証協会の名称・住所・所在地

→弁済業務保証金の供託所・所在地

 本試験過去問に挑戦！

問 宅地建物取引業者が宅地建物取引業保証協会の社員であるときは、宅地建物取引業法第37条の規定による書面交付後は遅滞なく、社員である旨、当該協会の名称、住所及び事務所の所在地並びに宅地建物取引業法第64条の7第2項の供託所及びその所在地について説明をするようにしなければならない。

（2009-34-3）

解答 ×：契約成立前に説明。37条書面交付後ではない。

第 ② ポイント  重要度 **B**

業務上の規制

攻略メモ
● このページに記載されている内容は宅建業でなくても守るべきものが多いです。常識で考えられる部分以外を中心に学びましょう。

1 守秘義務

宅建業者と従業者は、業務上知った秘密を、現役中も引退後も、**正当な理由なく**漏らしてはいけません。

この前うちの会社に俳優の○○さんが来たよ！

すごいじゃん！

友達に話すことも、ネットに書くことも、退職後であっても禁止です。

しかし、正当な理由があれば漏らすことは許されます。

覚えよう！

（例）● 裁判で証人となる場合
● 税務署の職員から質問検査権の規定に基づき質問を受けたとき
● 依頼者本人の承諾があった場合

いかなる理由があっても漏らしてはいけないわけではありません。漏らすのに正当な理由があれば漏らすことは問題ありません。

2 業務に関する禁止事項

① 不当な履行遅延の禁止

宅建業者は、その業務に関してなすべき宅地建物の登記・引渡し・取引に係る対価の支払いを、不当に遅延する行為をしてはなりません。

② 重要な事実の不告知・不実告知の禁止

お客さんに故意に大事なことを黙っていたり、嘘を言ってはいけません。

具体的には、以下の４つについて、禁止されています。

> ① 35条の重要事項の説明事項
> ② 供託所等に関する説明事項
> ③ 37条書面の記載事項
> ④ 一定の事項のうち、相手方等の判断に重要な影響を及ぼすもの

なお、禁止されるのは、勧誘する際、契約の申込みの撤回、契約の解除、宅建業に関する取引により生じた債権の行使を妨げるための不告知や不実告知などを指します。

③ 不当に高額の報酬を要求する行為の禁止

報酬限度額を超える報酬を要求してはなりません。実際に受領しなくても、要求するだけで違反となります。

④ 手付貸与等の禁止

禁止されるもの	認められるもの
● 手付金の貸付け ● 手付金の後払い ● 手付金の分割払い	● 手付金について銀行との間の金銭貸借のあっせん ● 手付の減額

手付貸与が禁止されているのは、もしお客様がキャンセルしたい場合、お金を払わないとキャンセルできないからです。たとえば手付300万円で、とりあえず100万円だけ払って残りは後払いとすると、キャンセルする際に200万円払わないとキャンセルできないという事態になってしまうからです。それに対して、手付を100万円に減額するのであれば、キャンセルもしやすくなるので認められているのです。

5 断定的判断の提供の禁止

　宅建業者は、宅建業に係る契約の締結を勧誘するに際し、相手方等に対し、利益を生ずることが確実であると誤解させるべき断定的判断を提供する行為をしてはなりません。故意ではないとしても、そのような行為をした時点で違反となります。

6 威迫行為等の禁止

　契約を締結させるため、または申込の撤回・契約の解除を妨げるため、お客さんを威迫してはなりません。

7 その他

　以下の行為も禁止となります。

1. 宅地・建物の将来の環境または交通の利便について誤解させるべき断定的判断を提供する行為

2. 正当な理由なく、当該契約を締結するかどうかを判断するために必要な時間を与えることを拒む行為

3. 当該勧誘に先立って宅建業者の商号または名称および当該勧誘を行う者の氏名並びに当該契約の締結について勧誘をする目的である旨を告げずに、勧誘を行う行為

4. 宅建業者の相手方等が当該契約を締結しない旨の意思（当該勧誘を引き続き受けることを希望しない旨の意思を含む）を表示したにもかかわらず、当該勧誘を継続する行為

5. 迷惑を覚えさせるような時間に電話し、または訪問する行為

6. 深夜または長時間の勧誘その他の私生活または業務の平穏を害するような方法によりその者を困惑させる行為

7. 宅建業者の相手方等が契約の申込みの撤回を行うに際し、すでに受領した預り金を返還することを拒む行為

8. 宅建業者の相手方等が手付を放棄して契約の解除を行うに際し、正当な理由なく当該契約の解除を拒み、妨げる行為

つまずき注意の
前提知識

事前のアポイントをとることまでは求められていないため、飛び込み営業が全て宅建業法違反となるわけではありません。

■業務上の規制と監督・罰則

	監督処分	罰則
守秘義務違反	●	●
不当な履行遅延の禁止	●	●
重要な事実の不告知 不実告知の禁止	●	●
不当に高額の 報酬要求の禁止	●	●
手付貸与等の禁止	●	●
断定的判断の提供の禁止	●	×
威迫行為等の禁止	●	×
その他	●	×

●：あり　×：なし

ちょこっとトレーニング　本試験過去問に挑戦！

問1 宅地建物取引業者の従業者である宅地建物取引士は、本人の同意がある場合を除き、正当な理由がある場合でも、宅地建物取引業の業務を補助したことについて知り得た秘密を他に漏らしてはならない。(2005-32-3)

問2 宅地建物取引業者は、契約の相手方に対して資金不足を理由に手付の貸付けを行ったが、契約締結後償還された場合は法に違反しない。(2020 ⑫ -40-2)

解答 1　×：正当な理由があれば漏らしてもよい。

　　　 2　×：手付貸与等は禁止。後に返却したか否かは無関係。

自ら売主制限

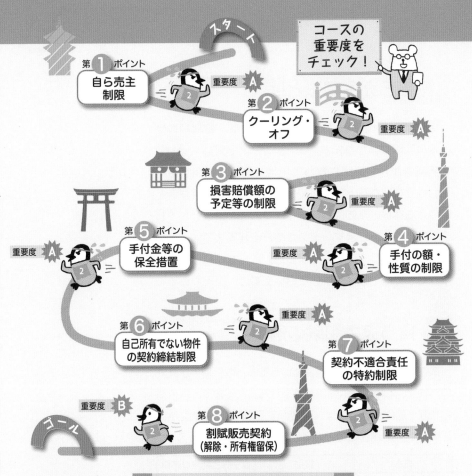

スタート

コースの重要度をチェック！

第 **1** ポイント
自ら売主制限
重要度 **A**

第 **2** ポイント
クーリング・オフ
重要度 **A**

第 **3** ポイント
損害賠償額の予定等の制限
重要度 **A**

第 **5** ポイント
手付金等の保全措置
重要度 **A**

第 **4** ポイント
手付の額・性質の制限
重要度 **A**

第 **6** ポイント
自己所有でない物件の契約締結制限
重要度 **A**

第 **7** ポイント
契約不適合責任の特約制限
重要度 **A**

第 **8** ポイント
割賦販売契約（解除・所有権留保）
重要度 **B**

ゴール

自ら売主制限

このコースの特徴

● 自ら売主制限（8種制限）は、買主が業者の場合には適用されません。覚える量も多く、挫折しやすいポイントですが、出題される部分はけっこうパターン化していますので、よく出る論点を中心に攻略しましょう！

第 **1** ポイント 重要度 **A**

自ら売主制限

1 自ら売主制限とは

宅建業者が代理や媒介をする場合には、報酬額には一定の制限がかかります（第15コース参照）。しかし、宅建業者が自ら売主になって土地や建物を販売する場合、大きな利益を上げる可能性があるため、宅建業者としてはお客様の無知につけこみ、契約をしようとしてしまう危険性もあります。そのため、宅建業法では、8種類の規制をかけることにしました。これを「自ら売主制限」もしくは「8種制限」といいます。

2 自ら売主制限の適用

業者が自ら売主となる場合であっても、取引相手が業者であれば、この規制は適用されません。あくまで、自ら売主制限が適用されるのは、**売主が宅建業者で、買主が宅建業者以外の場合のみ**となることに気を付けましょう。

売主	買主	自ら売主制限の適用
宅建業者	宅建業者ではない	適用
宅建業者	宅建業者	適用されない
宅建業者ではない	宅建業者ではない	適用されない
宅建業者ではない	宅建業者	適用されない

応援してるよ！
すごい すごい！

3 自ら売主制限の内容

自ら売主制限には以下の内容があります。

1	クーリング・オフ
2	損害賠償額の予定等の制限
3	手付の額・性質の制限
4	手付金等の保全措置
5	自己所有でない物件の契約締結制限
6	契約不適合責任の特約制限
7	割賦販売の解除等の制限
8	所有権留保等の禁止

ちょこっとトレーニング 本試験過去問に挑戦！

問 宅地建物取引業者Aが自ら売主として建物の売買契約を締結した。宅地建物取引業者である買主Dは、建物の物件の説明をAの事務所で受けた。後日、Aの事務所近くの喫茶店で買受けを申し込むとともに売買契約を締結した場合、Dは売買契約の解除はできる。(2002-45-3)

解答 ×：自ら売主制限は業者間取引には適用されない。

第❷ポイント　重要度 A

クーリング・オフ

攻略メモ

● 名前は馴染みがあると思います。クーリング・オフができる場合とできない場合がありますので、その違いをしっかりと！

1 クーリング・オフとは

　クーリング・オフとは、お客様が一度行った申込みや契約を無条件キャンセルすることをいいます。後ほど触れますが、無条件キャンセルなので、損害賠償請求などはできません。

2 クーリング・オフができない場所

　クーリング・オフは、冷静な判断ができない場所で申込みや契約をしたお客様を救済するための制度です。したがって、お客様が冷静な判断のできる場所で申込みを行った場合、クーリング・オフを適用することはできません。

1 宅建業者の事務所

　自分自身で事務所に向かったのであれば、冷静な判断ができているということでしょう。

2 専任の宅建士設置義務のある案内所

　具体的には、モデルルームなどを指します。ただし、テント張りなど、土地に定着していない場所は除きます。

3 売主依頼の媒介・代理業者の12の場所

　売主から依頼された業者であることが必要です。依頼

つまずき注意の
前提知識

クーリング・オフは「宅地建物取引業法第37条の2の規定に基づく売買契約の申込みの撤回又は売買契約の解除」と出題されることもあります。

を受けていない宅建業者の事務所は、クーリング・オフ
できない場所にはあたりません。

4　買主から申し出た場合の買主の自宅・勤務先

　自分から申し出て、しかも場所が自分のなじみの場所
であれば、冷静な判断はできているということでしょう。

> **例 「クーリング・オフできない場所」にあたるか？**
>
> ① **土地に定着していないテント張りの案内所**
>
> 　→あたらない（土地に定着していないので）
>
> ② **売主から依頼を受けていない宅建業者の事務所**
>
> 　→あたらない（依頼を受けていないので）
>
> ③ **売主から申し出た、買主の自宅**
>
> 　→あたらない（買主から申し出ていないので）
>
> ④ **買主から申し出た、買主の自宅近辺の喫茶店**
>
> 　→あたらない（買主から申し出ても、自宅・勤務先ではないので）

　なお、申込みの場所と契約の場所が異なる場合、**申込
みの場所で判断します**。たとえば、「業者の事務所で買
受けの申込みをし、翌日喫茶店で契約した」とあった場
合、クーリング・オフできるかどうかは、買受けの申込
み場所である業者の事務所で判断することになりますの
で、クーリング・オフはできなくなります。

3　クーリング・オフができなくなる場合

　以下の場合には、いくらクーリング・オフできる場所
で契約したとしても、クーリング・オフはできなくなり
ます。

① クーリング・オフができる旨・方法を宅建業者から書面で告げられた日から起算して8日経過した場合

書面で告げなければならないため、口頭で告げたのみでは不十分です。

> **例** 口頭でクーリング・オフできる旨を伝えた10日後
> →クーリング・オフできる（書面で告げていないため）

また、この「8日」は初日を1日目としてカウントします。

> **例** 4月1日月曜日に書面で告げられた場合
>
> | 月 | 火 | 水 | 木 | 金 | 土 | 日 | 月 | 火 | … |
> |---|---|---|---|---|---|---|---|---|---|
> | 1 | 2 | 3 | 4 | 5 | 6 | 7 | 8 | | |
>
> →翌週月曜日（4月8日）までクーリング・オフできる

② 買主が宅地建物の引渡しを受け、かつ、代金全額を支払った場合

「引渡し」と「代金全額支払い」の両方の条件が揃うことが必要です。つまり、引渡しを受けても、まだ代金が半分しか払っていないというのであれば、クーリング・オフは可能です。

4 クーリング・オフの方法

クーリング・オフは必ず書面で行わなければなりません。また、買主が書面を発した時にクーリング・オフの効果が生じます。

5 クーリング・オフの効果

　クーリング・オフは無条件キャンセルです。よって、業者は受け取ったお金を速やかに返還しなければなりません。また、**お客様に損害賠償請求や違約金の請求は一切できません。**そして、クーリング・オフ規定に反する特約で、申込者・買主に不利なものは無効となります。

ちょこっとトレーニング ▶本試験過去問に挑戦！

問1 宅地建物取引業者Aが、自ら売主として、宅地建物取引業者ではないBとの間で宅地の売買契約を締結した。Bが喫茶店で当該宅地の買受けの申込みをした場合において、AとBとの間でクーリング・オフによる契約の解除をしない旨の合意をしたとき、Bがクーリング・オフにより契約の解除を行うことができる。（2020⑩-40-ウ）

問2 宅地建物取引業者が自ら売主となる場合において、宅地建物取引業者でない買主が、法第37条の2の規定に基づくいわゆるクーリング・オフによる契約の解除をするときは、その旨を記載した書面が当該宅地建物取引業者に到達した時点で、解除の効力が発生する。（2009-34-1）

問3 宅地建物取引業者A社が、自ら売主として宅地建物取引業者でない買主Bとの間で投資用マンションの売買契約を締結した。A社は、契約解除に伴う違約金の定めがある場合、クーリング・オフによる契約の解除が行われたときであっても、違約金の支払を請求することができる。（2011-35-ア）

解答 1　○：買主に不利な特約は無効。クーリング・オフ可。
　　　 2　×：書面を発した時点で効力が発生する。
　　　 3　×：クーリング・オフは無条件解除。違約金請求不可。

合格めざして　がんばろう

第 ③ ポイント

重要度 **A**

損害賠償額の
予定等の制限

1 民法の規定

　前もって損害賠償額の予定をしていなかった場合、損害額を証明して損害賠償として請求します。ただし、事前に決めておくこともできます。その場合には裁判所は原則としてその予定額を増減することはできません。

2 宅建業法の規定

　宅建業法において、宅建業者が自ら売主となる場合で、債務不履行を理由とする契約の解除に伴う損害賠償額を予定したり、違約金を定める場合には、**損害賠償額の予定と違約金の金額の合計が代金額の 10 分の２を超える定めをしてはならない**と規定されています。なお、10分の２を超える定めをした場合には、**超える部分が無効**となります。ただし、あらかじめ定めていないのであれば、10 分の２という規定はありませんので、損害額を立証してこれを請求することはできます。

暗記ポイント 総まとめ

損害賠償額 ┌ 予定している ┄┄┄➡ 10分の2まで
　　　　　　└ 予定していない ┄┄┄➡ 実際の損害額（制限なし）

ちょこっとトレーニング ▶ 本試験過去問に挑戦！

問1 宅地建物取引業者A社が、自ら売主として宅地建物取引業者でない買主Bとの間における新築分譲マンションの売買契約（代金3,500万円）の締結に際して、当事者の債務の不履行を理由とする契約の解除に伴う損害賠償の予定額と違約金の合計額を700万円とする特約を定めることができる。(2013-38-イ)

問2 宅地建物取引業者Aが、自ら売主として宅地建物取引業者でない買主Bとの間で宅地の売買契約を締結した場合において、当事者の債務不履行を理由とする契約の解除に伴う損害賠償の予定額を定めていない場合、損害賠償の請求額は売買代金の額を超えてはならない。(2010-39-1)

解答 1 ○：合算して2割（＝700万円）までなので可。
　　　　2 ×：定めがないのであれば上限はなし。

もうひとふんばりだ！

攻略メモ

● 手付の額が多いと、そのお金を用意するのも大変ですし、何よりキャンセルをためらってしまいます。

第❹ポイント 重要度 Ⓐ

手付の額・性質の制限

1 手付の性質の制限

つまずき注意の
前提知識

取引において、買主が売主に手付金を支払う場合があります。手付の性質については、当事者間で決めることができますが、何も取決めがない場合、民法では解約手付と推定されることになります。しかし、宅建業法の自ら売主制限では、**常に解約手付として扱う**ことになります。また、買主に不利な特約は無効となります。

相手方が履行に着手するまでは、買主は手付を放棄して、売主は手付の倍額を現実に提供して契約を解除できるというのが解約手付の性質です。忘れてしまった人は権利関係の復習をしましょう！

例 次の特約は有効か、無効か？

① **買主は手付の半額放棄、売主は倍額を現実に提供して解除できる**

　→有効（買主は手付の半額のみで解除できるため）

② **買主は手付放棄、売主は3倍の額を現実に提供して解除できる**

　→有効（売主に不利な特約であり、買主に不利ではない）

③ **手付解除を認めない**

　→無効（買主の手付解除の権利を奪ってしまっているため）

ファイト！
ファイト！

2 手付の額の制限

　民法では、手付の額は当事者間で自由に決めることができます。1億円の物件に対して手付金9,000万円であってもかまわないのです。

　しかし、宅建業法の自ら売主制限では、**手付の額は代金の10分の2まで**と決められており、それを超える手付を受領することはできません。10分の2を超える額を取り決めたとしても、**それを超える部分は無効**となります。たとえば、1億円の物件の場合、手付金は2,000万円までになります。万が一3,000万円と取り決めて手付を受け取ったとしても、超える1,000万円の部分は無効ですので、買主が手付解除をした場合、売主は超過分の1,000万円を返却しなければなりません。

ちょこっとトレーニング ▶本試験過去問に挑戦！

> **問** Aは、Bとの間で、Aが所有する建物を代金2,000万円で売却する売買契約（本件契約）を締結した。Aは宅地建物取引業者であるが、Bは宅地建物取引業者ではない場合において、Aは、本件契約の締結に際して、500万円の手付を受領したとしても、宅地建物取引業法の規定に違反しない。(2018-29-3)
>
> **解答** ×：手付は2割（＝400万円）まで。宅建業法に違反する。

第 **⑤** ポイント　　重要度 **A**

手付金等の保全措置

攻略メモ

● 預けた手付金か、目的物か、どちらかが手元になければ大損してしまいます。ですので、保全措置を義務付けました。

1 手付金等

「手付金等」とは、契約締結以降、引渡し前に支払われて、代金に充当されるお金のことです。

契約　　手付金　　中間金　　引渡し＆登記　　残代金

手付金等

手付金だけではなく、中間金なども含みますので、手付金「等」としているのです。

2 手付金等の保全措置

万が一、宅建業者が倒産してしまったら、買主は物件の引渡しもされることがなく、お金も戻ってこないという事態になってしまう可能性があります。そこで、宅建業者が自ら売主となる場合では、いざというときに支払ったお金が返ってくるような準備を整えておかなければ、お金を受けとってはいけないことになっています。

これが**手付金等の保全措置**というものです。では、どのようにして保全措置を講じればよいのでしょうか。

	銀行等との 保証委託契約	保険事業者との 保証保険契約	指定保管機関との 手付金等寄託契約
未完成物件	●	●	×
完成物件	●	●	●

●：保全措置として可　×：不可

　未完成物件には「**手付金等寄託契約**」は使えないということに気を付けてください。

　なお、建物は「建築工事」、土地は「造成工事」の前後で完成物件か未完成物件かを判断します。また、完成・未完成は契約時で判断されます。契約時に未完成であれば、完成後にやり取りをする際にも「未完成物件」として扱います。

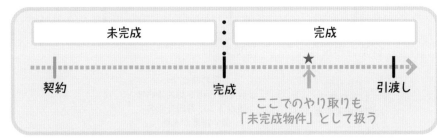

　保全措置が必要であるにもかかわらず、宅建業者が保全措置を講じない場合、買主は手付金等の支払いを拒否することができます。支払いをしなくても債務不履行とはなりません。

　なお、例外的に、保全措置が不要の場合があります。

 いい調子！

＜保全措置不要の場合＞

① 手付金等の合計額が

　　未完成物件　➡　代金の　5％以下　かつ　1,000万円以下

　　完成物件　　➡　代金の　10％以下　かつ　1,000万円以下

② 買主が所有権の登記をしたとき

例 宅建業者Aが、自ら売主となり、宅建業者でない買主と、工事完成前の建物（代金5,000万円）について売買契約を締結した。手付金として100万円を受領し、その後、中間金として200万円を受領した。

→未完成物件なので5％、つまり250万円までなら保全措置は不要

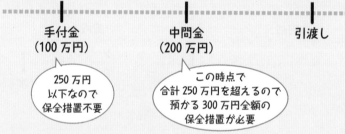

手付金
（100万円）

中間金
（200万円）

引渡し

250万円
以下なので
保全措置不要

この時点で
合計250万円を超えるので
預かる300万円全額の
保全措置が必要

応援してるよ！
すごい すごい！

ちょこっと**トレーニング** 本試験過去問に挑戦！

問 宅地建物取引業者Aが、自ら売主として、宅地建物取引業者でないBと建築工事完了前のマンション（代金3,000万円）の売買契約を締結した場合において、Aは、Bから手付金150万円を保全措置を講じないで受領し、その後引渡し前に、中間金350万円を受領する場合は、すでに受領した手付金と中間金の合計額500万円について保全措置を講じなければならない。(2016-43-ウ)

解答 ○：手付金と中間金合わせて5％（＝150万円）を超えているため合計額について保全措置が必要。

第**6**ポイント　重要度 **A**

自己所有でない物件の契約締結制限

1 他人物売買

　民法では他人の物を売る契約（他人物売買）も有効にしています。契約をしてから仕入れて渡せばよいのです。しかし、宅建業法の自ら売主制限では、他人物売買は基本的には禁止となります。宅建業者が仕入れられなかった場合、お客様が損害を受けるかもしれないからです。

2 例外

　例外として、現在の物件の所有者との間で**物件を取得する契約または予約を締結している場合**は、売ってもよいとしています。

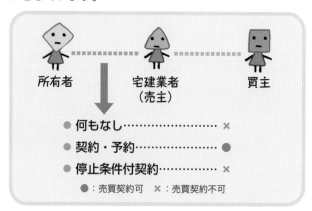

所有者　　宅建業者（売主）　　買主

● 何もなし‥‥‥‥‥‥‥‥‥ ✕
● 契約・予約‥‥‥‥‥‥‥‥ ●
● 停止条件付契約‥‥‥‥‥‥ ✕

●：売買契約可　✕：売買契約不可

あせらず着実にいこう！

契約や予約があれば、ほぼ確実に手に入るので売ってもよいとしています。しかし、停止条件付契約では、確実に手に入るとは限らないので売ることはできません。

3 未完成物件

完成するかどうかわからないので、未完成物件も売ってはいけないことになっています。しかし、これも例外として以下の2つの場合には売ってもよいことになっています。

覚えよう！

1 手付金等の保全措置を講じているとき
2 手付金等の保全措置を講じる必要がないとき

つまずき注意の 前提知識

停止条件とは「海外転勤が決まったら」というような、将来起きるかどうか決まっていない事実を仮定することをいいます。そして、「海外転勤が決まったら売る」というような契約をすることを、停止条件付契約といいます。

ちょこっとトレーニング 本試験過去問に挑戦！

問 宅地建物取引業者Aが、自ら売主として、宅地建物取引業者でないBに自己の所有に属しない建物を売買する場合、Aが当該建物を取得する契約を締結している場合であっても、その契約が停止条件付きであるときは、当該建物の売買契約を締結してはならない。（2007-41-1）

解答 ○：停止条件付き契約では不可。

第 **7** ポイント　重要度 **A**

契約不適合責任の特約制限

「売主は契約不適合責任を負わない」という特約、民法上はアリですが、ここでは禁止されます。

1 民法の規定

民法では、売買の目的物として引き渡されたものが契約内容に合っていない場合、買主は、売主に対して追完請求、代金減額請求、損害賠償請求、解除をすることができます。ちなみに、民法では「売主は契約不適合責任を負わない」という特約をつけるのも有効でした。

2 宅建業法の規定

宅建業法の自ら売主制限では、**民法の規定よりも一般消費者に不利な特約は禁止**されています。しかし、通知期間については、**引渡しから2年以上となる特約は、買主に不利**ですが、**例外的に有効**にしています。万が一、民法の規定よりも不利な特約をつけた場合、その特約は無効となり、民法の規定に戻ります。ちなみに、買主に有利な特約であれば有効となります。しかし、「契約内容に適合しないことを知った時から半年以内に通知しなければならない」という特約は、民法よりも不利なので無効です。そのときには「**知った時から1年とする**」という民法の規定によることになります。

応援してるよ！
すごい すごい！

例

① 買主が不適合を知った時から6カ月以内にその旨を売主に通知した場合に限り、売主は責任を負う。→無効

② 買主が契約締結から3年以内に契約不適合である旨を売主に通知した場合に限り、売主は責任を負う。→無効

③ 買主が引渡しから3年以内に契約不適合である旨を売主に通知した場合に限り、売主は責任を負う。→有効

④ 売主は契約不適合責任を一切負わない。→無効

ちょこっとトレーニング ▶ 本試験過去問に挑戦！

問 宅地建物取引業者Aが、自ら売主として土地付建物の売買契約を締結する場合において、買主との間で、「売主は、売買物件の引渡しの日から1年間に限り当該物件の種類又は品質に関して契約の内容に適合しない場合におけるその不適合を担保する責任を負う」とする旨の特約を設けることができる。なお、買主は宅地建物取引業者ではないものとする。 (2022-43-2)

解答 ×：買主に不利な特約のため当該特約は無効である 。

第 **8** ポイント　重要度 **B**

割賦販売契約
（解除・所有権留保）

攻略メモ

● 現在、ほとんど割賦販売は行われていません。みな銀行などのローンを利用します。なので出題率はそんなに高くありません。

1 割賦販売

　割賦（かっぷ）販売とは、宅地や建物の引渡し後１年以上の期間に、２回以上分割して代金を支払う分割払いのことです。

毎月 10 万円 ➡

買主　　　　　　　　業者

> 3,000 万 円 の マンションを買い、買主は売主の業者に毎月10 万円ずつ払っています。これでは、業者が費用回収に相当な時間がかかってしまいます。

　たとえば、宅建業者が 3,000 万円のマンションを 10 部屋売ったとしても、最初に回収できるのは 100 万円となってしまいます。宅建業者も早く費用の回収がしたいのです。そこで、今は買主と宅建業者の間に銀行を入れてローンを組むのが一般的です。

2 割賦販売の解除等の制限

　民法上、代金の支払いが遅れた場合、履行遅滞として、相当の期間を定めて催告してそれでも支払いがなければ解除することができます。しかし、宅建業法の自ら売主

制限では、その規定について細かく規定されています。「30 日以上の相当期間を定めて書面で催告し、その期間内に支払いがない場合でなければ契約の解除や残りの賦払金の全額請求はできない」としました。

3 所有権留保等の禁止

原則として、宅建業者は引渡しの日までに登記の移転をしなければなりません。登記の移転をせずにそのままにするのは、認められていません。これを所有権留保等の禁止といいます。

しかし、割賦販売を行った場合、代金回収ができていないにもかかわらず登記を移転させるのは、売主である宅建業者があまりにかわいそうです。そこで、宅建業者が受けとった金額が代金の 10 分の 3 以下であるときには、例外的に所有権留保を認めることとしました。つまり、10 分の 3 を超える賦払金の支払いを受けるまでに所有権の移転登記をすればよいのです。

問1 宅地建物取引業者Ａは、自ら売主として、宅地建物取引業者でないＢとの間で宅地の割賦販売の契約（代金 3,000 万円）を締結し、当該宅地を引き渡した。この場合において、Ａは、Ｂから 1,500 万円の賦払金の支払を受けるまでに、当該宅地に係る所有権の移転登記をしなければならない。(2009-37-4)

解答 ×：10 分の 3 は 900 万円なので、それを超える支払いを受けるまでに登記を移転させる。

MEMO

第14コース
住宅瑕疵担保履行法

コースの
重要度を
チェック！

スタート

第**1**ポイント
住宅瑕疵担
保履行法

もうひと
ふんばりだ！

重要度 **A** **2**

ゴール

住宅瑕疵担保履行法

このコースの特徴

●住宅瑕疵担保履行法は平成19年5月に制定され、平成21年
10月に施行されました。それから毎年1問出題されています。
もうすぐ宅建業法のゴールです。がんばりましょう！

第 **①** ポイント 重要度 **A**

住宅瑕疵担保履行法

1 住宅瑕疵担保履行法とは

品確法(住宅の品質確保の促進等に関する法律)によって、新築住宅の売主には、引渡しから 10 年間、構造耐力上主要な部分と雨水の浸入を防止する部分について、瑕疵担保責任が課されています。

しかし、売主に資力がなければ、責任を取ることができません。そのため、住宅瑕疵担保履行法により、資力確保が義務付けられました。

つまずき注意の 前提知識

構造耐力上主要な部分とは、基礎・土台・屋根・壁・柱などを指します。また、雨水の浸入を防止する部分とは、外壁・屋根などを指します。

2 資力確保措置をしなければならない者

基本的には自ら売主制限と同じです。

覚えよう！

1 宅建業者が「自ら売主」の場合のみ

2 買主が宅建業者の場合には適用されない

媒介をする場合には資力確保を行う義務はありません。

ファイト！
ファイト！

3 資力確保措置の方法

保証金の供託と保険への加入の2つがあります。

① 保証金の供託

基本的には営業保証金と同じです。主たる事務所の最寄りの供託所に、金銭または有価証券によって供託をします。保証金の還付によって不足が生じた場合には、還付があった旨の通知を受けた日から2週間以内に不足額を供託し、そこから2週間以内に免許権者に届け出なければなりません。異なる部分は、供託額です。基準日前10年間に引き渡した新築住宅の合計戸数をもとに計算した金額を供託します。

② 保険への加入

ポイントは以下のとおりです。

ライバルに差をつける **関連知識**
床面積の合計が 55㎡以下のものは、2戸をもって1戸とします。

覚えよう！

① 宅建業者が保険料を支払う

② 保険金額が 2,000 万円以上であること

③ 有効期間が 10 年以上であること

4 資力確保状況の届出

新築住宅を引き渡した宅建業者は、基準日（毎年3月31日）から3週間以内に、保証金の供託もしくは保険への加入の状況を免許権者に届け出なければなりません。届出をしない場合、基準日の翌日から起算して50日を経過した日以後は、新たに自ら売主となる新築住宅

つまずき注意の **前提知識**
供託の場合、基準日から3週間以内に供託することとなっています。

の売買契約を締結できなくなります。

5 情報提供

① 供託の場合

新築住宅の売主である宅建業者は、保証金の供託をしている場合には、**契約締結前に**、買主に対して供託所の名称や所在地を、書面を交付し、または買主の承諾を得て電磁的方法により提供して説明しなければなりません。

② 保険の場合

新築住宅の売主である宅建業者は、保険に加入している場合には、**契約締結前に**、買主に対して保険証券等の書面を買主に交付するか、電磁的記録の提供をしなければなりません。

ちょこっとトレーニング 本試験過去問に挑戦！

問1 自ら売主として新築住宅を宅地建物取引業者でない買主に引き渡した宅地建物取引業者は、当該住宅を引き渡した日から3週間以内に、その住宅に関する資力確保措置の状況について、その免許を受けた国土交通大臣又は都道府県知事に届け出なければならない。(2012-45-1)

解答 ×：「引き渡した日から」ではなく「基準日から」。

いい調子！

報酬額の制限

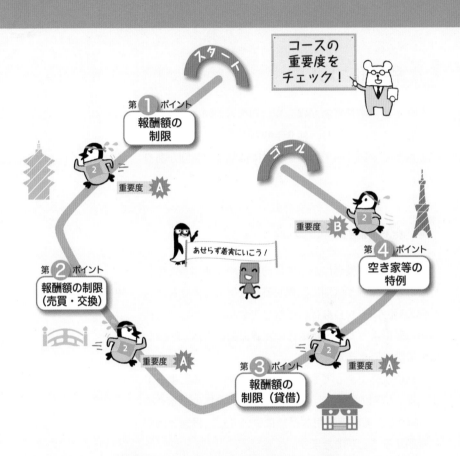

コースの重要度をチェック！

スタート

第 **1** ポイント
報酬額の制限
重要度 **A**

ゴール

重要度 **B**
第 **4** ポイント
空き家等の特例

あせらず着実にいこう！

第 **2** ポイント
報酬額の制限
（売買・交換）
重要度 **A**

第 **3** ポイント
報酬額の制限（貸借）

重要度 **A**

このコースの特徴

●計算もからむので苦手な人も多い分野です。しかし、計算といっても算数レベルです。しっかり練習をつめば、確実な得点源にもなってくれます。売買のほうが計算は複雑です。電卓に頼らずに計算練習をしっかりと！

報酬額の制限

第❶ポイント　重要度　Ⓐ

報酬額の制限

攻略メモ

● いわゆる仲介手数料です。いくらでももらって良いというわけではありません。限度額が決められています。

1 報酬について

　報酬とは、宅建業者が媒介や代理をした際にもらう金銭のことです。つまり、仲介手数料のことです。当然のことながら、いくらでもよいわけではなく、制限があります。

2 必要経費について

　宅建業者は依頼者に対して契約するのに使用した広告代金などを報酬とは別に請求することはできません。報酬額の範囲内でやらなければなりません。しかし、**依頼者の依頼によって行った広告の実費に関しては、報酬とは別に請求できます。**

　広告費以外であっても、依頼者の特別の依頼によって支出する特別の費用で、事前に依頼者の承諾のあるもの（遠隔地の現地調査費用など）についても、報酬とは別に受領することができます。

応援してるよ！
すごい すごい！

もっと宣伝したいので新聞に広告を出してください

お客様

よいですが実費がかかりますよ？

宅建業者

 ちょこっとトレーニング ➤ 本試験過去問に挑戦！

> **問** 宅地建物取引業者Aは、建物の貸借の媒介に当たり、依頼者の依頼に基づいて広告をした。Aは報酬とは別に、依頼者に対しその広告料金を請求することができない。(2005-34-4)
>
> **解答** ×：依頼者の依頼に基づいているなら別途請求可。

給水コラム

昔ながらの不動産業者

あまりお客様の入っていない不動産業者があります。「どうやって生活しているのだろう？」と気になる方もいるかもしれません。不動産業者には、買主や借主をお客様とする不動産業者（客付業者）と、売主や貸主を⑦

お客様とする不動産業者（元付業者）とがあります。元付業者の場合、頻繁にお客様が店を出入りすることはあまりありません。もちろん、双方の業務をしている不動産業者も多いですが、片方に特化している不動産業者もあります。

第**2**ポイント 重要度 **A**

報酬額の制限
（売買・交換）

攻略メモ

● 特に「3％＋6万円」を知らないとお手上げの問題が多いです。計算ミスをしないように、焦らずに計算しましょう。

1 速算法

　売買・交換の報酬額は、まずはこの計算式をもとに計算することになります。

代金額	計算式
200万円以下	代金の5％
200万円超 400万円以下	代金の4％＋2万円
400万円超	代金の3％＋6万円

宅建士試験では電卓が使用できません。基本的な計算はできるようにしておいてください！

　この式で出た額を仮に「基準額」と呼ぶことにします（正確にはこれに消費税を加えた額が基準額ですが、しばらく消費税のことは考えずに説明します）。

2 売買の媒介

　売買の媒介の依頼者の一方からもらえる金額は、先ほどの「基準額」が限度となります。

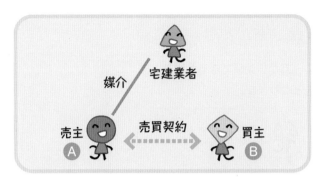

　宅建業者が、5,000万円の土地の売買の媒介をしたのであれば、5,000万×3％＋6万円で、合計156万円まで、Aから受領することが可能です。当然のことながら、依頼を受けていない買主Bからは1円も受領できません。

　では、宅建業者が売主からも買主からも依頼を受けていたらどうでしょうか。

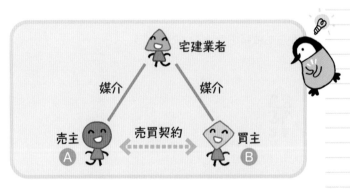

　たとえば、5,000万円の土地の売買の媒介をしたのであれば、5,000万×3％＋6万円で、合計156万円まで、AとBそれぞれから受領することができます。つまり、宅建業者は合計312万円まで受領できるということです。

3 売買の代理

売買の代理の依頼者の一方から受領できる金額は、先ほどの「基準額」の2倍となります。

たとえば、5,000万円の土地の売買の代理をしたのであれば、5,000万×3％＋6万円の合計156万円、その2倍の312万円まで、Aに要求することが可能です。

では、売主からも買主からも依頼を受けていたらどうでしょうか。

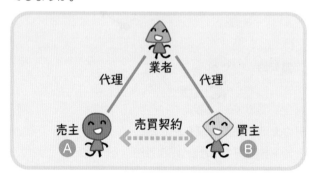

この場合、先ほどの考えを適用させると、代理でしかも両方からですので、合計4倍受領できそうですが、そうはいきません。実は、**1つの取引につき基準額の2倍**

までしか受領できないという決まりがあるのです。

　つまり、宅建業者はAから312万円を受領するとBからは受領できません。逆にBから312万円を受領するとAからは受領できません。

4　交換の媒介・代理

　交換する2つの物件の価額に差がある場合は、高いほうの価額を使って、売買と同じように計算します。

5　複数業者が関与する場合

　複数の宅建業者が関与する場合であっても、基本的な考え方は同じです。1つの取引につき基準額の2倍までというルールと、各々の報酬限度額を守るということに気を付けて考えていきます。

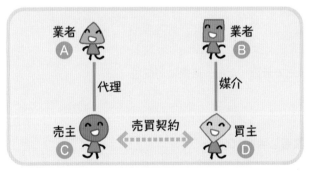

　たとえば、5,000万円の土地の売買契約であれば、宅建業者Aは代理なので312万円、宅建業者Bは媒介なので156万円まで受領できます。しかし、先ほどの「基準額の2倍まで」というルールを守らなければいけません。

もうひと
ふんばりだ！

（業者A）	（業者B）		
312万円	156万円	→ 報酬額の2倍をオーバー	✕
100万円	200万円	→ 業者Bが限度額オーバー	✕
156万円	156万円	→ すべての基準を満たす	●

●：業法に違反しない　✕：業法に違反

6 消費税

　ここまで消費税のことを考えずに説明してきましたが、実際には消費税を考慮して考えていく必要があります。

　まず、速算法にあてはめる前に、消費税抜きの価格に直す必要があります。その際に注意してほしいのは、土地は非課税だということです。

覚えよう！

- 土地　＝　非課税
- 建物　＝　課税

　そして、先ほどの速算法で計算した後、最後に消費税額を上乗せします。

覚えよう！

- 消費税課税事業者　＝　10％
- 消費税免税事業者　＝　4％

　こうして出た金額が報酬額となります。

　消費税免税事業者の宅建業者でも、計算された報酬額に4％（みなし仕入率分）を上乗せした額を受けとることができます。

合格めざして　がんばろう

例題

宅地建物取引業者A（消費税課税事業者）が売主Bから土地付き建物の売却の代理の依頼を受け、宅地建物取引業者C（消費税課税事業者）は買主Dから戸建住宅購入の媒介の依頼を受け、BとDの間で売買契約を成立させた。業者CがDから2,376,000円の報酬を受けとっていた場合、業者AはBからいくらまでの報酬なら受領できるか。なお、土地付き建物の代金は7,200万円（うち、土地代金は5,000万円）で、消費税額および地方消費税額を含むものとする。

解説

① まずは消費税抜きの金額にします。

　　土地（非課税なのでそのまま）　5,000万円

　　建物（課税なので税抜きに！）　2,000万円

　　合計　7,000万円

② 速算法で計算します。

　　7,000万円×3%＋6万円＝216万円

③ 消費税込みの価格にします。（基準額）

　　216万円×1.1＝2,376,000円

④ 業者Cがすでに基準額をもらっているので、業者Aは代理といえども基準額しかもらえない。つまり、2,376,000円が限度となります。

第 ❸ ポイント 重要度 **A**

報酬額の制限（貸借）

1 貸借の基準額

　貸借の場合、宅建業者が受けとることができる報酬の限度額は、原則として、**貸主・借主を合わせて賃料の1カ月分以内**です（正確にはこれに消費税を加えた額が基準額ですが、しばらく消費税のことは考えずに説明します）。この金額を超えなければ、宅建業者は、報酬を貸主と借主のどちらからどの割合でもらってもかまいません。ただし、**居住用建物の媒介だけは、依頼を受けるにあたってその依頼者の承諾がなければ貸主・借主からそれぞれ2分の1ずつ**というように決まっています。承諾は依頼を受ける際に必要となります。

2 権利金等の授受がある場合

　居住用建物以外で、権利金等の授受がある場合には、権利金等を売買代金とみなして計算し、媒介であれば先ほどの基準額（代理であれば基準額の2倍）と比較して高いほうを報酬限度額とすることができます。なお、権利金等とは、名称を問わず権利設定の対価として支払われる金銭で、**返還されないもの**をいいます。

ファイト！ファイト！

	居住用建物	居住用建物以外 （店舗・事務所・宅地など）
媒介	貸主・借主合わせて借賃1カ月分 （承諾のない依頼者からは2分の1カ月分）	① 貸主・借主合わせて借賃1カ月分（内訳問わず） ② 権利金*の授受がある場合は、権利金を売買代金とみなして報酬計算した額 ①②のうち、いずれか高いほう
代理	貸主・借主合わせて借賃1カ月分 （内訳問わず）	

＊権利金とは、権利設定の対価として支払われる金銭で、返還されないものをいう。

3 消費税

最後に、消費税額をプラスして報酬限度額となります。

覚えよう！

- 消費税課税事業者 ＝ 10%
- 消費税免税事業者 ＝ 4%

ちょこっとトレーニング ➡ 本試験過去問に挑戦！

問 居住用の建物の貸借の媒介に係る報酬の額は、借賃の1月分の1.1倍に相当する額以内であるが、権利金の授受がある場合は、当該権利金の額を売買に係る代金の額とみなして算定することができる。（2016-33-ウ改）

解答 ×：居住用建物の貸借の場合、権利金の計算はできない。

終わったら
ごほうびに
なに食べようかな…

第 ④ ポイント 重要度 **B**

攻略メモ

● 急増する空き家の問題を解決するために出された特例です。売買・貸借ともに特例がありますので、しっかりと理解しましょう！

空き家等の特例

1 空き家等の特例

通常よりも現地調査費用等を要するものについて、その費用等を報酬として通常よりも多くもらえる特例です。

2 売買・交換の特例

売買・交換の際の特例は以下のとおりです。こちらは、低廉な空家等であれば使用状態は不問なので、必ずしも居住・事業等の用途に供されていないということは必要ではありません。

覚えよう！

1 税抜き代金 800 万円以下の宅地又は建物（使用状態は不問）

2 媒介に要する費用を勘案して報酬受領可
   → 30 万円＋消費税まで
   → 依頼者（売主・買主）から受け取る

3 代理は 2 倍（60 万円＋消費税）以内
   → 依頼者からの合計額

3 貸借の特例

　貸借の特例は以下のとおりです。こちらは、長期の空家等であることが必要なので、現在空き家であり、今後も使用される見込みのない物件についてのみ適用されます。

覚えよう！

1 長期の空家等（宅地又は建物の借賃は不問）

→ 現に長期間にわたって居住・事業等の用途に供されていない

→ 将来にわたり居住・事業等の用途に供される見込みがない

2 貸主である依頼者から媒介に要する費用を勘案して報酬受領可

→ 貸主・借主から合計して1カ月分の2.2倍以内

→ 借主である依頼者から受ける報酬が1カ月分（居住用では借主の承諾を受けている場合を除いて2分の1カ月分）＋消費税以内のとき

3 代理は借賃の1か月分の2倍＋消費税

→ 貸主である依頼者からのみ受ける場合

→ 借主から受ける報酬が1月分（居住用では借主の承諾を受けている場合を除いて2分の1カ月分）＋消費税以内のときの依頼者の双方から受ける合計額

MEMO

第16コース

合格の**トリセツ**
一問一答 分冊② 490～498
過去問題集 分冊② 問110～問115

監督・罰則

コースの重要度をチェック！

スタート

合格めざして がんばろう

重要度 A

第1ポイント
監督

第2ポイント
罰則

重要度 B

ゴール

このコースの特徴

●細かい部分まで学習しようとすれば、はまってしまう分野です。あえて軽めの記述にしておきました。最低限の部分だけでもおさえて得点しましょう。いよいよこれで宅建業法も終わりです！

❶…②

第 **1** ポイント　重要度 **A**

監督

攻略メモ

● 宅建業者や宅建士が良くない ことをした場合、お叱りをう けます。そのレベルが3レベ ルにわかれています。

1 宅建業者に対する監督処分

　宅建業者に対する処分としては、軽いほうから、指示 処分、業務停止処分、免許取消処分の3種類があります。 指示処分や業務停止処分は免許権者以外の知事でもでき るのに対して、**免許取消処分は免許権者しかできない**こ とになっています。

	免許権者	業務地を管轄する 都道府県知事
指示処分	●	●
業務停止処分	●	●
免許取消処分	●	×

●：できる　×：できない

　業務停止処分は最大1年となります。

　必ず免許取消処分になるものとして、次の3つを覚え ておきましょう。

覚えよう！

1 免許の欠格事由に該当した場合

2 宅建業の業務を1年以上していない場合

3 免許換えの手続きを怠った場合

応援してるよ！ すごい すごい！

　国土交通大臣は、全ての宅建業者に対して、必要な指導、助言、勧告を行うことができます。

2　宅建士に対する監督処分

　宅建士に対する処分としては、軽いほうから、**指示処分、事務禁止処分、登録消除処分**の３種類があります。指示処分や事務禁止処分は登録地以外の知事ができるのに対して、**登録消除処分は登録した知事しかできない**ことになっています。

	登録をしている 都道府県知事	処分対象行為を行った地を 管轄する都道府県知事
指示処分	●	●
事務禁止処分	●	●
登録消除処分	●	✕

●：できる　✕：できない

　なお、事務禁止処分を受けた宅地建物取引士は、宅地建物取引士証を、交付を受けた都道府県知事に提出しなければなりません。また、登録消除処分を受けた宅地建物取引士は、宅地建物取引士証を、交付を受けた都道府県知事に返納しなければなりません。

3 聴聞

宅建業者や宅地建物取引士に対して監督処分を行う場合、原則として、あらかじめ公開による聴聞をしなければなりません。**どの監督処分をする際にも原則として聴聞が必要となります。**

4 公告

宅建業者に指示処分以外の監督処分を行った場合には、公告をしなければなりません。

	業者
指示処分	×
業務停止処分	●
免許取消処分	●

	宅建士
指示処分	×
事務禁止処分	×
登録消除処分	×

●：公告必要　×：公告不要

ちょこっと**トレーニング** 本試験過去問に挑戦！

問1 国土交通大臣は、宅地建物取引業者B（乙県知事免許）の事務所の所在地を確知できない場合、その旨を官報及び乙県の公報で公告し、その公告の日から30日を経過してもBから申出がないときは、Bの免許を取り消すことができる。(2017-29-2)

問2 都道府県知事は、宅地建物取引業者Aに対し、業務停止処分をしようとするときは、聴聞を行わなければならないが、指示処分をするときは、聴聞を行う必要はない。(2002-39-3)

解答 1　×：免許取消しができるのは免許権者のみ。
2　×：指示処分でも聴聞が必要。

あせらず着実にいこう！

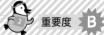

第**❷**ポイント 重要度 **B**

罰則

1 罰則の全体像

宅建業法に違反した場合、罰則として罰金刑や懲役刑が科されます。

ただし、罰則の種類まで覚える必要はありません。

2 宅建士証

以下のように、宅建士証にからむ違反の場合、罰金や懲役ではなく、**10万円以下の過料**となります。

1 宅建士証の返納義務に違反
2 宅建士証の提出義務に違反
3 重要事項説明の際の宅建士証提示義務に違反

問1 宅地建物取引士が、事務禁止処分を受け、宅地建物取引士証を
その交付を受けた都道府県知事に速やかに提出しなかったとき
は、50万円以下の罰金に処せられることがある。(2020 ⑫
-43-3)

解答 × ：50万円以下の罰金ではなく10万円以下の過料。

+α知識

　国土交通大臣は、宅建業者が消費者の利益保護に関わる規定に違反し
た場合（重要事項説明義務違反や37条書面交付義務違反など）において、
監督処分をしようとする場合、あらかじめ内閣総理大臣に協議しなけれ
ばなりません。

参考

　宅建業者や宅建士などが宅建業法に違反した場合、違反者は、懲役刑・罰金
刑（刑事罰）や過料（行政罰）を科されます。情状に応じ、罰金刑、懲役刑の
みを科す場合もあれば、懲役刑と罰金刑を併科する場合もあります。なお、過
料については単独で処せられます。

1 刑事罰

(a) 3年以下の懲役もしくは300万円以下の罰金または両者の併科	〈宅建業者〉 ①不正手段による免許取得 ②名義貸しで他人に営業させた ③業務停止処分に違反して営業 〈宅建業者以外の者〉 ・無免許営業
(b) 2年以下の懲役もしくは300万円以下の罰金または両者の併科	〈宅建業者〉 ・重要な事実の不告知等の禁止に違反
(c) 1年以下の懲役もしくは100万円以下の罰金または両者の併科	〈宅建業者〉 ・不当に高額の報酬を要求
(d) 6月以下の懲役もしくは100万円以下の罰金または両者の併科	〈宅建業者〉 ①営業保証金の供託の届出前に営業開始（事務所新設の場合も同様） ②誇大広告等の禁止に違反 ③不当な履行遅延の禁止に違反 ④手付貸与等による契約締結の誘引の禁止に違反
(e) 100万円以下の罰金	〈宅建業者〉 ①免許申請書等の虚偽記載 ②名義貸しで他人に営業表示・広告させた ③専任の宅建士の設置要件を欠く ④報酬の基準額を超える報酬を受領 〈宅建業者以外の者〉 ・無免許で、業者として営業表示・広告

もうひと
ふんばりだ！

第⑯コース 監督・罰則

第❷ポイント 罰則

(f) 50万以下の罰金	〈宅建業者〉
	①帳簿の備付け義務違反・記載不備・虚偽記載
	②従業者名簿の備付け義務違反・記載不備・虚偽記載
	③従業者に従業者証明書を携帯させずに業務に従事させた
	④標識の掲示をしなかった
	⑤報酬額の掲示をしなかった
	⑥変更の届出・案内所等の届出・信託会社の営業の届出を怠ったり、虚偽の届出をした
	⑦37条書面の交付を怠った
	⑧守秘義務違反
	⑨大臣・知事に報告を求められたのに報告しなかった、または、虚偽の報告をした
	⑩大臣・知事の立入検査の拒否・妨害
	〈宅建士〉
	・宅建士が大臣・知事に報告を求められたのに報告しなかった、または、虚偽の報告をした
	〈宅建業者の従業者・従業者であった者〉
	・守秘義務違反

② 行政罰

☆ 10万円以下の過料	〈宅建士〉
	①登録消除・宅建士証失効による宅建士証の返納義務に違反
	②事務禁止処分による宅建士証の提出義務に違反
	③重要事項説明の際における宅建士証の提示義務に違反

※ 宅建業者の代表者や従業者が業務に関し違反行為をしたときは、行為者が罰せられるほか、宅建業者にも行為者の受けるべき罰則のうちの罰金刑が科される（両罰規定）。ただし、行為者が、上記表中〔a〕〔b〕の行為をした場合は、法人である宅建業者には1億円以下の罰金刑が科される。なお、守秘義務違反については行為者だけが罰せられる。

154

索引

MEMO

MEMO

持ち運びに便利な「セパレート方式」

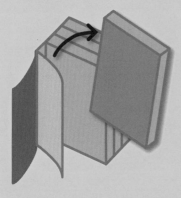

各分冊を取り外して、
通勤や通学などの外出時、
手軽に持ち運びできます！

❶各冊子を区切っている、うすオレンジ色の厚紙を
　残し、中の冊子をつまんでください。
❷冊子をしっかりとつかんで、手前に引っ張ってく
　ださい。

見た目もきれいな「分冊背表紙シール」

背表紙シールを貼ることで、
分冊の背表紙を保護することができ、
見た目もきれいになります。

見た目も
きれい！

❶付録の背表紙シールを、ミシン目にそって切り離してください。
❷赤の破線（┈）を、ハサミ等で切り取ってください。
❸切り取ったシールを、グレーの線（―）で山折りに折ってください。
❹分冊の背表紙に、シールを貼ってください。

2025 年版
宅建士 合格のトリセツ
基本テキスト
分冊 ③

第3編 法令上の制限　目次

第 1 コース

合格の トリセツ

| 一問一答 | 分冊③ | 499〜520 |
| 過去問題集 | 分冊③ | 問1〜問7 |

都市計画法①

都市計画法①

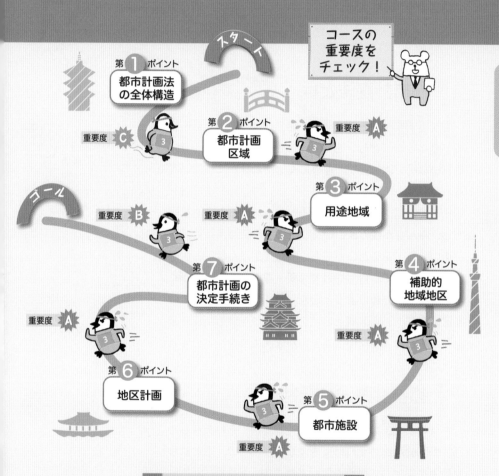

コースの
重要度を
チェック！

第 1 ポイント
都市計画法
の全体構造

重要度 C

第 2 ポイント
都市計画
区域

重要度 A

第 3 ポイント
用途地域

重要度 B

重要度 A

第 7 ポイント
都市計画の
決定手続き

第 4 ポイント
補助的
地域地区

重要度 A

重要度 A

第 6 ポイント
地区計画

第 5 ポイント
都市施設

重要度 A

このコースの特徴

- 法令上の制限、特に「都市計画法」を暗記だけで勉強しよう
  とすると、膨大な量になり、しかも言葉が複雑で何もわから
  ない、ということになってしまいます。それでは当然のこと
  ながら正解もできません。まずはイメージを大切に学習しま
  しょう。

第①ポイント

重要度 **C**

都市計画法の全体構造

攻略メモ

● 都市計画法とはどのような法律なのでしょうか。まずはその全体的なイメージをもってから学習しましょう。

1 都市計画法とは

　人が集まると、そこに建物が建てられ、街がつくられていきます。しかし、きちんと規制をしておかないと、きれいな街にはならず、住みにくい街になってしまいます。

　そこで、都市計画法で、計画的な街づくりの方法を規定し、みんなが住みよい街をつくるようにしました。

　街づくりをするといっても、食糧を生産しないと生きていけないので、自然を残す場所（農地など）と街づくりをする場所でわけようとしました。街づくりをしていく区域を都市計画区域といいます。区域を決めたら、次にそこをどのような街にするのかを決めます。

2 都市計画法の規制

　勝手に造成工事（ぞうせいこうじ）をされたり、建物を建てられたりしたら、計画的な街づくりはできません。そこで、このような行為を規制していく必要があります。それが、都市計画制限といわれ、開発行為等の規制、地区計画の建築等の規制があります。また、道路をつくったり、街を再開発したり、ニュータウンをつくったりする都市計画の場

つまずき注意の
前提知識

「自分の土地だから、自由に使ってもかまわない」と考えてしまうと、他の人に迷惑がかかる場合があります。ですから、「何でも自由に」ではなく制限を加えようとしました。その制限について学ぶのが「法令上の制限」なのです。

あせらず着実にいこう！

合は、都市計画制限より厳しい都市計画事業制限で規制
していきます。
　このようにして、住みよい街づくりをするために制定
されているのが都市計画法なのです。

参考

■街づくりの流れ

```
┌─────────────────────────────────────┐
│         街をつくる場所を決める           │
│        （都市計画区域の指定）            │
└─────────────────────────────────────┘
              ┆
┌─────────────────────────────────────┐
│  その場所をどのような街にするのかプランを立てる  │
│        （都市計画の内容）               │
└─────────────────────────────────────┘
              ┆
```

① 都市計画区域の整備・開発および保全の方針
② 区域区分
③ 都市再開発方針等
④ 地域地区
⑤ 促進区域
⑥ 遊休土地転換利用促進地区
⑦ 被災市街地復興推進地域
⑧ 都市施設
⑨ 市街地開発事業
⑩ 市街地開発事業等予定区域
⑪ 地区計画等

```
┌─────────────────────────────────────┐
│        具体的なプランを決定する           │
│       （都市計画の決定手続き）            │
└─────────────────────────────────────┘
              ┆
              ▼
┌─────────────────────────────────────┐
│  プランが決まったら、そのプランに反することをさせない │
│        （都市計画制限）                 │
└─────────────────────────────────────┘
```

第**2**ポイント　重要度 **A**

攻略メモ

● 都市計画区域を指定して、どこで街づくりをするのか決めてから、細かいことを決めていきます。

都市計画区域

1 都市計画区域とは

　住みやすい街づくりをするためには、まず「どこで街づくりをするか」を決めることからはじめます。街づくりをすると決められた場所のこと、を都市計画区域といいます。都市計画法は、原則として都市計画区域の中でのみ適用されます。

覚えよう！

都市計画区域の指定
● 1つの都道府県に指定する場合　　＝　都道府県が指定する
● 2つ以上の都府県にわたって指定する場合　＝　国土交通大臣が指定する

　なお、都市計画区域は、県境や市町村境などの行政区画とは関係なく定めることができます。

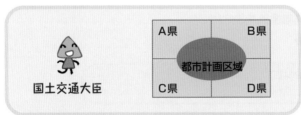

国土交通大臣

A県	B県
都市計画区域	
C県	D県

　都市計画区域を定めたら、次に「マスタープラン」を作成します。これは街づくりの大枠の方針です。「こう

いう街をつくります」という方針を決めてから実際に街づくりをしていきます。

2 区域区分

　都市計画区域を定めたら、次に市街化区域と市街化調整区域に線引きをしていきます。

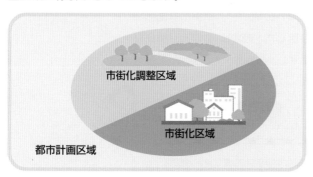

市街化調整区域

市街化区域

都市計画区域

　なお、市街化区域と市街化調整区域は、言葉の定義も出題されるので、次のような形でまとめておきましょう。

覚えよう！

- **市街化区域**＝すでに市街地を形成している区域
  おおむね **10年以内**に優先的かつ
  計画的に市街化を図るべき区域
- **市街化調整区域**＝市街化を抑制すべき区域

> 要するに、「これから建物をたくさん建てよう！」とするのが市街化区域、「自然を守って建物を建てないようにしよう！」とするのが市街化調整区域です。

　この線引きは必ずしなければならないというものではなく、**線引きをしないこともあります。**都市計画区域に指定しているが、線引きをしない場所を「区域区分が定められていない都市計画区域」といいますが、長いので、通称「非線引き区域」といいます。

もうひとふんばりだ！

3 準都市計画区域

　都市計画区域外では原則として都市計画法の規制はかかりません。しかし、高速道路のインターチェンジ周辺などは、便利な場所であり特に規制もかからないので、乱開発されてしまうこともあります。

　そこで、**このまま放っておくと将来の街づくりに支障が出るような都市計画区域外の場所を、準都市計画区域として指定することにしました。**なお、準都市計画区域は、都道府県が指定します。

つまずき注意の
前提知識

準都市計画区域は都市計画区域以外に指定されるので、街づくりは行いません。

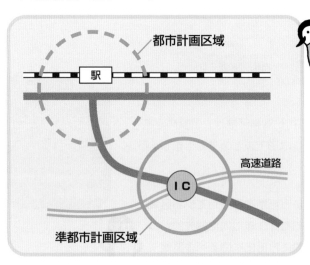

●【準都市計画区域における都市計画】（主なもの）

できるもの	できないもの
用途地域	区域区分
特別用途地区	高度利用地区
特定用途制限地域	高層住居誘導地区
高度地区（最高限度のみ）	特例容積率適用地区
景観地区	防火地域・準防火地域
風致地区	市街地開発事業

暗記ポイント 総まとめ

● 日本全国は５つにわけられる

・市街化区域

・市街化調整区域

・非線引き区域（区域区分が定められていない都市計画区域）

・準都市計画区域

・都市計画区域および準都市計画区域以外の区域

ちょこっとトレーニング  本試験過去問に挑戦！

問1 都道府県が都市計画区域を指定する場合には、一体の都市として総合的に整備し、開発し、及び保全する必要がある区域を市町村の行政区域に沿って指定しなければならない。（1997-17-1 改）

問2 都市計画区域については、無秩序な市街化を防止し、計画的な市街化を図るため、市街化区域と市街化調整区域との区分を必ず定めなければならない。（2007-18-2）

問3 準都市計画区域は、都市計画区域外の区域のうち、新たに住居都市、工業都市その他の都市として開発し、及び保全する必要がある区域に指定するものとされている。（2010-16-2）

解答 1 ×：行政区域に沿う必要はない。

2 ×：線引きはしなくてもよい。

3 ×：準都市計画区域は開発のために区域の指定はしない。

第❸ポイント 重要度 **A**

用途地域

攻略メモ

● まず、13個の用途地域を順番に言えるようにしてください。建築基準法の用途規制（→P44参照）の部分で使います。

1 用途地域とは

用途地域とは「ここはこういう街にしよう」というように定める都市計画のことです。住居系・商業系・工業系あわせて13種類があります。

覚えよう！

〈用途地域はどこで定めるのか〉

・市街化区域 ＝ 少なくとも用途地域を定める

・市街化調整区域 ＝ 原則として用途地域を定めない

・非線引き区域 ＝ 用途地域を定めることができる

・準都市計画区域 ＝ 用途地域を定めることができる

・都市計画区域外 ＝ 用途地域を定めることができない

ファイト！
ファイト！

2 用途地域

1 第一種低層住居専用地域

いわゆる「閑静な住宅街」です。

➡ 低層住宅のための良好な住居の環境を保護するため
定める地域

2 第二種低層住居専用地域

コンビニや喫茶店などもある閑静な住宅街です。

➡ 主として低層住宅のための良好な住居の環境を保護
するため定める地域

③ 第一種中高層住居専用地域

6〜7階建てくらいのマンションも立ちならぶ場所です。

➡ 中高層住宅のための良好な住居の環境を保護するため定める地域

④ 第二種中高層住居専用地域

クスリ
薬

大きめの店舗や事務所なども存在しています。

➡ 主として中高層住宅のための良好な住居の環境を保護するため定める地域

いい調子！

5 第一種住居地域

ホテル、ボウリング場や大きめのスーパーも建てられる地域です。

→ 住居の環境を保護するため定める地域

6 第二種住居地域

カラオケボックスやパチンコ店も建てられます。

→ 主として住居の環境を保護するため定める地域

7 準住居地域

幹線道路沿いの自動車販売店などが立ちならんでいる場所です。

→道路の沿道としての地域の特性にふさわしい業務の利便の増進を図りつつ、これと調和した住居の環境を保護するため定める地域

8 田園住居地域

野菜直売

農地を守りながら、農産物の直売所なども設置できる場所です。

→農業の利便の増進を図りつつ、これと調和した低層住宅のための良好な住居の環境を保護するため定める地域

⑨　近隣商業地域

地元の商店街のイメージです。魚屋やら肉屋やら花屋やらが立ちならんでいる場所です。

→ 近隣の住宅地の住民に対する日用品の供給を行うことを主たる内容とする商業等の業務の利便を増進するため定める地域

⑩　商業地域

いわゆる繁華街。駅前のデパートなどが立ちならぶ場所です。

→ 主として商業等の業務の利便を増進するため定める地域

応援してるよ！
すごい すごい！

11 準工業地域

町工場などがある場所というイメージです。

→ 主として環境の悪化をもたらすおそれのない**工業の利便を増進するため定める地域**

12 工業地域

工場として利用するのが主ですが、住居としても利用できます。

→ 主として**工業の利便を増進するため定める地域**

あせらず着実にいこう！

13 工業専用地域

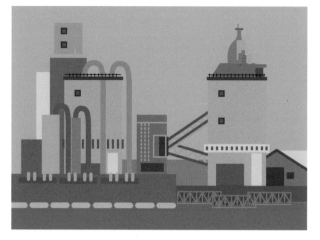

石油化学コンビナートなどを想像してみよう。人は住めませんね。

→ 工業の利便を増進するため定める地域

用途地域に関しては、言葉の意味が理解できているかを試す問題が出題されます。次のように考えましょう。

暗記ポイント 総まとめ

「主として」というキーワードが入っているもの

＜住居系＞
・第二種低層住居専用地域 2
・第二種中高層住居専用地域 4
・第二種住居地域 6

＜商業系＞
・商業地域 10

＜工業系＞
・準工業地域 11
・工業地域 12

3 用途地域に定める事項

用途地域に指定されると、以下のものを定めます。

覚えよう！

【必ず定めるもの】
- 建築物の容積率（**➡P 52 参照**）　（すべての用途地域）
- 建築物の建蔽率（**➡P 49 参照**）　（商業地域以外）
- 建築物の高さの限度　　　　　　（第一種低層・第二種低層
　　　　　　　　　　　　　　　　・田園住居のみ）10 mまたは12 m

【必要に応じて定めるもの】
- 敷地面積の最低限度　（すべての用途地域）　200㎡以内
- 外壁の後退距離　　　（第一種低層・第二種低層・田園住居のみ）
　　　　　　　　　　　1.5 mまたは1 m

　第一種低層住居専用地域・第二種低層住居専用地域・田園住居地域では、建築物の高さは、10 mまたは12 mのうち、都市計画で定めた高さを超えてはいけません。

　第一種低層住居専用地域・第二種低層住居専用地域・田園住居地域では、建築物の隣地境界線までの距離の限度は、都市計画で定める場合、1.5 mまたは1 mとしなければなりません。

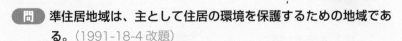

ちょこっとトレーニング　本試験過去問に挑戦！

問　準住居地域は、主として住居の環境を保護するための地域である。(1991-18-4 改題)

解答　×：これは第二種住居地域の説明。

第❹ポイント 重要度 Ａ

補助的地域地区

1 補助的地域地区とは

　用途地域で基本的な街のイメージはできましたが、さらに地域の特色を出すために、用途をよりきめ細かく規制した補助的地域地区があります。

2 用途地域内のみ定められるもの

Ａ 特別用途地区

用途地域内の一定の地区における当該地区の特性にふさわしい土地利用の増進、環境の保護等の特別の目的の実現を図るため、当該用途地域の指定を補完して定める地区

用途地域内でも「こういう店はダメ」「こういう店はOK」などと細かく指定することができます。

Ｂ 高層住居誘導地区

住居と住居以外の用途とを適正に配分し、利便性の高い高層住宅の建設を誘導するため、一定の用途地域のうち、指定容積率400%・500%の地域を対象に、建築物の容積率の最高限度、建蔽率の最高限度、

第一種住居・第二種住居・準住居・近隣商業・準工業で定められます。容積率を有効利用するため、容積率や斜線制限を緩和し、日影規制などを除外できます。

もうひとふんばりだ！

および敷地面積の最低限度を定める地区

C 高度地区

用途地域内において市街地の環境を維持し、または土地利用の増進を図るため、建築物の高さの最高限度または最低限度を定める地区

D 高度利用地区

用途地域内の市街地における土地の合理的かつ健全な高度利用と都市機能の更新とを図るため、建築物の容積率の最高限度および最低限度、建蔽率の最高限度、建築物の建築面積の最低限度、壁面の位置の制限を定める地区

再開発して高層のビルを建てようとする際に適用されます。

暗記ポイント 総まとめ

- 高度地区　　　＝　高さ
- 高度利用地区　＝　高さではない

E 特例容積率適用地区

第一種中高層住居専用地域、第二種中高層住居専用地域、第一種住居地域、第二種住居地域、準住居地域、近隣商業地域、商業地域、準工業地域または工業地域内の適正な配置および規模の公共施設を備えた土地

余った容積率を売ることができます。東京駅の改修工事の費用はここから捻出しました。

の区域において、建築物の容積率の限度からみて未利用となっている建築物の容積の活用を促進して土地の高度利用を図るため定める地区

3 用途地域の内外を問わず定められるもの

F 特定街区

市街地の整備改善を図るため街区の整備または造成が行われる地区について、その街区内における建築物の容積率、建築物の高さの最高限度、壁面の位置の制限を定める街区

東京都の西新宿などで定められています。超高層ビルの建っている場所です。

G 防火地域・準防火地域

市街地における火災の危険を防除するため定める地域

火災の延焼等を防ぐため駅周辺などに指定されます。

H 景観地区

市街地の良好な景観の形成を図る地区

街並みと調和させるため、建築物のデザインや高さなどを制限します。

景観地区に関する都市計画には、建築物の形態意匠（デザイン）の制限等を定めます。

合格めざして がんばろう

I 風致地区

> 都市の風致を維持するため**定める地区**

自然美を守るため、建築物の建築や宅地造成などを制限します。

　風致地区内における建築物の建築については、一定の基準に従い、地方公共団体の条例で、都市の風致を維持するため必要な規制をすることができます。

4 用途地域外にのみ定められるもの

J 特定用途制限地域

> 用途地域が定められていない土地の区域（市街化調整区域を除く）内において、その良好な環境の形成または保持のため、当該地域の特性に応じて合理的な土地利用が行われるよう、制限すべき特定の建築物等の用途の概要を定める地域

特定の用途（○○は建築不可）などを制限します。

ちょこっとトレーニング　本試験過去問に挑戦！

問　高度利用地区は、用途地域内において市街地の環境を維持し、又は土地利用の増進を図るため、建築物の高さの最高限度又は最低限度を定める地区である。(2016-16-3)

解答　×：これは高度地区の説明。

ファイト！
ファイト！

第 ❺ ポイント  重要度 **A**

都市施設

攻略メモ

●「都市施設」という名前から、ビル群などを想像しないように注意してください。道路や下水道のような施設です。

1 都市施設とは

都市施設は、人々が都市で生活するのに欠かせない施設のことです。道路・公園・上下水道・学校・図書館・病院などが都市施設にあたります。都市計画区域内では都市施設を定めることができ、都市計画区域外でも、必要があれば定めることができます。

2 都市施設を定める場所

次の場所には必ず定めるものが決められています。

覚えよう！

・市街化区域
・非線引き区域 ┐ 道路・公園・下水道を必ず定める

・住居系用途地域 　義務教育施設を必ず定める

問 都市計画は、都市計画区域内において定められるものであるが、道路や公園などの都市施設については、特に必要があるときは当該都市計画区域外においても定めることができる。

(2002-17-2)

解答 ○：都市計画区域外であっても定めることができる。

いい調子!

第❻ポイント  重要度 A

地区計画

攻略メモ

● 「この地区だけの決まり」という細かい部分を決めていくのが地区計画です。ですので、市町村が主体となります。

1 地区計画とは

　地区計画とは、建築物の建築形態、公共施設その他の施設の配置等からみて、一体としてそれぞれの特性にふさわしい態様（たいよう）を備えた良好な環境の各街区（がいく）を整備し、開発および保全するための計画のことです。

このエリアは
高い建物を
建てたらダメ！

このエリアは
ブロックではなく
生垣にしよう！

用途地域や補助的地域地区で大枠の決まりをつくり、地区計画でさらに細かく決めていきます！

2 地区計画を指定できる区域

　用途地域が定められている土地の区域や、用途地域が定められていない土地の区域のうち一定の区域で地区計画を指定することができます。

つまずき注意の
前提知識

早い話が、用途地域が定められている土地の区域のみではない、ということです。

3 主な地区計画

1 再開発等促進区

　地区内の公共施設を整備するとともに、建築物の用途や容積率の制限などを緩和して、再開発を行おうとする区域に指定します。なお、再開発等促進区は用途地域内にのみ指定することができます。

2 開発整備促進区

　大規模（10,000㎡超）施設等を建設するために指定します。第二種住居地域・準住居地域・工業地域と、用途地域が定められていない土地の区域に指定できます。なお、市街化調整区域には指定することができません。

4 届出制

　地区計画が定められている場合、以下の行為をするためには、その基準に適合しているかチェックしなければなりません。

覚えよう！

　　・土地の区画形質の変更
　　・建築物の建築　　　　を行う場合
　　・工作物の建設

　行為に着手する日の 30 日前までに市町村長に届出が必要

　上記の届出の行為が、地区計画に適合しないときは、市町村長は設計の変更などの勧告をすることができます。

ちょこっと**トレーニング** 本試験過去問に挑戦！

問 地区計画の区域のうち地区整備計画が定められている区域内において、建築物の建築等の行為を行った者は、一定の行為を除き、当該行為の完了した日から 30 日以内に、行為の種類、場所等を市町村長に届けなければならない。(2012-16-4)

解答 ×：完了した日から 30 日以内ではなく、着手する日の 30 日前までに。

応援してるよ！
すごい すごい！

攻略メモ
● 街づくりのために用いる都市計画を誰が決めるのか、どれにするか決める手続きです。

第7ポイント

重要度 B

都市計画の決定手続き

1 都市計画の決定権者

都市計画は誰が決めるのでしょうか。

| 都道府県 | が決める |

区域区分を定めよう！
広域にわたる都市施設をつくろう！

| 市町村 | が決める |

用途地域を決めます！
ここは特別用途地区にします！

　2つ以上の都府県にまたがるものは都道府県ではなく国土交通大臣が決定します。また、都道府県が決めた都市計画と市町村が決めた都市計画の内容が抵触する場合、都道府県の計画が優先されます。

区域区分のような大規模なものは都道府県、地域地区や地区計画のように小規模なものは市町村が決定します。

ライバルに差をつける
関連知識

特定非営利活動法人（NPO法人）、都市緑化支援機構などは、都道府県や市町村に対して都市計画の決定や変更の提案をすることができます。

あせらず着実にいこう！

2 都市計画の決定手続き

都市計画は以下の流れで決定します。

都市計画の原案を作成する

必要に応じて公聴会などを開催して住民の意見を反映

都市計画案の公告・縦覧（じゅうらん）
→ 縦覧期間は公告の日から2週間
→ 縦覧期間中、住民等は意見書を提出できる

【都道府県が定める場合】
→ 都道府県都市計画審議会の議を経る
→ 関係市町村の意見を聴く
→ 国の利害に重大な関係がある場合は国土交通大臣と協議し、その同意を得る

【市町村が定める場合】
→ 市町村都市計画審議会の議を経る
→ 都道府県知事との協議

都市計画が決定した旨の告示・縦覧
→ 告示のあった日から効力を生ずる

問 市町村が定めた都市計画が、都道府県が定めた都市計画と抵触するときは、その限りにおいて、市町村が定めた都市計画が優先する。(2015-16-4)

解答 ×：都道府県の計画が優先。

給水 コラム

「法令上の制限」と「税・価格」は勝負の科目！

宅建士試験で合否をわけるのは、間違いなく「法令上の制限」と「税・価格」の分野です。合格者と不合格者の点差がいちばん大きいのがこの分野なのです。「権利や業法の学習に時間をかけすぎて法令上の制限まで勉強が間に合わなかった」という人も多く、きちんと勉強しようと思っても、イメージがわかないので勉強しにくい分野でもあります。よって、この分野ではみなさんにイメージしてもらえるように工夫して執筆しました。ぜひ、法令上の制限と税・価格を得意科目にしてください！

えっ、もうここに来たのか！？
…べ、別に驚いてねーし！
（オレ様もがんばらないとな…）

都市計画法②

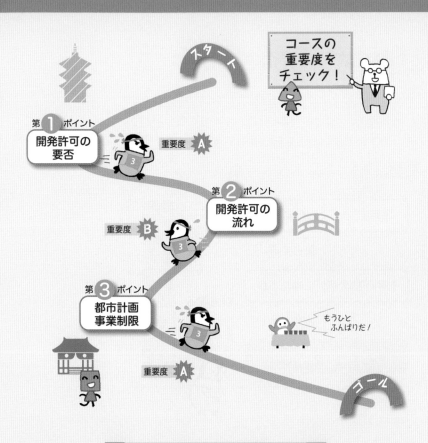

コースの
重要度を
チェック！

スタート

第1ポイント
開発許可の
要否

重要度 **A**

第2ポイント
開発許可の
流れ

重要度 **B**

第3ポイント
都市計画
事業制限

もうひと
ふんばりだ！

重要度 **A**

ゴール

都市計画法②

このコースの特徴

●「開発許可が必要かどうか」を中心に学習しましょう。都市計
画法は毎年2問、そのうち1問はこの開発許可から出題され
ることが多いです。問題を多くこなして、みるべき順番とみ
るべきポイントをつかみとりましょう。

第❶ポイント　重要度 Ⓐ

開発許可の要否

攻略メモ
● 開発許可がいるかいらないかは、機械的に処理をしなければ混乱してしまいます。「❶開発許可の要否」の順番でみていきましょう。

1 開発許可の要否

開発行為を行うためには許可を受けなければなりません。そもそも、それが「開発行為」に該当するのかどうかを、以下の基準に従って確認する必要があります。

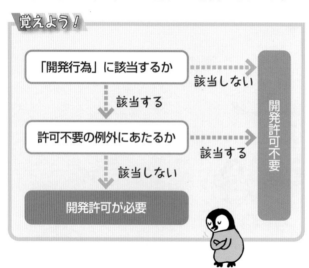

覚えよう！

「開発行為」に該当するか　──→ 該当しない

↓該当する

許可不要の例外にあたるか　──→ 該当する

↓該当しない

開発許可が必要

開発許可不要

合格めざして がんばろう

2 開発行為

次の行為が「開発行為」となります。

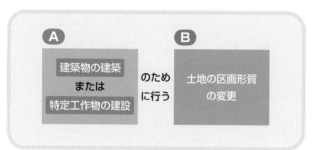

つまずき注意の
前提知識

「土地の区画形質の変更」とは、盛土や切土などを行って造成工事をすること、要するに「ガタガタの土地を平らにすること」です。

特定工作物には次の2種類があります。

第一種特定工作物：コンクリートプラント・アスファルトプラント
第二種特定工作物：ゴルフコース（規模不問）
　　　　　　　　　　10,000㎡以上の野球場・庭球場／運動・レジャー施設

　なお、上記のAとBの両方を充たす場合が「開発行為」です。どちらかでも欠けている場合は開発行為ではありません。

（例題）開発行為でしょうか？

1 建築物の建築を行うが、土地の区画形質の変更は行わない場合
　→開発行為ではない

2 青空駐車場の用に供する目的で、土地の区画形質の変更を行う場合
　→開発行為ではない

3 開発行為の例外

「開発行為」に該当しても、以下のものは許可不要となります。

	小規模開発	農林漁業用建築物
市街化区域	1,000㎡未満不要※	
市街化調整区域	規模にかかわらず許可必要	許可不要
非線引き区域	3,000㎡未満不要	
準都市計画区域	3,000㎡未満不要	
都市計画区域・準都市計画区域外	10,000㎡未満不要	

※市街化の状況により条例で 300 ～ 1,000㎡未満の範囲内で別に定めることも可能

なお、農産物の貯蔵や加工に必要な建築物は、農林漁業用建築物にはあたりません。

また、次のものは区域・規模にかかわらず許可不要となります。

覚えよう！

- 公益上必要な建築物（駅舎・図書館・公民館・変電所など）
- 非常災害の応急措置
- 「～事業の施行として行う」開発行為

ただし、公益性のある建築物であっても、**学校・医療施設・社会福祉施設は許可が必要**なので注意しましょう。

なお、国・都道府県等が行う開発行為は、国の機関・都道府県等と都道府県知事との協議が成立することをもって、開発許可があったものとみなされます。

ファイト！
ファイト！

例題 開発許可は必要でしょうか。

1 1ha（10,000㎡）の青空駐車場の用に供する目的の土地の区画形質の変更

→不要 （青空駐車場をつくるのは「開発行為」ではないから）

2 市街化区域で3,000㎡の庭球場の建設の用に供する目的の土地の区画形質の変更

→不要 （庭球場は10,000㎡未満の場合は第二種特定工作物に該当しないので「開発行為」ではない）

3 市街化区域で9,000㎡のゴルフコースの建設の用に供する目的の土地の区画形質の変更

→必要 （ゴルフコースは規模不問で第二種特定工作物。市街化区域は1,000㎡以上の土地は許可が必要）

ちょこっとトレーニング 本試験過去問に挑戦！

問1 市街化調整区域における農産物の加工に必要な建築物の建築を目的とした500㎡の土地の区画形質の変更には、常に開発許可が不要である。（2003-18-1）

問2 市街化区域内において、農業を営む者の居住の用に供する建築物の建築の用に供する目的で行われる1,500㎡の開発行為は、開発許可を受ける必要がある。（2012-17-ウ）

解答 1 ×：加工のための施設は農林漁業用建築物とみなさない。

2 ○：市街化区域内で1,000㎡以上は農林漁業者の居住用建築物・農林漁業用建築物も許可必要。

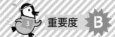

第❷ポイント 重要度 **B**

開発許可の流れ

1 開発許可の申請

開発許可は以下のように申請します。

【事前手続き】
① 開発行為に関係のある公共施設の管理者との協議およびその同意
② 将来設置される公共施設を管理することとなる者等との協議
③ 土地等の権利者の相当数の同意（他に土地等の権利者がいる場合）

つくりたい　いいよ

【許可申請】
● 必ず書面で行う（上記の同意書・協議の経過を示す書面等を添付）
● 開発区域・予定建築物の用途・設計図書・工事施行者を明記（予定建築物の高さ・構造・設備・価格 etc は記載事項ではない！）

お願いします　はい

【審査】
● 以下の基準に適合し、かつ手続きが法令遵守している場合、許可をしなければならない
（自己の居住用は①と②のみ）
①用途地域の規制に適合
②排水設備の構造・能力が適切である
③道路・公園・広場などが適当に配置されている
④給水施設の構造・能力が適切である
⑤災害危険区域・浸水被害防止区域等ではない
⑥申請者の資力・信用がある
⑦工事施行者の工事完成能力がある
⑧環境保全が講じられている

チェック

【許可・不許可の処分】
都道府県知事は、遅滞なく、許可・不許可の処分を文書によってしなければならない

はーい

OKです

都道府県知事は、用途地域が定められていない区域の開発行為について開発許可をする場合に、必要があると認めるときは、その開発区域内の土地について、建築物の建蔽率、建築物の高さ、壁面の位置、その他建築物の敷地・構造・設備に関する制限を定めることができます。

許可をしたら、知事は一定の事項を開発登録簿に登録しなければなりません。開発登録簿は知事が保管し、誰でも閲覧できます。工事が完了したら、知事に届け出て検査を受けます。検査に通れば、知事は検査済証を交付して、最後に工事完了の公告を行います。

つまずき注意の
前提知識
1ha（10,000㎡）以上の開発行為には有資格者の設計が必要です。

いい調子！

2 開発許可後の手続き

開発許可を受けた後に、事情が変わってしまった場合、以下のような手続きをすることになります。

内容の変更	知事の許可
軽微な変更	知事へ届出
許可不要な開発行為への変更	手続き不要
工事廃止	知事へ届出
一般承継（相続等）	手続き不要
特定承継（地位の譲渡等）	知事の承認

3 建築規制

工事完了の公告の前後で、建築等に規制がかかります。

【工事完了の公告前】　　工事完了の公告　　【工事完了の公告後】

原則：建築不可

（例外）
①工事用仮設建築物
②知事が支障なしと認めた
③開発行為に不同意の者

原則：予定建築物以外不可

（例外）
①用途地域等が定められている
②知事が許可した

工事完了の公告前は、造成工事を行い、工事完了の公告の後は予定建築物等の建築等を行います。つまり、工事完了の公告の前も後も工事中であるというイメージです。

なお、開発許可を受けた開発行為により公共施設が設置されたときは、その公共施設は、工事完了の公告の日の翌日において、原則としてその公共施設の存する市町村の管理に属するものとされます。

応援してるよ！
すごい すごい！

4 市街化調整区域の規制

　造成工事をしなくてもすぐに建物が建てられる場所、たとえば工場跡地などは、開発行為をしないため、開発許可は不要です。では、ここにいきなり建物を建ててよいのでしょうか。

　市街化調整区域は、建物の建築をしてほしくない場所です。本来は開発許可が不要となる場所であっても、建築物の建築や第一種特定工作物について知事の許可を必要とします。ただし、先ほどの「開発行為の例外」（ ➡ **P32 参照**）の項にあるような、農林漁業用建築物などの建築は知事の許可も不要です。

5 田園住居地域の規制

　現況が農地である田園住居地域内において、土地の形質の変更、建築物の建築その他工作物の建設などを行おうとする者は、原則として**市町村長の許可**を受ける必要があります。

ちょこっとトレーニング ▶ 本試験過去問に挑戦！

問1 開発行為を行おうとする者は、開発許可を受けてから開発行為に着手するまでの間に、開発行為に関係がある公共施設の管理者と協議し、その同意を得なければならない。(2004-18-4)

問2 開発許可を受けた開発区域内の土地であっても、当該許可に係る開発行為に同意していない土地の所有者は、その権利の行使として建築物を建築することができる。(2008-19-1)

解答 1　×：開発許可申請前に協議と同意が必要。
　　　　2　○：開発行為に不同意の者は建築可。

第 **3** ポイント 重要度 **A**

都市計画事業制限

攻略メモ
● 都市計画施設や市街地開発事業をどのように行っていくのでしょうか。また、どういった制限をかけて工事するのでしょうか。

1 都市計画事業とは

　都市施設のうち、具体的に都市計画で定めて整備をするものを都市計画施設といいます。また、市街地を総合的に開発しようとする都市計画を市街地開発事業といいます。

公園をつくろう！

ニュータウンとして開発しよう！

[都市計画施設]　　　　　[市街地開発事業]

　このような都市計画施設や市街地開発事業を行うことを「都市計画事業」といいます。

2 都市計画事業にかかる制限

都市計画事業がスムーズに進むように、事業進行の妨げになりそうなことを制限しています。

通常は中小規模の都市計画事業で行うのですが、大規模な都市計画事業の場合、早い段階から場所の確保を行わなければならないため、早い段階で規制をかけます。

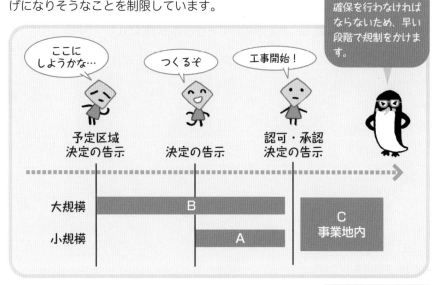

	建築物の建築	土地形質変更	５ｔ超の物件	非常災害応急
A	許可必要	×	×	×
B	許可必要	許可必要	×	×
C	許可必要	許可必要	許可必要	許可必要

A：都市計画施設の区域内・市街地開発事業の施行区域内
B：市街地開発事業等予定区域
C：事業地内
×：許可不要

アドバイス

「事業地内」になると、「非常災害の応急措置」として行うものであっても都市計画事業の施行の障害となるおそれがあるものであれば許可が必要となります。

あせらず着実にいこう！

問 都市計画事業の認可の告示後、事業地内において行われる建築物の建築については、都市計画事業の施行の障害となるおそれがあるものであっても、非常災害の応急措置として行うものであれば、都道府県知事の許可を受ける必要はない。(1998-17-4)

解答 ×：事業地内は非常災害の応急措置であっても許可が必要。

ボクもカッコいい
細マッチョペンギンに
なってきたかな！？

あんまり身体は
変わってないような気が…
…げふんげふん

第3コース

建築基準法①

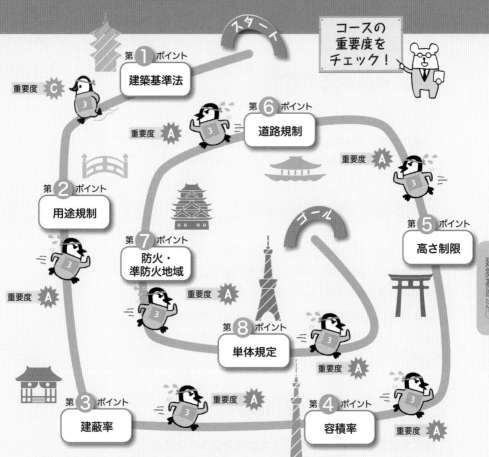

スタート

コースの
重要度を
チェック！

第1ポイント
建築基準法
重要度 **C**

第6ポイント
道路規制
重要度 **A**
重要度 **A**

第2ポイント
用途規制
重要度 **A**

第5ポイント
高さ制限

第7ポイント
**防火・
準防火地域**
重要度 **A**

ゴール

第8ポイント
単体規定
重要度 **A**

第3ポイント
建蔽率

第4ポイント
容積率
重要度 **A**
重要度 **A**

建築基準法①

このコースの特徴

● 建築基準法は「知っているか知らないか」で処理できる問題
も多いです。どちらかといえば、知識の有無で勝負が決まる
といってもよいでしょう。暗記量が多くて大変かもしれませ
んが、がんばりましょう！

第 **①** ポイント　重要度 **C**

建築基準法

攻略メモ

● 建築基準法は、あくまで最低限度を決めたものですので、条例などでこれより厳しくすることはできますが、緩和は基本的にできません。

1 建築基準法の目的

建築基準法は、地震・火災・台風などの災害から国民を守るために、建物の構造や設備などに関して最低限の基準を設けようという目的でつくられたものです。

2 建築基準法の内容

建築基準法には、「集団規定」と「単体規定」があります。

集団規定は、街の中の建物に対する規制で、都市計画区域および準都市計画区域内に限って適用されます。

単体規定は、個々の建物に対する規制（「居室には窓が必要」など）で、全国どこでも適用されます（➡ P66 参照）。

3 建築基準法の適用除外

国宝や重要文化財などに指定または仮指定された建築物については、建築基準法は適用されません。

また、建築基準法の改正により、現にある建築物が改正後の規定に適合しなくなっても、違反建築物とはなりません。

合格めざして がんばろう

問 文化財保護法の規定によって重要文化財に指定された建築物で
あっても、建築基準法は適用される。(2002-21-3)

解答 ×：重要文化財に建築基準法は適用されない。

第 **②** ポイント　　　　重要度 **A**

用途規制

1 用途規制

　都市計画法では、ある土地をどのような用途で利用すべきかという観点から、**用途地域**を定めています（ ➡ P8参照）。

　そして、この用途地域に基づいて、ある土地にどのような建物が建てられるかにつき、具体的に規制を加えているのが、建築基準法の**用途規制**なのです。

> 都市計画法 ➡ 用途地域 ＝ **土地利用の計画**
> 建築基準法 ➡ 用途規制 ＝ **計画にあわせた建築規制**

　では、どの用途地域にどの建築物が建てられるか、具体的にみていきましょう。

	住 居 系								商 業 系		工 業 系		
	1 低	2 低	田園 住居	1 中高	2 中高	1 住	2 住	準 住居	近隣 商業	商業	準 工業	工業	工業 専用
神社・教会・保育所・診療所・巡査派出所・公衆電話所・銭湯	●	●	●	●	●	●	●	●	●	●	●	●	●

　これらは、すべての用途地域で建築することができます。

ファイト！ファイト！

ゴロ合わせで覚えよう

終	電	走る	先	進	保育
宗教施設	公衆電話所	派出所	銭湯	診療所	保育所

	住 居 系								商 業 系		工 業 系		
	1低	2低	田園住居	1中高	2中高	1住	2住	準住居	近隣商業	商業	準工業	工業	工業専用
住宅・図書館・老人ホーム	●	●	●	●	●	●	●	●	●	●	●	●	×

　住宅や老人ホームなど、24時間いることが前提の場所や、図書館・博物館・美術館などは、工業専用地域には建てられません。

つまずき注意の 前提知識

病院はベッド数20以上、診療所はベッド数19以下。つまり、病院は大きな病院、診療所は町医者を想像しましょう。

	住 居 系								商 業 系		工 業 系		
	1低	2低	田園住居	1中高	2中高	1住	2住	準住居	近隣商業	商業	準工業	工業	工業専用
小中高	●	●	●	●	●	●	●	●	●	●	●	×	×
高専・大学・病院	×	×	×	●	●	●	●	●	●	●	●	×	×

　学校系に関しては、地元の人が通う小中高と、全国から人が集まる大学で規制がわかれています。

	住居系								商業系		工業系		
	1低	2低	田園住居	1中高	2中高	1住	2住	準住居	近隣商業	商業	準工業	工業	工業専用
飲食・物販 2F以下かつ150㎡以内	×	●	●	●	●	●	●	●	●	●	●	●	×
2F以下かつ500㎡以内	×	×	●	●	●	●	●	●	●	●	●	●	×
1,500㎡以内	×	×	×	×	●	●	●	●	●	●	●	●	×

　150㎡以内というのはコンビニのようなもの、500㎡以内というのは近所のスーパーマーケットあたりを想像すればよいと思います。1,500㎡というのは郊外にある少し広めの駐車場付きのドラッグストアあたりを想像してみてください。

　なお、田園住居地域では、2階以下かつ500㎡以内の飲食店・物品販売店舗は、農業の利便を増進するもの（農産物直売所、農家レストラン等）であれば建築可能です。

　ちなみに、10,000㎡を超える店舗は、近隣商業地域、商業地域、準工業地域のみ建築可能です。

	住居系								商業系		工業系		
	1低	2低	田園住居	1中高	2中高	1住	2住	準住居	近隣商業	商業	準工業	工業	工業専用
ボーリング・スケート・水泳	×	×	×	×	×	●	●	●	●	●	●	●	×
カラオケ	×	×	×	×	×	×	●	●	●	●	●	●	●
マージャン・パチンコ	×	×	×	×	×	×	●	●	●	●	●	●	×

　いわゆる娯楽系の施設です。

アドバイス

田園住居地域は、第二種低層住居専用地域に近い規制がかけられています。

暗記ポイント 総まとめ

	住居系								商業系		工業系		
	1低	2低	田園住居	1中高	2中高	1住	2住	準住居	近隣商業	商業	準工業	工業	工業専用
神社・教会・保育所・診療所・巡査派出所	●	●	●	●	●	●	●	●	●	●	●	●	●
住宅・図書館・老人ホーム	●	●	●	●	●	●	●	●	●	●	●	●	×
小中高	●	●	●	●	●	●	●	●	●	●	●	×	×
高専・大学・病院	×	×	×	●	●	●	●	●	●	●	●	×	×
飲食・物販 2F以下かつ150㎡以内	×	●	●	●	●	●	●	●	●	●	●	●	×
飲食・物販 2F以下かつ500㎡以内	×	×	●	●	●	●	●	●	●	●	●	●	×
飲食・物販 1,500㎡以内	×	×	×	×	●	●	●	●	●	●	●	●	×
車庫 2F以下かつ300㎡以内	×	×	×	●	●	●	●	●	●	●	●	●	●
車庫 3F以上または300㎡超	×	×	×	×	×	×	×	●	●	●	●	●	●
営業用倉庫	×	×	×	×	×	×	×	●	●	●	●	●	●
自動車教習所	×	×	×	×	×	×	×	●	●	●	●	●	●
ボーリング・スケート・水泳	×	×	×	×	×	●	●	●	●	●	●	●	×
カラオケ	×	×	×	×	×	×	●	●	●	●	●	●	●
マージャン・パチンコ	×	×	×	×	×	×	●	●	●	●	●	●	×
ホテル（3,000㎡以内）・旅館	×	×	×	×	×	●	●	●	●	●	●	×	×
自動車修理工場（150㎡以内）	×	×	×	×	×	×	×	●	●	●	●	●	●
劇場 映画館 200㎡未満	×	×	×	×	×	×	×	●	●	●	●	×	×
劇場 映画館 200㎡以上	×	×	×	×	×	×	×	×	●	●	●	×	×
料理店・キャバレー	×	×	×	×	×	×	×	×	×	●	●	×	×
個室付浴場	×	×	×	×	×	×	×	×	×	●	×	×	×

●：自由に建築可
×：建築には特定行政庁の許可（特例許可）必要

　なお、都市計画区域内では、火葬場やごみ焼却場などの建築物は、原則として都市計画においてその敷地の位置が決定しているものでなければ、建築することができません。

いい調子！

2 複数の地域にまたがる場合

建築物の敷地が複数の地域にまたがる場合には、敷地の過半の属する用途規制に合わせます。

例

第一種住居地域 100㎡	商業地域 150㎡

上記の場合、商業地域の規制に合わせます。つまり、この敷地にカラオケボックスをつくることも可能です。

ちょこっとトレーニング　本試験過去問に挑戦！

問　第一種低層住居専用地域内においては、高等学校を建築することはできるが、高等専門学校を建築することはできない。
(2010-19-4)

解答　○：高専は大学と同じ扱いとなる。

応援してるよ！
すごい すごい！

第**❸**ポイント　重要度 **A**

建蔽率

攻略メモ

● 第一種低層などは30％という場合もあります。その際には、広い庭をつくるなりして土地を活用します。

1 建蔽率とは

　建蔽率とは、**建築物の建築面積の敷地面積に対する割合**のことです。敷地に適度な空地を確保することにより日照や風通しを確保するとともに、火災の延焼を防ぐことを目的とする規制です。

覚えよう！

$$建蔽率 = \frac{建築面積}{敷地面積}$$

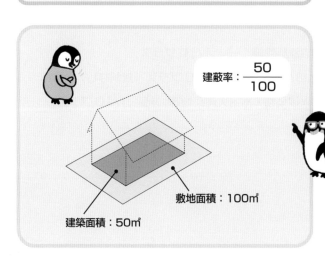

$$建蔽率：\frac{50}{100}$$

敷地面積：100㎡

建築面積：50㎡

100㎡の敷地で建蔽率が5/10であれば、50㎡まで建物を建てられます。

2 建蔽率の最高限度

　都市計画区域や準都市計画区域では、用途地域ごとに、建蔽率の最高限度が指定されていて、その数値の中から都市計画で定めることにしています。なお、商業地域は8/10で決まっています。

3 建蔽率の緩和

　以下の場合に、建蔽率の規制は緩和されます。

覚えよう！

① 特定行政庁が指定する角地　→　1/10 プラス

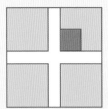

② 防火地域内で耐火建築物等　→　1/10 プラス

　→　もともと 8/10 の地域は 2/10 プラス（規制なし）となる

③ 準防火地域で耐火建築物・準耐火建築物等　→　1/10 プラス

あせらず着実にいこう！

4 建蔽率が複数にわたる場合

　建築物の敷地が、建蔽率の規制数値の異なる複数の地域・区域にわたる場合は、地域の建蔽率の最高限度の数値にその地域に係る敷地の敷地全体に占める割合を乗じた数値の合計が、その敷地全体の建蔽率の最高限度になります。

 例

| 建蔽率 80% 120㎡ | 建蔽率 60% 80㎡ |

（120 × 8/10）＋（80 × 6/10）＝ 144

→ つまり、この敷地には 144㎡まで建物を建てることができる。

144/（120 ＋ 80）＝ 144/200 ＝ 72/100

→ つまり、ここの建蔽率は 72%である。

ちょこっとトレーニング　本試験過去問に挑戦！

問　建蔽率の限度が 10 分の8 とされている地域内で、かつ、防火地域内にある耐火建築物については、建蔽率の制限は適用されない。(2013-18-2)

解答　○：2/10 プラスされるので 10/10 となる。

第 **④** ポイント　重要度 **A**

容積率

● 都市計画で定められた値を使わないケースがあることに注意してください。前面道路のことは常に念頭においておきましょう。

1 容積率とは

　容積率とは、建築物の延べ面積（＝各階の床面積の合計）の敷地面積に対する割合のことです。延べ面積を抑えることで前面道路の混雑防止を目的としています。

覚えよう!

$$容積率 = \frac{延べ面積}{敷地面積}$$

例 100㎡の敷地で建蔽率60%、容積率300%の場合

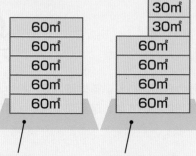

|30㎡|
|30㎡|
|60㎡|
|60㎡|
|60㎡|
|60㎡|

敷地面積：100㎡　　敷地面積：100㎡

100㎡の敷地、建蔽率が60%で容積率が300%であれば、5階建てまで建てられます。右のような建て方であれば6階建ても可能です（他の高さなどの制限はないものとして考えています）。

2 容積率の制限の緩和

以下の場合には、容積率の制限が緩和されます。

覚えよう！

1 共同住宅・老人ホーム等の共用廊下・階段は延べ面積に算入しない。

2 エレベーターの部分の床面積は延べ面積に算入しない。

3 建物の地階にある住居部分の床面積は、その建物の住宅部分の床面積の 1/3 までは延べ面積に算入しない（老人ホームにも適用）。

（例）100㎡の敷地
（建蔽率 50%・容積率 100%）

2 階	50㎡
1 階	50㎡
地下 1 階	50㎡

◄······ ここが
認められる！

ライバルに差をつける　関連知識

宅配ボックス設置部分については、100分の1を限度として容積率算定の延べ面積に算入しません。

ライバルに差をつける　関連知識

地階の住居部分のルールは、店舗兼用住宅のような、住宅以外の用途に供する部分を有する建築物にも適用されます。

3 前面道路による容積率制限

容積率の規制は、前面道路の混雑防止のためなので、前面道路が狭い場合、規制はより厳しいものとなります。

前面道路の幅員が 12 m 未満であれば、次の計算式にあてはめて、出た数字と都市計画で決められた数字とを比較して、厳しいほうがこの場所の容積率となります。

もうひとふんばりだ！

覚えよう！

・前面道路の幅員 × 4/10 （住居系用途地域）
・前面道路の幅員 × 6/10 （その他の地域）

　なお、複数の道路に接している場合、**広いほう**の道路の幅員で計算します。

例 準住居地域
　（都市計画で定められた容積率400%）

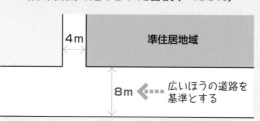

4m

準住居地域

8m ◄┅┅ 広いほうの道路を
　　　　基準とする

前面道路が12m未満なので、計算が必要。
広いほう（8m）を使って計算する。
　　8m × 4/10 ＝ 320%
都市計画では400%だが、前面道路の幅員を基準に計算すると320%なので、厳しいほうである320%を適用する。

4 容積率が複数にわたる場合

　建築物の敷地が、容積率の規制数値の異なる複数の地域・区域にわたる場合は、それぞれの地域の容積率の最高限度の数値にその地域に係る敷地の敷地全体に占める**割合**を乗じた数値の合計が、その敷地全体の容積率の最

合格めざして がんばろう

高限度になります。

例

	①準住居地域 容積率400% 120㎡	②近隣商業地域 容積率400% 80㎡

4m

⎔ 8m ⎔

1 前面道路と都市計画の厳しいほうを選ぶ

①準住居　（前面道路）　8（m）× 4/10 ＝ 32/10（320%）

　　　　　（都市計画）　40/10（400%）

②近隣商業（前面道路）　8（m）× 6/10 ＝ 48/10（480%）

　　　　　（都市計画）　40/10（400%）

2 地域ごとに、**1**の数値と面積をかけ算し、それを合計する

　　（120㎡× 32/10）＋（80㎡× 40/10）＝ 704㎡

3 これを敷地面積で割る

　　704㎡÷ 200㎡＝ 352/100 ＝ 352%

ちょこっとトレーニング　本試験過去問に挑戦！

問　容積率を算定する上では、共同住宅の共用の廊下及び階段部分
　　　は、当該共同住宅の延べ面積の3分の1を限度として、当該共
　　　同住宅の延べ面積に算入しない。(2008-20-3)

解答　×：3分の1ではなく、すべて延べ面積に算入しない。

第❺ポイント　重要度 Ⓐ

高さ制限

1 斜線制限

　斜線制限とは、建築物の各部分の高さを、前面道路の反対側の境界線や隣地境界線からの距離に応じて一定数値を乗じて得られた数値以下にする規制です。以下の3つがあります。

1 道路斜線制限

　道路が暗くならないように、道路の日照や通風を確保するための制限です。

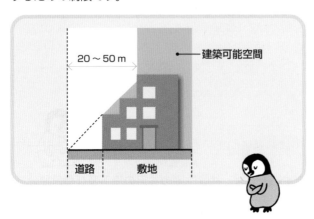

20〜50m

建築可能空間

道路　　敷地

ファイト！
ファイト！

② 隣地斜線制限

隣地の日照や通風を確保するための制限です。

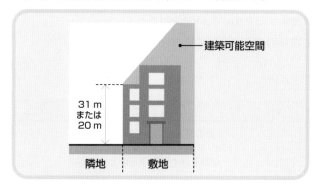

③ 北側斜線制限

北隣の建物の南側に日が当たるようにするための制限です。

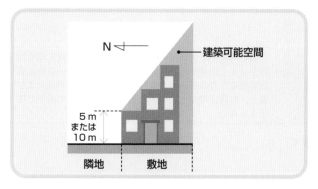

建築物が斜線制限の異なる2以上の区域にわたる場合、建築物は各区域の部分ごとに斜線制限の適用を受けます。

●対象区域	道路斜線制限	隣地斜線制限	北側斜線制限
第一種低層 第二種低層 田園住居	●	×	●
第一種中高層 第二種中高層	●	●	●
その他	●	●	×
用途地域指定の ない区域	●	●	×

●：適用あり　×：適用なし

2 日影規制

日影規制とは、日照を確保するため、長時間にわたって日影とならないように建築物の高さを制限するものです。

次のようなルールになっています。

対象区域		対象建築物
第一種低層住居専用地域	地方公共団体の条例で指定する区域	軒の高さが7mを超える建築物 または 地階を除く階数が3以上の建築物
第二種低層住居専用地域		
田園住居地域		
第一種中高層住居専用地域		高さが10mを超える建築物
第二種中高層住居専用地域		
第一種住居地域		
第二種住居地域		
準住居地域		
近隣商業地域		
準工業地域		
用途地域の指定のない区域		①軒の高さが7mを超える建築物もしくは地階を除く階数が3以上の建築物、または、②高さが10mを超える建築物のうちから地方公共団体がその地方の気候および風土、当該区域の土地利用の状況等を勘案して条例で指定するもの

ただし、例外もあります。

覚えよう!

商業地域・工業地域・工業専用地域においては、日影規制の対象区域として指定することができない。

同一の敷地内に2以上の建築物がある場合、これらの建築物を1つの建築物とみなして日影規制が適用されます。

ちょこっとトレーニング　本試験過去問に挑戦！

問1 第一種低層住居専用地域及び第二種低層住居専用地域内における建築物については、建築基準法第56条第1項第2号の規定による隣地斜線制限が適用される。（2006-22-2）

問2 建築基準法第56条の2第1項の規定による日影規制の対象区域は地方公共団体が条例で指定することとされているが、商業地域、工業地域及び工業専用地域においては、日影規制の対象区域として指定することができない。（2006-22-4）

解答 1　×：低層住居専用地域と田園住居地域で隣地斜線制限は適用されない。

2　○：商業・工業・工業専用には指定できない。

　いい調子！

第6ポイント 重要度 A

道路規制

1 接道義務

　建築基準法上の「道路」とは、幅員4m以上をいいます。建築物の敷地は、原則として**幅員4m以上の道路に2m以上接していなければならない**としています。これを接道義務といいます。

　ちなみに、自動車専用道路に接していても、接道義務を満たしたことになりません。

> **つまずき注意の**
> **前提知識**
> 道路法による道路というだけで、建築基準法上の道路に該当するわけではありません。

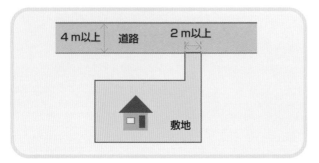

　接道義務は、火災などの際に消火活動や避難の便のために設定されました。よって、周囲に広い空地がある場合で、特定行政庁が支障がないと認めて、建築審査会の同意を得て許可したものについては、2m以上接していなくてもかまいません。

　また、地方公共団体は、特殊建築物、3階建て以上の

建築物、延べ面積 1,000㎡を超える建築物、袋路状道路にのみ接する建築物で延べ面積が 150㎡を超えるもの（一戸建て住宅を除く）の敷地は、この規制よりも厳しい規制を**条例により付加する**ことはできますが、緩和することはできません。

2 2項道路とセットバック

　古い街などでは、幅員4ｍ未満の道も多く存在します。「幅員4ｍ以上の道路に接していないから違法です」といって建物を再築できなくしてしまうわけにもいきません。そこで、幅員4ｍ未満の道であっても、建築基準法が適用される際にすでにあったもので、特定行政庁が指定したものについては、「道路」とみなすことにしました。これを「2項道路」といいます。

　2項道路の場合、将来的には幅員4ｍ以上の道路にしたいため、道路の中心線より2ｍ後退した線を道路と敷地との境界線と設定しました。建替えをする際には、その線よりも下がって建てなければなりません。これを**セットバック**といいます。

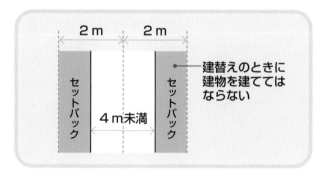

3 道路内の建築制限

　通行の妨げになるので、道路内に建物を建ててはいけません。しかし、以下の建築物については道路内に建築することができます。

覚えよう！

1 地盤面下に設ける建築物

　（例）地下商店街・地下駐車場

2 公衆便所や巡査派出所などで建築審査会の
　同意を得て許可されたもの

3 公共用歩廊などで建築審査会の同意を得て
　許可されたもの

　（例）歩道橋

ちょこっとトレーニング　本試験過去問に挑戦！

問 地盤面下に設ける建築物については、道路内に建築することができる。（2015-18-3）

解答 ○：地盤面下であれば建築可能。

第 **7** ポイント　重要度 **A**

防火・準防火地域

攻略メモ

● 人が集まる場所で火災が起こると大変です。ですから、そういった場所は防火地域に指定しておきます。

1 防火地域・準防火地域

　建物が密集している場所では、火災が起こったときに延焼しやすくなってしまい危険です。このような地域を防火地域や準防火地域に指定して、建築物に一定の制限をかけています。

　なお、**防火地域・準防火地域では、外壁が耐火構造の建築物は、その外壁を隣地境界線に接して設けることができます。**

2 防火地域の制限

　防火地域に建築物を建てる際には、次のような原則があります。

●**防火地域**

	延べ面積 100㎡以下	延べ面積 100㎡超
3階以上	耐火等	耐火等
2階以下	耐火等または準耐火等	耐火等

あせらず着実にいこう！

また、**防火地域内**にある看板・広告塔で、次の場合には、その主要部分を**不燃材料**でつくり、または覆わなければなりません。

3 準防火地域の制限

準防火地域に建築物を建てる際には、次のような原則があります。

●準防火地域	延べ面積 500㎡以下	延べ面積 500㎡超 1,500㎡以下	延べ面積 1,500㎡超
4階以上	耐火等	耐火等	耐火等
3階	耐火等または 準耐火等	耐火等または 準耐火等	耐火等
2階以下	－	耐火等または 準耐火等	耐火等

4 複数の地域にまたがる場合

建築物が複数の地域にまたがる場合、**厳しいほう**の規制が適用されます。

つまずき注意の 前提知識

不燃材料とは、建築材料のうち、不燃性能の持続時間が20分間のものです。それに対して難燃材料は、持続時間が5分間のものです。

ライバルに差をつける 関連知識

木造建築物は、外壁と軒裏で延焼のおそれがある部分を防火構造にしなければなりません。

　ただし、防火壁によって区画されている場合、以下のように扱われます。

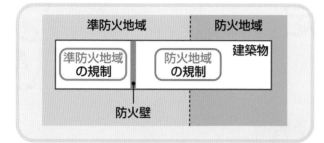

準防火地域　　　　　防火地域

| 準防火地域の規制 | 防火地域の規制 | 建築物 |

防火壁

ゴロ合わせで覚えよう

● 耐火建築物等にしなければならないもの（準耐火建築物ではダメ）

坊 さん 100 人、巡 視 する イチゴ

防火　　3階以上　　100㎡超　　　準防火　4階以上　　1,500㎡超

ちょこっとトレーニング　▶ 本試験過去問に挑戦！

問1 準防火地域内において建築物の屋上に看板を設ける場合は、その主要な部分を不燃材料で造り、又は覆わなければならない。
（2014-17-4）

問2 防火地域内においては、3階建て、延べ面積が200㎡の住宅は耐火建築物又は準耐火建築物としなければならない。
（2011-18-2）

解答 1　×：これは防火地域のみ。
　　　 2　×：耐火建築物等のみ。準耐火建築物ではダメ。

第 **8** ポイント  重要度 **A**

単体規定

攻略メモ

● 都市計画区域外であっても、日本全国どこでも適用されるものです。単体規定は覚えるだけなので暗記してしまいましょう。

1 地階における居室

　住宅の居室・病院の病室・学校の教室などで地階に設ける場合、壁や床に防湿の処理をして、**衛生上必要な処置**をしなければなりません。

2 採光・換気

　外の明るさを部屋の中に入れるために、窓などについても決まりがあります。居室・病院の病室・学校の教室などには採光のため、窓その他の開口部を設けなければなりません。

ライバルに差をつける 関連知識

この開口部は日照を受けることができるものである必要はありません。

覚えよう！

採光に有効な部分の面積 = 居室の床面積 × 1/7 以上（原則）
（一定の要件を満たせば 1/10 まで緩和）

　新鮮な空気を中に入れるために、窓などについても決まりがあります。居室には換気のため、窓その他の開口部を設けなければなりません。

覚えよう！

換気に有効な部分の面積 = 居室の床面積 × 1/20 以上

合格めざして がんばろう

　また、建築物の自然換気設備は、次のような構造でなければなりません。

　給気口は、居室の高さの 1/2 以下の位置に設け、常時外気に開放された構造にする必要があります。

　排気口は、給気口より高い位置に設け、常時開放された構造にする必要があります。

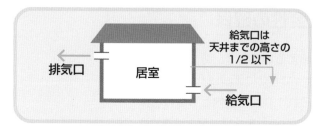

3　避雷設備

　高さ **20 m を超える**建築物には、原則として、有効な避雷（ひらい）設備を設けなければなりません。

4　昇降機

　高さ **31 m を超える**建築物には、原則として、非常用の昇降機を設けなければなりません。

5　バルコニー等

　2 階以上の階にあるバルコニーその他これに類するものの周囲には、安全上必要な高さが 1.1 m 以上の手すり壁、さく又は金網を設けなければなりません。

6 居室の高さ

　居室の天井の高さは 2.1m 以上でなければなりません。1 室で天井の高さが異なる部分がある場合は、その平均の高さによります。

7 防火上の安全性の確保

　延べ面積 1,000㎡ を超える建築物は、防火上有効な防火壁または防火床によって有効に区画し、かつ各区画の床面積の合計をそれぞれ 1,000㎡ 以内としなければなりません。ただし、耐火建築物または準耐火建築物はこの限りではありません。

8 建築物に使用できないもの

　建築材料に石綿（アスベスト）を使用してはなりません。また、居室を有する建築物では、それに加え、クロルピリホスを添加・使用しないこと、ホルムアルデヒドの発散による衛生上の支障がないように、建築材料および換気設備について一定の技術的基準に適合することなどが定められています。

つまずき注意の
前提知識

クロルピリホスは、シロアリを駆除するために使われていた有機リン酸化合物。ホルムアルデヒドは接着剤や塗料などに含まれているものです。

ちょこっとトレーニング　本試験過去問に挑戦！

問 高さが 20 m を超える建築物には原則として非常用の昇降機を設けなければならない。(2013-17-エ)

解答 ×：昇降機は 31 m を超える場合。

第 **4** コース

合格の **トリセツ**
| 一問一答 | 分冊③ | 593～606 |
| 過去問題集 | 分冊③ | 問31～問38 |

建築基準法②

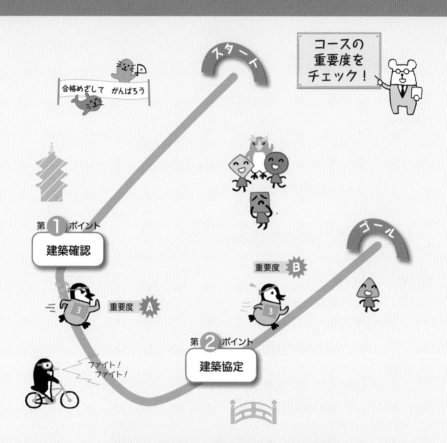

スタート

コースの重要度をチェック！

合格めざして がんばろう

第 **1** ポイント
建築確認

重要度 **A**

重要度 **B**

ゴール

第 **2** ポイント
建築協定

ファイト！ファイト！

建築基準法②

このコースの特徴

● ここは「建築確認が必要か否か」が問われるときの中心となる部分なので、そこは問題を解くことでしっかり定着させていきましょう。一見複雑にみえるかもしれませんが、得点源にもしやすい分野です。

第**1**ポイント 重要度 **A**

建築確認

1 建築確認とは

　これまでみてきたように、建築基準法はさまざまな規制があるので、このすべての基準に適合している建築物かどうかを判断するのは難しいです。ですから、建築する前にプロがチェックしてから建築するようにしました。このチェックを建築確認といいます。

2 建築確認が必要な場合

1 場所のポイント

　以下の場所で建築物を新築する場合や、増改築・移転をする場合、建築確認が必要となります。

> 【新築】
> 　★都市計画区域・準都市計画区域内
> 　★防火地域・準防火地域内
> 【増改築・移転】
> 　★都市計画区域・準都市計画区域（10㎡超の場合）
> 　★防火地域・準防火地域（規模不問）

いい調子！

2　特殊建築物・大規模建築物

上記以外の場所であっても、以下の場合には建築確認が必要となります。

> **200㎡超の特殊建築物・大規模建築物**
> →新築
> →増改築・移転（10㎡超の場合）
> →大規模修繕・大規模模様替え
> →用途変更（特殊建築物の場合）

		新築	増改築・移転	大規模修繕 大規模模様替え
全国	特殊建築物 （200㎡超）	●	▲	●
	大規模建築物	●	▲	●
都市計画区域 準都市計画区域		●	▲	×
防火地域 準防火地域		●	●	×

●：必要　×：不要　▲：10㎡超なら必要

〈特殊建築物〉

特殊建築物とは、以下のようなものをいいます。

> **学校・病院・共同住宅・自動車車庫**

ちなみに、事務所は特殊建築物ではありません。

「ここで火事が起こったら多くの犠牲がでるだろうな」という場所です。

〈大規模建築物〉

　大規模建築物とは、以下のものをいいます。

> ２階以上・延べ面積 200㎡超
> のいずれかを満たす建築物

木造、木造以外（鉄骨造など）のどちらも対象となります。

〈用途変更〉

　用途を変更し、特殊建築物（200㎡超）にする場合にも建築確認が必要です。

> 特殊建築物　　　→　特殊建築物以外　：　確認不要
> 特殊建築物以外　→　特殊建築物　　　：　確認必要
> 特殊建築物　　　→　特殊建築物　　　：　原則、確認必要

　特殊建築物から特殊建築物（200㎡超）にする際には、原則として建築確認が必要ですが、**類似の用途の場合には建築確認は不要です。**

> ●**類似の用途変更の例**
> ・劇場　　→　映画館
> ・旅館　　→　ホテル
> ・博物館　→　美術館

3 建築確認の手順

建築確認が必要な建築物を建築しようとする建築主は、確認の申請書を提出して、建築確認を受けなければなりません。

建築確認は以下の手順で行われます。

最初と最後にチェックをして、チェックが終わったら検査済証をもらうという流れです。チェックは建築主事等や指定確認検査機関が行います。建築主事等というのは公務員で公的機関、指定確認検査機関というのは、指定を受けた民間の会社や財団法人です。そのどちらで建築確認を行ってもよいことになっています。

また、ある程度大規模な工事の場合、工事途中でもチェックを入れます。それを中間検査といいます。

ライバルに差をつける 関連知識

建築主事等（建築主事、建築副主事）や指定確認検査機関は、建築確認をする場合、原則としてその確認する建築物の工事施工地または所在地を管轄する消防長または消防署長の同意を得なければなりません。

ちょこっとトレーニング 本試験過去問に挑戦！

問 映画館の用途に供する建築物で、その用途に供する部分の床面積の合計が300㎡であるものの改築をしようとする場合、建築確認が必要である。(2015-17-4)

解答 ○：特殊建築物は200㎡を超えた場合、建築確認が必要。

応援してるよ！
すごい すごい！

建築確認　建築主事等／指定確認検査機関が審査
申請から7日以内（大規模建築物・特殊建築物は35日以内）

申請者に確認済証を交付   建築主事等／
指定確認検査機関
申請者　確認済証

工事施工

大規模な工事（3階以上の共同住宅等）

中間検査

申請者に中間検査合格証を交付
中間検査
合格証

工事完了

完了検査　申請者が工事完了の日から4日以内に申請
建築主事等／指定確認検査機関が審査（7日以内）

申請者に検査済証を交付
検査済証

使用開始
● 特殊建築物・大規模建築物は検査済証交付まで使用不可
● 仮使用の承認
　①特定行政庁・建築主事等・指定確認検査機関の承認
　②完了検査の申請が受理された日から7日経過したとき

第 **2** ポイント

重要度 **B**

建築協定

攻略メモ

- 魅力ある街づくりをするために、役所だけでなく、そこに住む住民にも決める権利を与えようというのが趣旨です。

第 **4** コース 建築基準法 ②

第 **2** ポイント 建築協定

1 建築協定とは

建築協定とは、住民が自主的に決めるルールです。市町村が条例で定めた一定区域内で締結することができます。

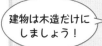

建物は木造だけにしましょう！

外壁に原色を使用しないようにしましょう！

まず、建築協定の締結・変更・廃止には、一定数の合意が必要となります。

ライバルに差をつける 関連知識

建築協定は、建築物の敷地、位置、構造、用途、形態、意匠または建築設備に関する基準について定めることができます。

覚えよう！

- 締結：住民（土地の所有者など）**全員**の合意
- 変更：住民（土地の所有者など）**全員**の合意
- 廃止：住民（土地の所有者など）の**過半数**の合意

住民（土地の所有者など）の合意が得られたら、次のような手順で手続きを行います。

75

① 申請　② 役所　特定行政庁の認可　③ 公告

　建築協定は、認可の公告のあった日以後に所有者や借地権者になった者に対しても効力が及びます。

　また、1人協定というのをつくることができます。

覚えよう！

土地の所有者が1人の場合でも建築協定を定めることは可能

➡ 効力の発生時期は、認可の日から3年以内に協定区域内の土地に2以上の土地所有者・借地権者が存することになった場合

宅地分譲の事業者（デベロッパー）が、「こういう街にしよう」というイメージをもって売り出す場合に使われます。

ちょこっとトレーニング　本試験過去問に挑戦！

問　建築協定区域内の土地の所有者等は、特定行政庁から認可を受けた建築協定を変更又は廃止しようとする場合においては、土地所有者等の過半数の合意をもってその旨を定め、特定行政庁の認可を受けなければならない。(2012-19-4)

解答　×：変更の場合は全員の合意が必要。

あせらず着実にいこう！

給水 コラム

都市計画図を片手に

都市計画図というものがあり、それには用途地域などの情報が掲載されています。市役所などで購入できますが、今ではインターネットで見ることができます。「○○市　都市計画図」で検索してみてください。都市計画⑦ 法で「用途地域」を学びましたが、文字だけで見るよりも、自分が今いる風景を見て用途地域を確認したほうが印象に残ると思います。ご自分の住んでいる地域や、ふらっと出かけた地域の都市計画図を見てみると、面白いと思います。

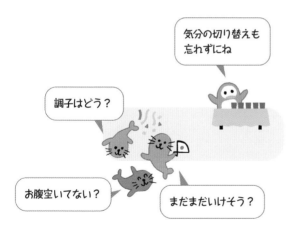

MEMO

第5コース
国土利用計画法

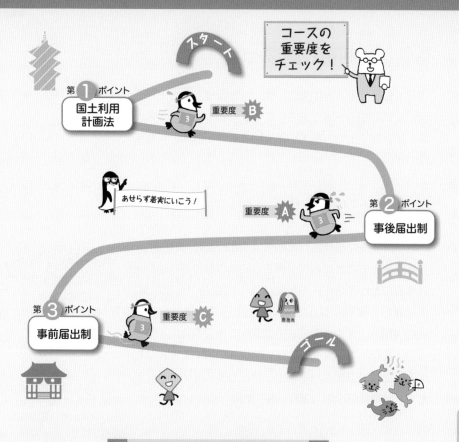

コースの重要度をチェック！

あせらず着実にいこう！

スタート

第1ポイント
国土利用計画法
重要度 B

重要度 A
第2ポイント
事後届出制

第3ポイント
事前届出制
重要度 C

ゴール

このコースの特徴

●国土利用計画法は、ほぼ事後届出制からの出題です。まれに事前届出制が出題されるという程度です。許可制については出題されることはほぼないと思いますので省略しました。まずは事後届出制を最優先にして、事前届出制も学習しておきましょう。

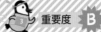

第 ❶ ポイント　重要度 **B**

国土利用計画法

1 国土利用計画法とは

　国土利用計画法（国土法）は、一定面積以上の土地取引について知事へ届出をさせることによって、地価の上昇を抑制して土地の有効利用を図ることを目的とした法律です。

2 国土法の届出

　地価の高騰が予想される地域は「規制区域」に指定し、許可制をとることにしています。それほどでもないが上昇することが予想される地域は「注視区域」「監視区域」に指定し、事前に届出させることにしています（➡ P87 参照）。その他の地域では取引の後に事後届出をすることになっています。しかし、現在の日本でそんなに地価の高騰が予想される地域は存在していないため、ほとんどが事後届出制（➡ P82 参照）となっています。

つまずき注意の 前提知識

監視区域は現在、東京都の小笠原村のみ。規制区域に関しては、今まで一度も指定されたことはありません。注視区域も平成10年の法改正で創設されてから今まで指定された区域はありません。よって、試験問題もほとんどが事後届出制で、まれに事前届出制が出題される程度です。

合格めざして がんばろう

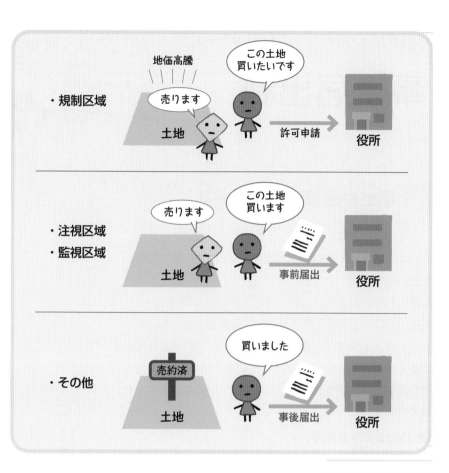

ちょこっとトレーニング ——本試験過去問に挑戦！

問 Aが所有する監視区域内の土地（面積 10,000㎡）をBが購入する契約を締結した場合、A及びBは事後届出を行わなければならない。(2016-15-2)

解答 ×：監視区域内は、事後届出ではなく事前届出。

第**2**ポイント 重要度 **A**

事後届出制

1 届出が必要となるケース

　土地の売買契約などを行った場合には、届出をしなければなりません。契約の後に届出を行うので、事後届出といいます。

　国土利用計画法は、「土地に関する権利を、対価を得て、移転・設定する契約を締結した際に届出をすること」としています。つまり、届出が必要かどうかは、「土地に関する権利かどうか」「対価を得ているかどうか」「契約といえるか」という点をすべて満たしているかどうかで決まります。

1 土地に関する権利

　土地に関する権利というのは、所有権・地上権・賃借権等をいいます。ただし、次に述べるように「対価を得て」という条件もあるので、所有権の場合であっても贈与であれば届出は不要となります。また、**賃借権や地上権の設定契約の場合、設定の対価（権利金などの授受）がある場合のみ届出が必要となります。**

該当する	該当しない
所有権	抵当権
地上権	地役権
賃借権	永小作権
	質権

ファイト！
ファイト！

2　対価を得て

　対価を得るというのは、お金等のやりとりがあるということです。したがって、贈与や相続などではこれに該当しません。

該当する	該当しない
売買 交換	贈与 相続・遺産分割 法人の合併 時効取得

3　契約を締結

　ここでいう契約には、予約なども含みます。

2　届出が不要となる場合

　事後届出が必要なケースであっても、次の場合には届出が不要となります。

1　一定面積に満たない場合

市街化区域	2,000㎡未満
市街化調整区域	5,000㎡未満
非線引き区域	5,000㎡未満
準都市計画区域	10,000㎡未満
都市計画区域外	10,000㎡未満

　一つ一つの土地の面積は一定面積に満たなくても、買い集めた結果、事後届出が必要な面積に達した場合、それをまとめて（＝一団の土地として）考えることとなります。ちなみに、この面積は権利取得者（＝売買では買主）を基準として行います。つまり、売主がどの程度の面積を売ったかではなく、**買主がどの程度の面積を買ったかで判断する**ことになります。

例 市街化区域の場合

❶ Aが、Bから 1,000㎡、Cから 1,000㎡購入

B所有：1,000㎡	
C所有：1,000㎡	Aが購入

➡ Aは合計 2,000㎡購入しているので事後届出が必要

❷ Dが、2,000㎡の土地を、Eに 1,000㎡、Fに 1,000㎡売却

D所有：1,000㎡	Eが購入
D所有：1,000㎡	Fが購入

➡ EもFも 1,000㎡しか購入していないため事後届出不要

❸ Gが、Hから 1,000㎡購入、Iから 1,000㎡贈与

H所有：1,000㎡	Gが購入
I所有：1,000㎡	Gが贈与を受けた

➡ Gは 1,000㎡しか購入していないため事後届出不要

2　届出不要の例外

以下の場合には、事後届出は不要となります。

❶ 民事調停法による調停に基づく場合
❷ 国・地方公共団体がからんだ場合
❸ 農地法3条1項の許可を受けた場合

つまずき注意の
前提知識

農地法5条許可の場合には届出不要とはならないので注意しましょう。

3 事後届出の手順

　事後届出の届出義務者は、**買主などの権利取得者**です。売主には義務はありません。権利取得者は、土地の利用目的や額などについて、**契約締結から2週間以内**に、市町村長を経由して**都道府県知事に届出**をします。この届出をしない場合には、罰則がありますが、契約自体は有効となります。なお、義務者は買主なので、この場合に罰せられるのは買主のみであり、売主は罰せられません。

　利用目的について審査され、問題がある場合には、届出の日から3週間以内に、土地の利用目的を変更するように勧告することができます。なお、**額については審査されないため、額で勧告されることはありません**。

　買主がこの勧告に従った場合、都道府県知事は、当該土地に関する権利の処分について、あっせん等の措置を講じるように努めなければなりません。

　買主がこの勧告に従わない場合、都道府県知事は、勧告の内容と勧告に従わなかった旨を**公表することができます**。しかし、**罰則の適用はなく、契約も有効**となります。

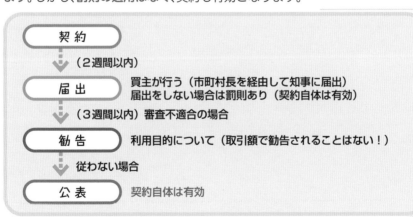

契約
↓（2週間以内）
届出　　買主が行う（市町村長を経由して知事に届出）
　　　　届出をしない場合は罰則あり（契約自体は有効）
↓（3週間以内）審査不適合の場合
勧告　　利用目的について（取引額で勧告されることはない！）
↓従わない場合
公表　　契約自体は有効

いい調子！

	罰則	契約
届出をしない場合	●	▲
勧告に従わない場合	×	▲

●：あり ×：なし ▲：有効

ちょこっとトレーニング　本試験過去問に挑戦！

問1 市街化区域においてAが所有する面積3,000㎡の土地について、Bが購入した場合、A及びBは事後届出を行わなければならない。（2015-21-2）

問2 事後届出が必要な土地売買等の契約により権利取得者となった者が事後届出を行わなかった場合には、都道府県知事から当該届出を行うよう勧告されるが、罰則の適用はない。（2007-17-3）

解答 1　×：届出義務は買主。売主Aに届出義務はない。
　　　　2　×：届出をしなくても勧告されることはないが、罰則あり。

合格めざして　がんばろう

第❸ポイント 事前届出制

 重要度 **C**

1 事前届出制

　注視区域と監視区域では、事前届出制がとられています。届出が必要となる契約は、事後届出の場合と同じです。また、届出が必要となる土地の面積も、注視区域では、事後届出と同じです。監視区域では、より狭い面積でも届出が必要となります。事後届出と事前届出の違いについては、以下のとおりです。

事後届出	事前届出
買主に届出義務	売主・買主双方に義務
買主の取得面積が規定面積以上で届出必要	売主・買主どちらかが規定面積以上で届出必要
額については審査されない	額についても審査される

売主にも義務があるということは、届出をしなければ売主にも罰則はあるし、額についても審査されるということは、額について勧告されることもあるということです。

例 市街化区域、かつ注視区域の場合

1 Aが、Bから1,000㎡、Cから1,000㎡購入

B所有：1,000㎡	
C所有：1,000㎡	Aが購入

➡ Aは合計2,000㎡購入しているのでABCが事前届出必要

2 Dが、2,000㎡の土地を、Eに1,000㎡、Fに1,000㎡売却

D所有：1,000㎡	Eが購入
D所有：1,000㎡	Fが購入

➡ Dが2,000㎡売却しているのでDEFが事前届出必要

ちょこっとトレーニング 本試験過去問に挑戦！

問 監視区域内において一定規模以上の面積の土地売買等の契約を締結した場合には、契約締結後2週間以内に届出をしなければならない。（2001-16-1）

解答 ×：監視区域内は事前届出をしなければならない。

合格の **トリセツ**

| 一問一答 | 分冊③ | 624 ～ 644 |
| 過去問題集 | 分冊③ | 問 45 ～ 問 50 |

農地法

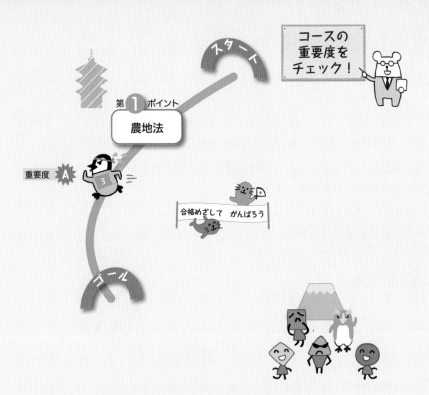

コースの重要度をチェック！

スタート

第**1**ポイント
農地法

重要度 **A**

合格めざして がんばろう

ゴール

農地法

このコースの特徴

●農地法は狭い範囲から１問出題されるので、得点源にしやすい分野です。過去問を解きながら出題のポイントをおさえて確実に得点できるようにしておきましょう。そろそろバテてしまうころかもしれませんが、がんばって！

第 **1** ポイント　重要度 **A**

農地法

攻略メモ

● 国民の衣食住の「食」を担う重要な法律です。農地法違反の罪は重いというイメージをもって学習しましょう。

1 農地法の全体像

農地法の目的は、農地を守ることです。農地が減ってしまうと、お米も野菜もとれなくなって、食糧危機が起こるかもしれません。なお、農地法でいう「農地」とは、現在、田や畑として使われている土地のことです。登記簿上の地目は何であっても、**実際に農地として使用されていれば農地として判断します。**

農地を使う人や農地の使い方がかわる場合には、許可を受けなければなりません。その許可は以下のようなものです。

つまずき注意の
前提知識

休耕地（遊休化している農地）も、原則として農地ですが、家庭菜園は農地ではありません。

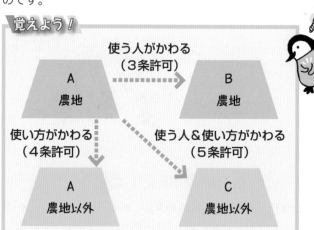

覚えよう！

使う人がかわる
（3条許可）

A
農地

B
農地

使い方がかわる
（4条許可）

使う人＆使い方がかわる
（5条許可）

A
農地以外

C
農地以外

あせらず着実にいこう！

　農地以外の土地を農地にする場合には、農地法の許可は必要ありません。

　国や都道府県は、農地の取得について３条許可は不要です。しかし、４条許可と５条許可の場合、農業のための施設として転用するなら不要ですが、その他であれば許可が必要です。その場合、国または都道府県等と都道府県知事等との協議が成立すれば許可とみなされます。

つまずき注意の
前提知識
権利移動について市町村は３条許可が必要なので注意してください。

2 権利移動（3条）

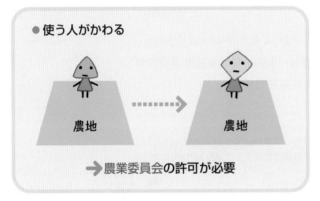

● 使う人がかわる

農地　→　農地

→ 農業委員会の許可が必要

　抵当権を設定する場合などでは許可は必要ありません。ただし、抵当権が実行されて競売をする際には、農地法の許可が必要となります。

　また、**相続・遺産分割によって取得する場合、許可は不要ですが、取得した後に農業委員会への届出が必要です**。

　農地法３条に基づき農地を所有できる法人を「農地所有適格法人」といいます。農地所有適格法人の要件を満たしていない株式会社は農地を所有することはできませんが、借り入れることは可能です。

3 転用（4条）

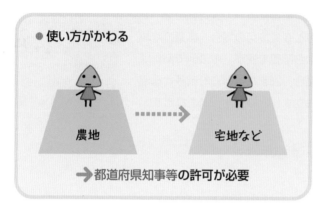

● 使い方がかわる

農地 → 宅地など

→ 都道府県知事等の許可が必要

　採草放牧地を転用する場合、4条の規制はありません。

　農家が2アール（200㎡）未満の農地を農業用施設用地に転用する場合には許可不要です。

アドバイス

農家の方の自宅は、開発許可では農林漁業用建築物扱いをしていましたが、農地法では農業用施設として扱いませんので気をつけましょう。

4 転用目的の権利移動（5条）

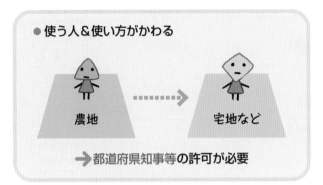

● 使う人＆使い方がかわる

農地 ·······▶ 宅地など

➡ 都道府県知事等の許可が必要

　一時的に農地を借りて資材置場にするような場合でも、5条許可が必要です。

　なお、4条許可を得た農地をそのまま転用目的で権利移動する場合、改めて5条許可を受ける必要があります。

5 市街化区域内の特則

　市街化区域は、農地よりも建築物を建ててほしい場所です。ですから、4条許可と5条許可は不要となります。ただし、その場合もあらかじめ農業委員会への届出は必要となります。また、3条許可については市街化区域でも許可が必要なので、注意が必要です。

6 許可・届出がない場合

　3条許可や5条許可を受けずに契約をしたとしても、その効力は生じません。また、4条許可や5条許可を受けずに工事などを行った場合、工事停止命令や原状回復命令を受けることがあります。

つまずき注意の
前提知識

法人の代表者が違反行為を行った場合、その代表者が罰せられるだけでなく、その法人にも罰則があります。

もうひと
ふんばりだ！

7 農地の賃貸借

農地賃借権の対抗要件は、農地の引渡しで足ります。

暗記ポイント 総まとめ

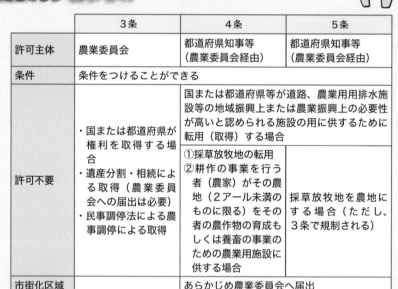

	3条	4条	5条
許可主体	農業委員会	都道府県知事等 (農業委員会経由)	都道府県知事等 (農業委員会経由)
条件	条件をつけることができる		
許可不要	・国または都道府県が権利を取得する場合 ・遺産分割・相続による取得（農業委員会への届出は必要） ・民事調停法による農事調停による取得	国または都道府県等が道路、農業用排水施設等の地域振興上または農業振興上の必要性が高いと認められる施設の用に供するために転用（取得）する場合	
		①採草放牧地の転用 ②耕作の事業を行う者（農家）がその農地（2アール未満のものに限る）をその者の農作物の育成もしくは養畜の事業のための農業用施設に供する場合	採草放牧地を農地にする場合（ただし、3条で規制される）
市街化区域内の特則		あらかじめ農業委員会へ届出 (許可不要)	
許可・届出がない場合	効力を生じない		効力を生じない
		工事停止命令、原状回復命令等ができる	

ちょこっとトレーニング 本試験過去問に挑戦！

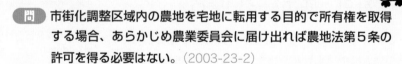

問 市街化調整区域内の農地を宅地に転用する目的で所有権を取得する場合、あらかじめ農業委員会に届け出れば農地法第5条の許可を得る必要はない。(2003-23-2)

解答 ×：この特則は市街化区域のみ。

第7コース 土地区画整理法

土地区画整理法

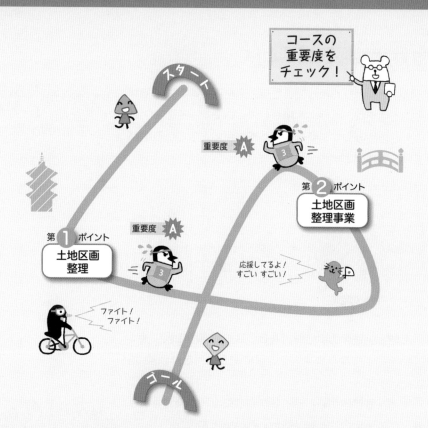

コースの重要度をチェック！

スタート

重要度 A

第2ポイント
土地区画整理事業

第1ポイント
土地区画整理

重要度 A

応援してるよ！
すごい すごい！

ファイト！
ファイト！

ゴール

このコースの特徴

● 近年「合否を分ける」といわれている分野です。合格者と不合格者の正解率の開きが大きい分野です。言葉が難しいのでとっつきにくいですが、イメージをつかんで学習すれば攻略することも可能です。

第 ① ポイント　重要度 A

土地区画整理

攻略メモ

● 言葉が難しくてついつい敬遠してしまいがちなのですが、イメージをしっかりとつかんで学習しましょう。

1 土地区画整理とは

　道路が曲がりくねっていたり、家を建てるのも不便な形の土地では、土地の利用もしにくいです。そこで、この土地を住みやすい整理された街にかえようというのが土地区画整理です。

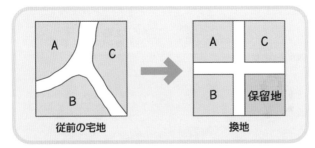

従前の宅地　　　　　　換地

　土地区画整理工事の間、ＡＢＣは別の場所を仮に使っていくことになります。その仮に使う場所を「仮換地」といいます。

　土地区画整理が終わると各所有者に土地が交付されます。この土地のことを「換地」といいます。

　また、工事が終わった後に、工事費用とするため、区画整理事業を担当する者が土地を取得することがあります。それを「保留地」といいます。

つまずき注意の
前提知識

土地区画整理事業は都市計画区域内の土地において行うことができます。

つまずき注意の
前提知識

土地は減っても、区画整理により土地の価格が上がれば損はしません。

ファイト！
ファイト！

2 施行者

土地区画整理の施行者は以下のとおりです。

【民間施行】

１ 個人

１人で行うこともできるし、数人で行うこともできます。

２ 土地区画整理組合（７人以上）

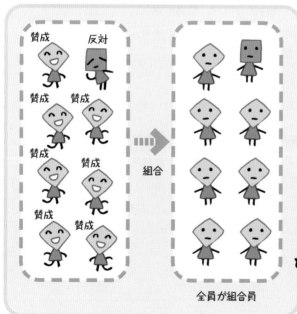

８人が住んでいるエリアで１人だけ反対しています。組合をつくれば、反対者も組合員にしてしまうことができるので、土地区画整理事業ができることになります。

組合を設立するには**7人以上**のメンバーが必要です。そして、組合の設立には定款と事業計画を定めたうえで知事の認可が必要です。なお、組合設立には一定数の同意が必要です（全員ではありません）。そして認可されると、**区画整理をする土地の所有者や借地権者全員が組合員となります。**

　また、解散する際にも知事の認可が必要です。

③　区画整理会社

　区画整理会社が街並みをつくりかえて、保留地を取得し、そこに分譲マンションなどを建てるケースです。

【公的施行】

④　地方公共団体・国土交通大臣など

　公的施行の場合は必ず都市計画事業として施行されます。なお、地方公共団体が施行する場合、都道府県又は市町村が施行する土地区画整理事業については、事業ごとに土地区画整理審議会が置かれます。

つまずき注意の　前提知識

土地区画整理組合には、組合員のほかに、市町村や都市再生機構がサポートしてくれることがあります。その者たちを「参加組合員」といいます。組合が、工事費用を必要とした場合、組合員からは徴収できますが、参加組合員からは徴収できません。

ちょこっとトレーニング　本試験過去問に挑戦！

問　土地区画整理組合が施行する土地区画整理事業に係る施行地区内の宅地について所有権又は借地権を有する者は、すべてその組合の組合員とする。(2012-21-4)

解答　○：その土地の所有者と借地権者はみな組合員となる。

いい調子！

第❷ポイント 重要度 A

土地区画整理事業

攻略メモ

● 仮換地に関しては、携帯の代替機みたいなものです。自分のものではないけれど自分が使用できます。

1 換地計画

　換地計画とは、換地処分（土地の割当て）を行うための計画です。施行者は、換地処分を行うための換地計画を定めなければなりません。また、施行者が個人施行者、土地区画整理組合、区画整理会社、市町村または機構等であるときは、その換地計画について、都道府県知事の認可を受けなければなりません。

　従前の宅地について換地を定めなかったり、換地を定めた場合でも不均衡が生ずるときには金銭により清算します。この金銭のことを清算金といいます。

つまずき注意の
前提知識

換地計画において換地を定める場合は、換地および従前の宅地の位置、地積、土質、水利、利用状況、環境等が照応するように定めなければなりません。これを換地照応の原則といいます。

2 事業の施行

　区画整理の実施中は基本的には工事中なので、さまざまな規制があります。

基本的には知事等の許可ですが、大臣施行の場合には大臣の許可になります。

```
認可                          換地処分

● 以下のものには知事等の許可
  ①土地の形質の変更
  ②建築物・工作物の建築
  ③5t超の物件
```

3 仮換地の指定

　施行者は、換地処分を行う前において、換地計画に基づき換地処分を行うため必要がある場合においては、施行地区内の宅地について仮換地を指定することができます。仮換地の指定は、施行者がその仮換地となるべき土地の所有者および従前の宅地の所有者に対して、仮換地の位置および地積ならびに仮換地指定の効力発生日を通知して行います。

　Bの敷地の一部が、Aの仮換地に指定されました。

所有権は元のままです。なので、Aは工事中のAの土地を、売ることも抵当に入れることも登記することもできます。

　仮換地が指定されると、従前の宅地について権原に基づき使用し収益できる者（＝A）は、仮換地指定の効力

発生の日から換地処分の公告のある日まで、仮換地について、従前の宅地と同様の使用・収益をすることができます。

　仮換地の効力発生の日から使用・収益を開始できるのが原則ですが、施行者は、**効力発生の日と使用収益の開始日を別に定めることもできます。**

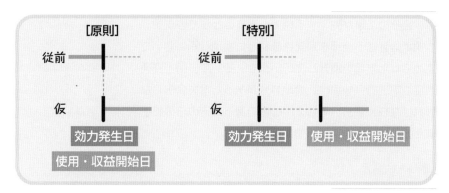

　使用・収益は仮換地で行いますが、抵当権設定などの行為は仮換地ではなく、従前の宅地で行うこととなります。

　仮換地を指定した場合において、当該処分によって使用・収益することができる者のなくなった従前の宅地については、換地処分の公告がある日までは、施行者が管理します。

応援してるよ！
すごい すごい！

4 換地処分

　換地処分とは、換地を法律上、従前の宅地とみなすことをいいます。

　換地処分は、原則として換地処分に係る区域の全部について土地区画整理事業の工事が完了した後に行うことになっていますが、最初に規約や定款などで定めておけば、全部の工事が完了する前でも行うことができます。

　換地処分は、施行者が関係権利者に換地計画において定められた事項を通知して行います。そして、国土交通大臣や都道府県知事は、換地処分があった旨を公告しなければなりません。そして、公告のあったその日の終了時と翌日に、次のような効果が生じます。

覚えよう！

**換地処分にかかる
公告の日の終了時**

・仮換地指定の効力が消滅
・建築行為等の制限が消滅
・換地を定めなかった従前の宅地に存する権利が消滅
・事業の施行により行使の利益がなくなった地役権が消滅

**換地処分にかかる
公告の日の翌日**

・換地が従前の宅地とみなされる
・清算金が確定
・施行者が保留地を取得
・事業の施行により設置された公共施設が、原則としてその所在する市町村の管理に属する

あせらず着実にいこう！

● 換地処分にともなう権利の移動

1　所有権・抵当権等

　原則：換地に移動

　例外：換地を定めなかった場合は消滅

2　地役権

　原則：従前の宅地に残る

　例外：行使の利益がなくなった場合は消滅

> 地役権とは、簡単にいうと、他人の土地を通行などのために利用できる権利です。換地処分によって、AはBの土地を通行しなくても道路に出られるようになりましたので、地役権は不要になります。

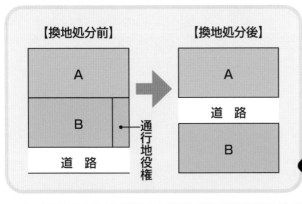

【換地処分前】　　　　　【換地処分後】

A

B　　　通行地役権

道　路

A

道　路

B

5　換地処分に伴う登記

　施行者は、施行地区内の土地等について変動があった場合、遅滞なく、その変動にかかる登記を申請しなければなりません。この登記がされるまでの間は、原則として他の登記をすることはできません。

ちょこっとトレーニング　本試験過去問に挑戦！

　問　換地処分に係る公告後、従前の宅地について存した抵当権は消滅するので、換地に移行することはない。（2003-22-3）

　解答　×：抵当権は消滅せず、換地に移行する。

「勉強に向いていない」と嘆いている人へ

理解が遅かったり、覚えるのに時間がかかったり…。でも、嘆く必要はありません。ご飯と同じで、よく噛んで食べたほうが、ちゃんと消化されます。栄養になります！ あせらないで、自分のペースで理解しないと、栄養 ⑦

にはなりません。理解していないままでわかったふりをしても、問題は解けるようになりません。ちゃんと理解した知識だけが試験会場であなたを助けてくれます。一歩ずつ、歩いていきましょう！

まもなく
「法令上の制限」編から
「税・その他」編に
切り替わります！

あせらず着実にいこう！

第**8**コース
その他の法令上の制限

コースの重要度をチェック！

スタート

ゴール

もうひと
ふんばりだ！

第**1**ポイント
盛土規制法

重要度 **A**

第**2**ポイント
**その他の
法令上の制限**

重要度 **B**

その他の法令上の制限

このコースの特徴

●盛土規制法は、細かい部分が出題される場合もありますが、基本的には点数をとりやすい分野です。その他の法令上の制限については、「知事の許可」以外のものをおさえておきましょう。

第 ❶ ポイント 重要度 Ⓐ

盛土規制法

攻略メモ
● 宅地造成等規制法が改正されて名称も「盛土規制法」となりました。旧法同様、災害防止を目的とした法律です。

1 規制区域

　盛土等に伴う災害を防止し、人命を守るため、都道府県知事等は、危険な盛土等を規制する区域を指定することができます。規制区域は次の２種類となります。

1 宅地造成等工事規制区域

　この区域は、市街地や集落、その周辺など、人家等が存在するエリアについて、宅地のみならず森林、農地を含めて広く指定するものとなります。

2 特定盛土等規制区域

　この区域は、市街地や集落等からは離れているものの、地形等の条件から人家等に被害を及ぼし得るエリア、渓流部などからの土石流や、斜面地等からの被害を想定したエリアを指定するものとなります。

2 規制対象

　盛土規制法（宅地造成及び特定盛土等規制法）では、宅地造成や特定盛土等について、規制の対象としています。

覚えよう！

宅地造成＝宅地以外の土地を宅地にするために行う盛土その他の土地の形質の変更で、政令で定めるもの

宅地とは、農地等（農地・採草放牧地・森林）及び公共施設用地（道路・公園・河川など）以外の土地をいいます。

覚えよう！

特定盛土等＝宅地または農地等において行う盛土その他の土地の形質の変更で、当該宅地または農地等に隣接し、または近接する宅地において災害を発生させるおそれが大きいものとして政令で定めるもの

3 宅地造成等工事規制区域

（1）許可制

宅地造成等工事規制区域内で以下の行為のいずれかを行う場合、**工事主**は、工事着手前に**都道府県知事の許可**を受けなければなりません。ただし、都市計画法の開発許可を受けて行われる工事については、盛土規制法による許可を受けたものとみなされます。また、都道府県知事は災害防止のために必要な条件をつけて許可することもできます。

つまずき注意の **前提知識**

「工事主」とは、工事の請負契約の注文者または請負契約によらないで自らその工事をする者をいいます。

 いい調子！

＜許可が必要な規模＞

宅地造成等	崖を生ずる盛土	1ｍを超える崖を生ずるもの
	崖を生ずる切土	2ｍを超える崖を生ずるもの
	盛土と切土を合わせた	2ｍを超える崖を生ずるもの
	崖を生じない盛土	高さ2ｍを超えるもの
	面積	500㎡を超えるもの
土石の堆積	①高さが2ｍを超え、かつ、面積が300㎡を超える ②面積が500㎡を超える（①を除く）	

（2）届出が必要なもの

1　宅地造成等工事規制区域

　宅地造成等工事規制区域内で一定の行為を行おうとする場合には、都道府県知事に届出をしなければなりません。

宅地造成等工事規制区域指定の際、すでに工事が行われている場合	指定があった日から21日以内
高さが2ｍを超える擁壁または排水施設、その全部または一部の除却工事を行おうとする場合	工事着手の14日前まで
公共施設用地を宅地または農地等に転用した場合 （許可等が必要な場合を除く）	転用した日から14日以内

4　特定盛土等規制区域

（1）許可制

　特定盛土等規制区域内で以下の行為のいずれかを行う場合、工事主は、工事着手前に都道府県知事の許可を受けなければなりません。

もうひと
ふんばりだ！

＜許可が必要な規模＞

特定盛土等	崖を生ずる盛土	2mを超える崖を生ずるもの
	崖を生ずる切土	5mを超える崖を生ずるもの
	盛土と切土を合わせた	5mを超える崖を生ずるもの
	崖を生じない盛土	高さ5mを超えるもの
	面積	3,000㎡を超えるもの
土石の堆積	①高さが5mを超え、かつ、面積が1,500㎡を超える ②面積が3,000㎡を超える（①を除く）	

（2）届出制

　一定の特定盛土等または土石の堆積に関する工事について、工事主は、工事に着手する日の **30日前まで**に、工事計画を都道府県知事に届け出なければなりません。

＜届出が必要な規模＞

特定盛土等	崖を生ずる盛土	1mを超える崖を生ずるもの
	崖を生ずる切土	2mを超える崖を生ずるもの
	盛土と切土を合わせた	2mを超える崖を生ずるもの
	崖を生じない盛土	高さ2mを超えるもの
	面積	500㎡を超えるもの
土石の堆積	①高さが2mを超え、かつ、面積が300㎡を超える ②面積が500㎡を超える（①を除く）	

（3）その他届出が必要なもの

❶　特定盛土等規制区域

　特定盛土等規制区域内で一定の行為を行おうとする場合には、都道府県知事に届出をしなければなりません。

特定盛土等規制区域指定の際、すでに工事が行われている場合	指定があった日から21日以内
高さが2mを超える擁壁または排水施設、その全部または一部の除却工事を行おうとする場合	工事着手の14日前まで
公共施設用地を宅地または農地等に転用した場合 （許可等が必要な場合を除く）	転用した日から14日以内

つまずき注意の
前提知識
許可が必要な規模となった場合、届出制ではなく許可制となります。

5 許可基準

（1）許可申請前（事前手続き）

　許可にあたって、工事主は土地所有者等全員の同意を得なければなりません。また、工事主は周辺地域の住民に対して説明会を開催するなどの事前周知をしなければなりません。

（2）許可申請

　盛土等を行うエリアの地形・地質等に応じて、災害防止のために必要な許可基準を設定しており、それらに該当しているかチェックします。

　また、工事主は現場に標識を掲示しなければなりません。これにより、無許可行為の早期発見が可能となります。

（3）工事着手

　許可基準に沿って安全対策が行われているかどうかを確認するため、次の2点を実施します。

①施行状況の定期報告
②施行中の中間検査

（4）完了時

　工事完了の際には、工事主は都道府県知事の完了検査を受けなければなりません。

1 許可後の変更

　工事の許可を受けた者が工事の計画の変更をしようとするときは、原則として、**再度都道府県知事の許可を受けなければなりません**。ただし、軽微な変更の場合は、

遅滞なく、都道府県知事に届け出れば足ります。軽微な変更とは、工事主・設計者・工事施行者の氏名または名称ならびに住所の変更、工事着手予定日・完了予定日の変更を指します。

6 有資格者の設計

高さが5mを超える擁壁を設置するとき、または、盛土または切土をする土地の面積が1,500㎡を超える土地について排水施設を設置するときは、一定の資格を有する者の設計によらなければなりません。

7 責任

1 工事中の責務

工事主や工事施行者には、工事を適正に施行する責務があります。無許可での盛土や安全基準違反や検査の受検義務違反があった場合には、施行停止命令や災害防止措置命令（擁壁の設置など）を受けることがあります。

2 保全義務等

盛土等が行われた土地について、土地所有者等には常時安全な状態を維持する責務があります。さらに、災害防止のため必要なときは、土地所有者等だけでなく、原因行為者（過去の土地所有者等）に対しても是正措置等を命令できます。

あせらず着実にいこう！

8 罰則

違法な盛土行為などが行われないための抑止力として、罰則が機能するよう、無許可行為や命令違反等に対する懲役刑及び罰金刑について、最大で懲役３年以下・罰金1,000万円以下としています。さらに、法人に対しても両罰規定において最大で罰金３億円以下としています。

9 造成宅地防災区域

造成宅地防災区域は、すでに造成されている宅地で、災害により危険性の高い区域について、安全確保のために指定されるものです。なお、**造成宅地防災区域は、宅地造成等工事規制区域内に指定することはできません。**

参考

■許可が必要な規模

1 土地の形質の変更

A 崖を生ずるもの

	盛土	切土	盛土＋切土
図	高さ／盛土	切土／高さ	盛土・切土／切土／高さ
宅地造成等工事規制区域	高さ1m超	高さ2m超	高さ2m超
特定盛土等規制区域	高さ2m超	高さ5m超	高さ5m超

B 上記以外

	盛土	盛土 or 切土
図	高さ／盛土（崖を生じないもの）	盛土／切土（盛土又は切土のみの場合も含む）
宅地造成等工事規制区域	高さ2m超	面積500㎡超
特定盛土等規制区域	高さ5m超	面積3,000㎡超

2 一時的な土石の堆積

図	高さ／面積	面積
宅地造成等工事規制区域	最大時に堆積する高さが2m超かつ面積300㎡超	最大時に堆積する面積500㎡超
特定盛土等規制区域	最大時に堆積する高さが5m超かつ面積1,500㎡超	最大時に堆積する面積3000㎡超

合格めざして がんばろう

攻略メモ

● 数が多く、きりがないので、ここに掲載されていないものは「知事の許可」と割り切ることも大事です。

第❷ポイント

重要度 **B**

その他の法令上の制限

1 その他の法令

基本的には工事などを行うときには**都道府県知事の許可**が必要なのですが、以下のものは知事の許可ではないので覚えておきましょう。

覚えよう！

- ・自然公園法（国立公園） → 環境大臣
- ・文化財保護法 → 文化庁長官
- ・道路法 → 道路管理者
- ・河川法 → 河川管理者
- ・海岸法 → 海岸管理者
- ・港湾法 → 港湾管理者
- ・生産緑地法 → 市町村長

ちょこっとトレーニング 本試験過去問に挑戦！

問 河川法によれば、河川保全区域内において工作物の新築又は改築をしようとする者は、原則として河川管理者の許可を受けなければならない。(2001-24-3)

解答 ○：河川管理者の許可が必要。

ここからが本当の勝負です！

まだ合格できる可能性はあります。試験日までとにかく突っ走りましょう。1％でも可能性があるなら諦めないでがんばりましょう。もしかしたら、わからなくて適当にマークした問題が数問正解していて合格ラインを超えるかもしれません。でも、それだって、みなさんが諦めてしまって試験に行くのをやめてしまったり、 マークを塗るのをやめてしまったら、起こらないことですよね。「どの分野も完璧だ！」と言って試験会場に行く人はいません。みんなどこかに弱点があったり不安になっていたりするもの。不安に負けないようにしてください！　今は自分のできるすべてをすることが大事です。

いい調子！

第4編 税・その他　目次

第1コース

合格の **トリセツ**		
一問一答	分冊③	680〜743
過去問題集	分冊③	問65〜問87

税

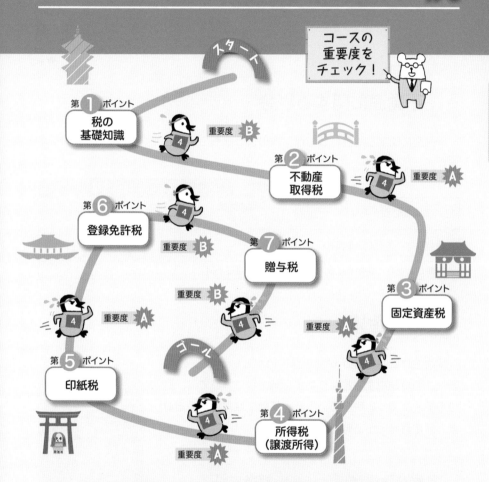

コースの重要度をチェック！

スタート

第1ポイント
税の基礎知識　重要度 B

第2ポイント
不動産取得税　重要度 A

第6ポイント
登録免許税　重要度 B

第7ポイント
贈与税　重要度 B

第3ポイント
固定資産税　重要度 A

第5ポイント
印紙税　重要度 A

ゴール

第4ポイント
所得税（譲渡所得）　重要度 A

このコースの特徴

- 例年、地方税（2・3）から1問、国税（4〜7）から1問出題されています。計算よりも制度的なものが中心です。国税はまれに贈与税などの細かいものが出題されることがありますが、地方税はしっかり1問とりたいところです。

第 ❶ ポイント  重要度 B

税の基礎知識

攻略メモ

● 税の分野は苦手にしている人も多いのですが、捨てるのは非常にもったいないので、しっかり基本事項を確認しておきましょう。

1 不動産に関する税金

不動産に関する税金としては、次のようなものがあります。

	国税	地方税
取得時にかかる税金	登録免許税 印紙税	不動産取得税
保有しているとかかる税金	―	固定資産税 都市計画税
売却したときにかかる税金	所得税（譲渡所得）	―

2 課税主体

課税主体とは、誰が税金を課すのかということです。国税は国が課税主体となります。地方税については、**1**の不動産に関する税金でいうと、不動産取得税が都道府県、固定資産税が市町村となります。

「ふどうさんしゅとくぜい」は「とどうふけん」、「こていしさんぜい」は「しちょうそん」と、音で覚えると忘れにくいです！

不動産取得税 ➡ 都道府県

固定資産税 ➡ 市町村

あせらず着実にいこう！

3 税の仕組み

100円のお菓子にかかる消費税相当額は本来は、100円×10％＝10円です（軽減税率で8％）。この「100円」のように、税額を計算するもとになる金額を「**課税標準**」といいます。課税標準に税率をかけて税額を計算します。

税金が安くなる優遇措置がありますが、その計算の仕方として、課税標準を下げるのか、税率を下げるのか、税額を下げるのかによって、呼び方が違います。

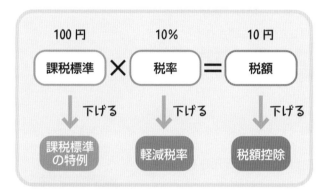

 本試験過去問に挑戦！

問 不動産取得税は、不動産の取得に対し、当該不動産の所在する市町村において、当該不動産の取得者に課される。（2004-26-1）

解答 ×：不動産取得税は市町村ではなく都道府県が課税主体。

第**❷**ポイント　重要度 **A**

不動産取得税

攻略メモ
● 不動産を取得したらかかる税金です。ですので、取得した1回のみ課税されます。免税点・特例などの条件をしっかりと！

1 不動産取得税とは

　不動産取得税は、土地を購入したり、家屋を新築したりするなど、不動産を取得した場合に課される税金です。したがって、不動産を取得した際に一度だけ不動産取得税を納めることになります。

2 課税主体

　不動産取得税の課税主体は、**不動産が所在する都道府県**です。

例 神奈川県に住む人が北海道の土地を購入

北海道

購入

神奈川県

不動産取得税は北海道に納める！

住んでいる都道府県ではなく、不動産が所在する都道府県です。ということは、日本の法律なので海外の不動産を購入しても不動産取得税は課税されません。

3 課税客体

　不動産の取得に対して税金がかかります。有償・無償を問わず、不動産を売買や交換、贈与、新築、改築などにより取得した際に税金がかかります。ただし、改築については、家屋の価格が増加した場合のみ、その増加分に対して課税されます。

　しかし、**相続や法人の合併により取得した場合には不動産取得税は課税されません。**

4 非課税

　取得者が国・地方公共団体の場合には不動産取得税は非課税になります。

5 課税標準

　固定資産課税台帳の登録価格（固定資産税評価額）となります。売買代金ではありません。

6 税額の計算

　不動産取得税の税額は以下のように計算します。

もうひとふんばりだ！

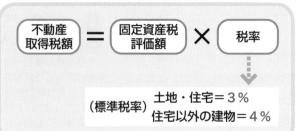

7 免税点

　不動産取得税の課税標準となるべき額が以下の場合、不動産取得税は免税されます。

土地		10万円未満
建物	新築・増改築	1戸につき23万円未満
	その他（中古住宅の売買など）	1戸につき12万円未満

8 納付方法

　不動産取得税の納付方法は普通徴収によります。普通徴収とは、納税通知書の交付を受けた納税者が納付するという方法です。

ライバルに差をつける
関連知識

納税通知書は遅くともその納期限の10日前までに納税者に交付しなければなりません。

9 課税標準の特例

　新築住宅や既存住宅を取得した場合、適用要件を満たせば、課税標準から一定額が控除されます。また、宅地を取得した場合、課税標準が2分の1の額に引き下げられます。

●課税標準の特例

	新築住宅	既存住宅
適用条件	住宅の床面積が 50㎡（一戸建て以外の賃貸住宅は 40㎡）以上 240㎡以下であること	①自己の居住用 ②床面積 50㎡以上 240㎡以下 ③一定の耐震基準を満たす住宅
取得者	個人・法人問わない （法人にも適用あり）	個人のみ （法人には適用なし）
用途	賃貸しても、親族に住まわせても、住宅であればよい	取得した個人の居住用のみ
控除額	1,200 万円	当該住宅が新築された日により控除額は異なる

ちょこっとトレーニング　➤ 本試験過去問に挑戦！

問1 不動産取得税は、相続、贈与、交換及び法人の合併により不動産を取得した場合には課せられない。(1996-30-3)

問2 不動産取得税は、不動産の取得に対して、当該不動産の所在する都道府県が課する税であるが、その徴収は特別徴収の方法がとられている。(2006-28-3)

問3 令和 7 年 4 月に取得した床面積 250㎡である新築住宅に係る不動産取得税の課税標準の算定については、当該新築住宅の価格から 1,200 万円が控除される。(2012-24-2 改題)

解答 1　×：贈与と交換は課税される。
2　×：特別徴収ではなく普通徴収。
3　×：控除は床面積 50㎡〜 240㎡まで。

合格めざして がんばろう

❶━❷━❸・・・④・・・⑤・・・⑥・・・⑦

第❸ポイント　　　重要度 **A**

固定資産税

攻略メモ

● 不動産を所有していると毎年かかる税金です。数字などが不動産取得税と似ているけれども違うので混乱しないように注意！

---

1 固定資産税とは

　固定資産税は、「固定資産を持っていること」に対してかかる税金です。固定資産とは、土地・家屋（かおく）・償却資産（しょうきゃくしさん）（事業用機械など）のことです。取得した翌年度から、所有している限り毎年課税されます。

2 課税主体

　固定資産税の課税主体は、**不動産が所在する市町村**です。

3 納税義務者

　固定資産税の納税義務者は、１月１日現在、固定資産課税台帳に所有者として登録されている者です。当該年度の初日の属する年の**１月１日の所有者**が当該年度の**１年度分**負担します。

アドバイス

「年度の途中で譲渡があった場合、売主と買主が日割りで負担する」とあったら答えは×。○にしてしまう人が多いので注意。１月１日の所有者が１年度分負担するのが税のルール。

ファイト！
ファイト！

ちなみに、基本的には所有者が納税義務者なのですが、質権が設定されている場合には質権者が、100年より永い期間の地上権（  第１編 P73 参照）が設定されている場合には地上権者が納税義務者となります。

4 課税標準

　固定資産課税台帳の登録価格（固定資産税評価額）となります。売買代金ではありません。なお、評価額は地目の変換などの特別な事情や市町村の統廃合などがない限り、基準年度の価格を３年度分据え置くこととされています。

　なお、固定資産税の納税者は、固定資産課税台帳に登録された価格について不服がある場合には、固定資産評価審査委員会に審査の申出をすることができます。

5 税率

　固定資産税の標準税率は 1.4% です。しかし、あくまで「標準」であり、1.4% でなければならないというわけではありません。この数値を基準にして、各市町村でそれぞれ設定します。

6 納期

　固定資産税の納期は４月・７月・12月・２月中において、市町村の条例で定められますが、市町村でこれと異なる定めをすることも可能です。

つまずき注意の 前提知識

質権とは、債権の担保として債務者などから受けとった物を占有し、その物について他の債権者に優先して自己の債権の弁済を受ける権利のことです。

つまずき注意の 前提知識

固定資産課税台帳は、市町村に所在している固定資産の状況や価格を明らかにするため備えられています。また、納税義務者や賃借人等の請求があった場合、台帳に記載されている一定の事項についての証明書を交付しなければなりません。

7 免税点

　固定資産税の課税標準が以下の場合、固定資産税は免税されます。

土地	30万円未満
建物	20万円未満

8 納税方法

　固定資産税の納付方法は普通徴収によります。納税通知書は遅くとも納期限の10日前までに納税者に交付しなければなりません。なお、**市街化区域では、固定資産税とあわせて都市計画税も徴収されます。**

9 課税標準の特例

　住宅用地では、以下の課税標準の特例が認められています。

● **小規模住宅用地（200㎡以下）**

　200㎡以下
　↓
　評価額× 1/6

● **一般の住宅用地（200㎡超）**

200㎡	200㎡を超える部分
↓	↓
評価額× 1/6	評価額× 1/3

いい調子！

10 税額控除

新築住宅では、以下の税額控除が認められています。

新築住宅 ＋ 床面積 50㎡〜 280㎡の場合
（貸家用は 40㎡〜 280㎡）

→3年度分 or 5年度分、120㎡までの部分について税額が 1/2 減額

┈┈┈┈➤ 中高層耐火建築物の場合

ちょこっとトレーニング ➤ 本試験過去問に挑戦！

問1 今年 1 月 15 日に新築された家屋に対する今年度分の固定資産税は、新築住宅に係る特例措置により税額の 2 分の 1 が減額される。(2015-24-1)

問2 住宅用地のうち小規模住宅用地に対して課する固定資産税の課税標準は、当該小規模住宅用地に係る固定資産税の課税標準となるべき価格の3分の1の額である。(2013-24-3)

解答 1 ×：1月1日の所有者ではないので、当年度は課税されない。
2 ×：3分の1ではなく6分の1。

第 **❹** ポイント　重要度 **A**

所得税（譲渡所得）

1 所得税（譲渡所得）とは

　所得税は、「個人の所得」に課される税金です。給与所得や事業所得、雑所得など 10 種類ありますが、宅建士試験に出題されるのは、不動産などを譲渡した際に生じる譲渡所得です。

　譲渡所得は、以下のように計算していきます。

不動産を売却した価格

売却した不動産の購入代金など

売るためにかかった費用。仲介手数料・印紙代など

譲渡所得 ＝ 収入価格 － 取得費 － 譲渡費用

2 譲渡所得の特例

★譲渡所得の特例一覧

課税標準	税率	税額
① 3,000 万円控除 ② 5,000 万円控除 ③買換え特例 ④課税の繰延べ ⑧譲渡損失の繰越控除	⑤居住用財産の軽減税率 ⑥優良住宅地の軽減税率	⑦住宅ローン控除

4,000 万円で買った土地を 5,000 万円で売り、そのために費用が 200 万円かかった場合、譲渡所得は800 万円となります。この金額から次に述べる特別控除をして課税標準とします。

3 税率

　譲渡所得の税率は、不動産を譲渡した年の1月1日における所有期間によって変わります。

> ［所有期間5年以内］　　5年　　［所有期間5年超］
>
> 短期譲渡所得　　　　　　　　　　長期譲渡所得
> 30%　　　　　　　　　　　　　　15%

4 3,000万円控除

　個人が、一定の財産を譲渡した場合、その譲渡益から3,000万円の特別控除額を控除することができます。適用要件は次のとおりです。

> **1** 居住用財産であること
> 　　※ 居住しなくなって3年目の年末までに譲渡するもの
> **2** 親族等への譲渡ではないこと
> **3** 3年に1度だけ
> 　　※ 3,000万円控除のほか、買換え特例も受けていないこと

　なお、3,000万円控除は所有期間を問わずに適用できることに注意してください。

アドバイス

3,000万円控除は、試験問題では「居住用財産の譲渡所得の特別控除」といういい方で出題されることもあります。この表現をみたら「3,000万円控除のことだ」と思えるようにしてください。

5 5,000万円控除

　収用交換等の場合の5,000万円特別控除とは、個人の資産が収用交換などによって譲渡された場合、公共事業の施行者から申出があった日から6カ月以内に譲渡したときに、その譲渡金額が5,000万円の範囲内で控除されます。5,000万円控除は所有期間を問わずに適用できます。

6 買換え特例

　今まで住んでいた家を売り、新しい家に住む場合、古い家を売った金額（譲渡資産）よりも買った新しい家の金額（買換資産）が高い場合、もうけは全くありません。その場合には課税されないことになっています。また、新しい家の金額（買換資産）が安い場合は、差額部分をもうけとして課税することになります。これを買換え特例といいます。

【譲渡資産】　　【買換資産】
4,000万円　＜　6,000万円　→課税されない
6,000万円　＞　4,000万円　→差額が課税

適用要件は以下のとおりです。

譲渡資産

1 所有期間 10 年超
2 居住期間 10 年以上
3 親族等への譲渡ではないこと
4 居住しなくなって 3 年目の年末までに譲渡
5 譲渡による対価の額が 1 億円以下

買換資産

1 家屋の居住用床面積 50㎡以上
2 家屋の敷地面積が 500㎡以下
3 譲渡した年の前年 1 月 1 日から翌年 12 月 31 日に取得

7 軽減税率

　居住用財産の軽減税率の特例は、所有期間が **10 年超** であり、自己の居住の用に供されなくなった日から 3 年を経過する日の属する年の 12 月 31 日までに譲渡する場合に使えます。

　また、優良住宅地の軽減税率の特例は所有期間が **5 年超** の場合に使えます。

8 重複適用

重複適用とは、複数の特例の適用をあわせて受けることができることです。

以下の組合せの場合、重複適用ができます。

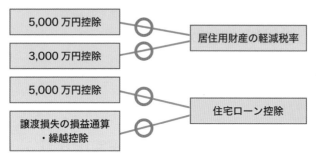

ちょこっとトレーニング　本試験過去問に挑戦！

問 譲渡した年の1月1日において所有期間が10年以下の居住用財産を譲渡した場合には、居住用財産の譲渡所得の特別控除を適用することはできない。(2003-26-1)

解答 ×：3,000万円控除は所有期間を問わない。

第❺ポイント 重要度 A

印紙税

攻略メモ

● 1624年オランダで戦費調達のために考案されました。重税感を与えずお金を余裕ある人から徴税できるものです。

1 印紙税とは

　印紙税とは、契約書や領収書などの課税文書の作成者に国が課す税金です。収入印紙をはりつけて消印することによって納税します。

2 課税文書

　では、課税文書・非課税文書はどのようなものなのでしょうか。

課税文書	非課税文書
土地の賃貸借契約書 売買・交換契約書 贈与契約書 金銭の受取書（5万円以上） 　→敷金の領収証	建物の賃貸借契約書 委任状 抵当権設定契約書 使用貸借の契約書 営業に関しない金銭の受取書

　「仮契約書」や「覚書」などの名称であっても、契約書としての役割を果たすのであれば課税文書です。また、何通作成したとしても、それぞれ契約の成立を証明する目的で作られたものであれば、それらは全て課税文書となります。

ライバルに差をつける 関連知識

印紙税の納税義務者は文書の作成者です。つまり、代理人が文書を作成した場合、その代理人が納税義務者となります。また、1つの課税文書を2人以上の者が共同して作成した場合には、当該2人以上の者は、連帯して印紙税を納める義務があります。

 あせらず着実にいこう！

3 納付方法

　課税文書に印紙をはり、印章や署名によって消印することによって印紙税を納付したことになります。**代理人や使用人の印章や署名でもかまいません。**

4 課税標準

　印紙税の課税標準は、文書の記載金額になります。売買契約書であれば、売買代金が課税標準となります。では、それ以外はどうでしょうか。

覚えよう！

1. 交換契約書　双方の金額が記載　➡　高いほうが記載金額
　　　　　　　　交換差金のみ記載　➡　交換差金が記載金額
2. 贈与契約書　➡　記載金額なしとして扱う（印紙税額は200円）
3. 契約金額を増加させる契約書　➡　増加金額が記載金額
4. 契約金額を減少させる契約書　➡　記載金額なしとして扱う
　　　　　　　　　　　　　　　　　　（印紙税額は200円）
5. 土地賃貸借の契約書　➡　権利金（賃料・地代ではない！）

　なお、契約書に消費税額が区分記載されている場合には、消費税額は記載金額に含めません。

5 過怠税

印紙税の納付を忘れた場合、以下の過怠税が課されます。

■ **印紙をはっていなかった場合**

　印紙税額の実質３倍が過怠税として課されます（未納

分とその2倍の合計額のため、実質3倍となります）。
しかし、自己申告の場合は1.1倍です。

2 消印をしなかった場合

消印をしていない印紙の額面金額分の過怠税が徴収されます。

6 非課税

国・地方公共団体が作成した文書は、非課税文書となります。

国と私人で契約した場合、私人が保存している文書は相手方である国が作成した文書となりますから、私人が保存する文書は非課税文書となります。

ちょこっとトレーニング 本試験過去問に挑戦！

問1 「Aの所有する甲土地（価額3,000万円）をBに贈与する」旨の贈与契約書を作成した場合、印紙税の課税標準となる当該契約書の記載金額は、3,000万円である。(2016-23-3)

問2 国とD社とが共同で土地の売買契約書（記載金額5,000万円）を2通作成し、双方で各1通保存する場合、D社が保存するものには、印紙税は課税されない。(1997-28-2)

解答 1 ×：贈与契約書は金額記載がないものとして扱う（印紙税額は200円）。

2 ○：私人が保存する文書は国の作成であり非課税。

もうひとふんばりだ！

第❻ポイント　重要度 **B**

登録免許税

攻略メモ

● 頻度はそれほど高くありませんが、出題されたらとりやすい問題が多いです。ここに書いてある程度は最低限学習しておきましょう。

1 登録免許税とは

　登録免許税とは、土地や建物を取得して、所有権を第三者に主張できるように登記所で登記を受けるときなどに課される税です。ただし、表示に関する登記には基本的には課税されません。

2 納税義務者

　納税義務者は登記を受ける者です。不動産の売買によって所有権移転登記をする場合、**売主と買主が連帯して**納付する義務を負います。

3 課税標準

　売買などの場合、売買金額ではなく、固定資産課税台帳の価格を基準にして課税標準が決まります。ただし、抵当権設定登記は債権金額を課税標準にします。

　また、課税標準が 1,000 円未満のときは、その課税標準は 1,000 円として計算されます。

ライバルに差をつける 関連知識

納付した登録免許税に不足があれば、たとえその判明が登記の後であっても、追徴されることがあります。

合格めざして がんばろう

4 税率

　所有権保存登記・所有権移転登記・抵当権設定登記など、登記によって、登録免許税の税率は異なります。

5 住宅用家屋の軽減税率

　以下の場合に、住宅用家屋の軽減税率が適用されます。

つまずき注意の
前提知識

この軽減税率の特例が適用されるのは建物（住宅用家屋）のみで、土地には適用されません。

【適用要件】

1 家屋の床面積が 50㎡以上であること

2 自己の居住用に供すること

3 新築（取得）後1年以内に登記を受けること

⬇

- ●所有権保存登記　＝　新築のみ
- ●所有権移転登記　＝　売買・競落のみ
- ●抵当権設定登記

ライバルに
差をつける
関連知識

この軽減税率の特例については、回数制限がありませんので、以前に適用を受けたことがある者も適用可能です。

6 納付方法

　基本的には現金納付ですが、税額が３万円以下の場合には印紙納付も認められています。

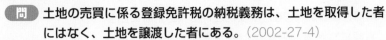

ちょこっと**トレーニング**　本試験過去問に挑戦！

　問　土地の売買に係る登録免許税の納税義務は、土地を取得した者にはなく、土地を譲渡した者にある。（2002-27-4）

　解答　×：売主と買主が連帯して義務を負う。

第 **7** ポイント 重要度 **B**

贈与税

攻略メモ
● 相続税を免れるために財産を生前に贈与する人がいます。したがって、相続税を納める人との公平を図る観点から贈与税は設けられました。

1 贈与税とは

個人から贈与によりもらった場合に、そのもらった個人に対して課される税金です。なお、法人が個人からもらった場合、または法人が法人からもらった場合、そのもらった法人には法人税が課されます。また、個人が法人からもらった場合、そのもらった個人には所得税が課されます。

2 課税方法

暦年課税と相続時精算課税の2つの仕組みがあります。

1 暦年課税

［1年間にもらった財産の合計］―

　　　　　［基礎控除額（110万円）］が課税標準

2 相続時精算課税

2,500万円までの贈与額が非課税で、2,500万円を超えた部分について20%が課税される（相続時に贈与により取得した財産と相続財産を合算した額に10〜55%で課税）

3 非課税と特例の適用要件

	贈与税の非課税	相続時精算課税の特例
贈与の内容	住宅取得等資金の贈与 （家屋の贈与はNG！）	住宅取得等資金の贈与 （家屋の贈与はNG！）
贈与者	直系尊属（父母・祖父母等） 年齢は問わない	祖父母・父母 年齢は問わない
受贈者	18歳以上の子・孫等	18歳以上の子・孫
受贈者の 適用要件	所得金額2,000万円以下	所得金額を問わない
非課税額 特別控除額	非課税額500万円※	特別控除額2,500万円
基礎控除（110万円） との併用	併用OK	併用OK

※住宅用家屋の種類によっては1,000万円

　贈与を受けた資金による家屋の増改築等や既存住宅の取得にも適用されます。また、住宅用家屋の新築に先行してするその敷地の用に供されることになる土地等の取得のための対価となる資金の贈与を受けた場合も適用があります。

あせらず着実にいこう！

模試を受けよう！

2 時間集中力を持続させるというのは難しいものです。ぜひ、会場でその訓練をしてほしいと思います。自宅受験ですと、ついつい休憩しながら解いてしまったりして、2時間集中するという練習はしにくいものです。できれば会場で受験してもらいたいと思います。模試は時間制限の中で解くスピードを考えたり、解く順番を考えたり、いろいろなシミュレーションをすることができます。「自分の弱点を発見する」という目的のみならず、さまざまなことが学べるので、ぜひ積極的に受けるようにしてください。

こらっ！

2時間あれば
お昼寝できるね
ZZZ…

ある意味
大モノだな…

ファイト！
ファイト！

第 **2** コース

合格の**トリセツ**

一問一答 分冊③ 744〜761

過去問題集 分冊③ 問88〜問99

価格の評定

コースの重要度をチェック！

スタート

第 ① ポイント
地価公示法　重要度 **A**

あせらず着実にいこう！

もうひとふんばりだ！

重要度 **A**

第 ② ポイント
不動産鑑定評価基準

ゴール

価格の評定

このコースの特徴

● 例年、地価公示法と不動産鑑定評価基準のどちらかから1問出題されます。深追いは禁物の分野ですが、しっかりと対策をしていれば得点できる年も多いので、基本問題には対応できるようにしておきましょう。

第**1**ポイント 重要度 **A**

地価公示法

攻略メモ

● 地価公示法については、都道府県知事が登場しないということは意識しておきましょう。

1 地価公示とは

地価公示とは、土地鑑定委員会が、毎年1月1日時点における標準地の正常な価格を公示するものです。公示は毎年3月に行われます。適正な地価が形成されることを目的として、全国のさまざまな場所の土地の価格を公示しています。そのため土地の価格を公示するための標準地は、自然的および社会的条件からみて類似の利用価値を有すると認められる地域において、土地の利用状況や環境などが通常と認められる土地について選定されます。

この土地の値段っていくらくらい？

土地の値段というのは、なかなかわからないものです。

2 地価公示の手続き

次のような流れで手続きを進めていきます。

いい調子！

国土交通大臣	土地鑑定委員を任命 「公示区域」を指定

	「標準地」を選定 公示区域内で、土地の利用状況・環境等が通常と認められる一団の土地

土地鑑定委員会	２人以上の不動産鑑定士が鑑定 標準地上に建物が存在したり、地上権などが設定されている場合、それらが存しないものとして鑑定評価

	「正常な価格」の判定

	年１回、官報にて公示

	書面と図面を関係市町村長に送付

市町村長	書面と図面を市町村の事務所に置き、閲覧に供する

ライバルに差をつける
関連知識

公示区域は都市計画区域その他の土地取引が相当程度見込まれるものとして国土交通省令で定める区域です。そのため、必要があれば都市計画区域外にも指定できます。

ライバルに差をつける
関連知識

標準地の鑑定評価は、地価公示法では、「近傍類地の取引価格から算定される推定の価格、近傍類地の地代等から算定される推定の価格及び同等の効用を有する土地の造成に要する推定の費用の額を勘案してこれを行わなければならない」としています。

3 官報の公示内容

官報には、以下の内容などを公示します。

1 標準地の所在地

2 標準地の単位面積あたりの価格・価格判定の基準日

3 標準地の地積（面積）・形状（土地の形）

ライバルに差をつける
関連知識

前回からの変化率を公示する必要はありません。

4　標準地及びその周辺の土地の利用の現況
5　標準地についての水道・ガス供給施設及び下水道
　の整備の状況

4　公示価格の効力

1　一般の土地取引に対する効力

土地の取引をする者は、取引しようとする土地に類似する利用価値を有する標準地の公示価格を指標として取引を行うように努めなければなりません。

あくまで努力目標です。

2　公示価格が規準となる場合

- 不動産鑑定士の鑑定評価
- 公共事業用に供する土地取得価格の算定

左の２つを行う際には、公示価格を規準としなければなりません。

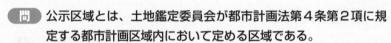

ちょこっとトレーニング　本試験過去問に挑戦！

問　公示区域とは、土地鑑定委員会が都市計画法第４条第２項に規定する都市計画区域内において定める区域である。

（2011-25-1）

解答　×：公示区域を定めるのは国土交通大臣。都市計画区域内に限らない。

第2ポイント 不動産鑑定評価基準

重要度 **A**

攻略メモ

● 難しい年は本当に難しいので、基本問題のみをとれれば大丈夫。ややこしい言葉が多いので、そのあたりをおさえておきましょう。

1 不動産鑑定評価基準とは

　不動産鑑定評価基準とは、不動産の適正な鑑定評価を行うために用いる指針をいいます。

2 最有効使用の原則

　駅前のビルが立ちならぶ土地に、木造の建物が建っている場合、この土地は最も有効な土地利用をしているとはいえません。本来であれば、大きなビルが建てられる土地ですので、それが最も有効な利用の仕方（最有効使用）ということになります。土地の価格は、最有効使用のときの価格を標準として決まります。これを「最有効使用の原則」といいます。

3 価格の種類

　不動産の価格はどのような価格を求めるかによって考えるべき点が違ってきます。「不動産鑑定評価基準」には、４つの価格があります。

応援してるよ！ガンバレ！

1 正常価格

市場性を有する不動産について、現実の社会経済情勢の下で合理的と考えられる条件を満たす市場で形成されるであろう市場価値を表示する適正な価格

「売り急ぎや買い急ぎをしないで冷静に判断して売買するとしたらこの程度ですね」という価格です。

2 限定価格

市場性を有する不動産について、不動産と取得する他の不動産との併合または不動産の一部を取得する際の分割等に基づき正常価格と同一の市場概念の下において形成されるであろう市場価値と乖離することにより、市場が相対的に限定される場合における取得部分の当該市場限定に基づく市場価値を適正に表示する価格

隣接している土地を所有している人にとっては、隣の土地を購入することによって、自分の土地の敷地面積が広がり、各階の床面積の広いビル建築が可能となるなど利用価値も高まるという場合の、隣の人が購入する際の適正な価格です。

3 特定価格

市場性を有する不動産について、法令等による社会的要請を背景とする鑑定評価目的の下で、正常価格の前提となる諸条件を満たさないことにより正常価格と同一の市場概念の下において形成されるであろう市場価値と乖離することとなる場合における不動産の経済価値を適正に表示する価格

「数年後には2億円で売れるだろうけど、すぐにお金がほしいから今1億円で売りたい」といった事情がある場合などの価格です。

4 特殊価格

> 文化財等の一般的に市場性を有しない不動産について、その利用現況等を前提とした不動産の経済価値を適正に表示する価格

売買されることがないであろう重要文化財や宗教建築物などの保存等に主眼をおいた価格です。

4 鑑定評価の手法

鑑定評価の手法は次の3つがあります。そして、鑑定評価をする際には複数の鑑定評価の手法を適用すべきとされています。

1 原価法

原価法は、まず、価格時点における対象不動産の再調達原価を求めます。それから、この再調達原価について減価修正を行って対象不動産の試算価格（積算価格）を求める手法です。

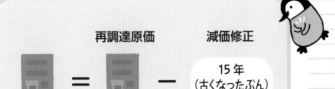

対象不動産が土地のみである場合でも、再調達原価を適切に求めることができるときは、この手法を適用することができます。

2　取引事例比較法

　取引事例比較法とは、まず、多数の取引事例を収集して適切な事例の選択を行います。そして、これらに係る取引価格に必要に応じて事情補正および時点修正を行い、かつ地域要因の比較および個別的要因の比較を行って求められた価格を比較考量していきます。このようにして対象不動産の試算価格（比準価格）を求める手法です。つまり、似たような他の不動産の取引価格から、対象不動産の価格を求める手法です。

ライバルに
差をつける
関連知識
投機的取引と認められる事例などは用いてはなりません。

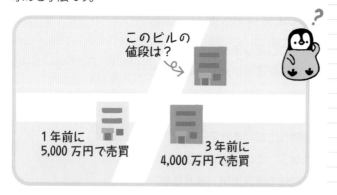

このビルの
値段は？

1年前に
5,000万円で売買

3年前に
4,000万円で売買

　多数の取引事例を収集して適切な事例の選択を行います。

3　収益還元法

　収益還元法は、対象不動産が将来生み出すであろうと期待される純収益の現在価値の総和を求めることにより価格を求める手法です（自己居住用でもOK）。

あせらず着実にいこう！

収益価格を求める方法
- 直接還元法 ➡ 一期間のもうけ
- DCF法 ➡ 連続する複数の期間のもうけ

（証券化対象不動産はDCF法による。併せて直接還元法も適用するのが適切）

5 支払賃料と実質賃料

たとえば、「賃料月額20万円で、権利金96万円を2年で償却」とあった場合で考えてみましょう。毎月払う賃料は20万円ですよね。これが支払賃料です。それに対して、権利金も払っているのだから、実質的には権利金の分（96万円を2年ということは、毎月4万円分）を上乗せしていると考えることもできます。なので、実質的には毎月24万円払っているということになります。これが実質賃料です。

ちょこっとトレーニング ▶ 本試験過去問に挑戦！

問 特殊価格とは、市場性を有する不動産について、法令等による社会的要請を背景とする評価目的の下で、正常価格の前提となる諸条件を満たさない場合における不動産の経済価値を適正に表示する価格をいう。（2008-29-3）

解答 ×：特殊価格ではなく特定価格の説明になっている。

＋α知識

　不動産の効用および相対的稀少性ならびに不動産に対する有効需要の三者に影響を与える要因を価格形成要因といい、「一般的要因・地域要因・個別的要因」に分けられます。

免除科目攻略法

　免除科目は全部で５問出題されます。「住宅金融支援機構法」と「景品表示法」については、しっかり学習して得点できるようにしておきましょう。「統計」については、直前期にデータを覚えるだけでとれます。試験数日前には、忘れずに勉強しておきましょう。直前期の勉強で１点とれることが多いです。「土地」についⅦ

ては、重要テーマをおさえておくようにしておいてください。ただ「建物」に関しては、範囲も広く、対策がたてにくい分野ですので、あまり深入りしないようにしましょう。満点をねらって細かいところまで勉強するよりも、確実に点数のとれる部分のみを勉強して３点から４点を確保することを目標にしましょう。

> わわわーっ！
> ついにここまで来れたんだ！

> もうちょっとだね
> あと一息だ！

> もうひとふんばりだ！

第3コース

免除科目

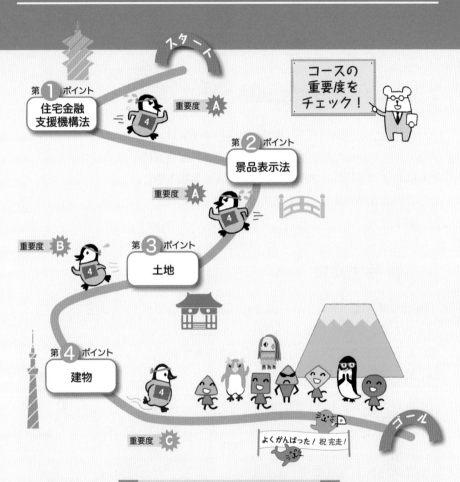

スタート

コースの重要度をチェック！

第①ポイント
住宅金融支援機構法

重要度 A

第②ポイント
景品表示法

重要度 A

重要度 B

第③ポイント
土地

第④ポイント
建物

重要度 C

よくがんばった！祝完走！

ゴール

免除科目

このコースの特徴

● 不動産業界にお勤めで「宅建登録講習」を受講し修了した人は、この分野は学習する必要はありません。この5問のうち、統計は直前期にデータを覚えれば対応できます。土地と建物は範囲が広いので、最低限をおさえることを目標にしましょう。

第❶ポイント　重要度 A

住宅金融支援機構法

攻略メモ

● 銀行が安心してマイホーム購入者にお金を貸せるように、陰でサポートしてくれています。複雑そうにみえますが仕組みを理解しましょう。

1 住宅金融支援機構法とは

　住宅金融支援機構（以下「機構」といいます）は、従来の住宅金融公庫の業務を引き継いで設立された独立行政法人です。銀行などの民間金融機関が、住宅購入者に対して資金を融資するのを支援することを主な業務としています。

2 証券化支援

　機構の業務は、あくまで民間の金融機関の融資のサポートです。直接住宅取得者に貸し付けるのではなく、次のような支援をしています。これが証券化支援事業です。

1 買取型

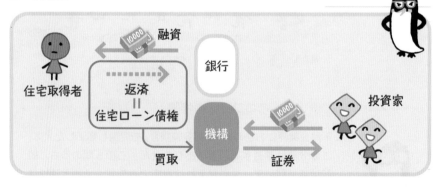

合格めざして　がんばろう

　民間の金融機関の住宅ローン債権を、機構が買い取って証券化し、それを投資家に売ります。金融機関とは銀行・保険会社・農協・信用金庫などです。なお、金利は金融機関ごとに異なっています。

つまずき注意の
前提知識
将来の金利変動のリスクを投資家に引き受けてもらうことが主な目的です。

> 【買取型の特徴】
> 1　新築住宅のみならず、中古住宅もOK
> 2　住宅購入に付随する土地や借地権の取得も含む
> 3　自ら居住するか親族が居住する場合が対象
> 4　住宅改良に必要な資金の貸付債権は含まない
> 　（例外：住宅購入に付随するものは対象となる）

2　保証型

　住宅ローン利用者が返済不能になった場合に民間の金融機関に保険金を支払う住宅融資保険（保証型用）の引受けを行います。また、民間金融機関が証券化した住宅ローン債権を機構が保証します。

3 直接融資

基本的には機構は直接融資を行いません。しかし、一定の災害復興建築物の建設や購入、子育て家庭や高齢者家庭向け賃貸住宅の建設や改良などのためには直接貸付を行う場合もあります。なお、災害などで支払いが困難になった場合、貸付条件の変更をしたり、元利金（元金と利息）の支払方法の変更をしたりはできますが、元利金の支払免除はできません。

4 その他の業務

① 住まいに関する情報の提供業務

住宅購入希望者が、より良い住宅ローンを組むことができるようにすることや、良質な住宅の設計や建設を行うことができるよう、機構は情報を提供することを行っています。

② 団体信用生命保険

貸付けを受けた者が死亡した場合や、重度障害になった場合に支払われる生命保険の保険金などを、その貸付けに係る債務の返済に充てる団体信用生命保険の業務を行っています。

ちょこっとトレーニング　本試験過去問に挑戦！

問 証券化支援事業（買取型）における民間金融機関の住宅ローン金利は、金融機関によって異なる場合がある。(2012-46-2)

解答 ○：金融機関によって異なる。

第**②**ポイント

重要度 A

景品表示法

1 景品表示法とは

景品や広告に何も規制がないと、業者は自社の利益のため、必要以上のサービスや表現をしてしまうかもしれません。これを防止するのが、不当景品類及び不当表示防止法（以下、「景品表示法」）の趣旨です。

2 特定事項の明示義務

事業者は、一般消費者が通常予期することができない物件の地勢、形質、立地、環境等に関する事項または取引の相手方に著しく不利な取引条件であって、規則で定める事項については、賃貸住宅を除き、それぞれその定めるところにより、見やすい場所に、見やすい大きさ、見やすい色彩の文字により、分かりやすい表現で明瞭に表示しなければなりません。

1 接道義務を満たさない土地

> 建築基準法第42条に規定する道路に2メートル以上接していない土地については、原則として「再建築不可」または「建築不可」と明示すること。

ファイト！
ファイト！

② 市街化調整区域内の土地

都市計画法第7条に規定する市街化調整区域に所在する土地については、「市街化調整区域。宅地の造成及び建物の建築はできません。」と明示すること（新聞折込チラシ等及びパンフレット等の場合には16ポイント以上の大きさの文字を用いること。）。ただし、開発許可を受けているものや、開発許可を受けていなくとも、許可が確実に受けられるケースを除く。

③ 路地状部分のみで道路に接する土地

路地状部分のみで道路に接する土地であって、その路地状部分の面積が当該土地面積のおおむね30パーセント以上を占めるときは、路地状部分を含む旨及び路地状部分の割合または面積を明示すること。

④ 傾斜地を含む土地

傾斜地を含む土地であって、傾斜地の割合が当該土地面積のおおむね30パーセント以上を占める場合（マンション及び別荘地等を除く）は、傾斜地を含む旨及び傾斜地の割合または面積を明示すること。

⑤ 高圧電線

土地の全部または一部が高圧電線路下にあるときは、その旨及びそのおおむねの面積を表示すること。この場合において、建物その他の工作物の建築が禁止されているときは、併せてその旨を明示すること。

⑥ 私道負担

私道負担部分がある場合、その旨と私道負担部分の面積を表示しなければならない。

いい調子！

3 特定用語の使用基準

1 新築

建築工事完了後1年未満であって、居住の用に供されたことがないものをいう。

2 新発売

新たに造成された宅地、新築の住宅（造成工事または建築工事完了前のものを含む。）または一棟リノベーションマンションについて、一般消費者に対し、初めて購入の申込みの勧誘を行うこと（一団の宅地または建物を数期に区分して販売する場合は、期ごとの勧誘）をいい、その申込みを受けるに際して一定の期間を設ける場合においては、その期間内における勧誘をいう。

3 使用を控えるべき用語

事業者は、次に掲げる用語を用いて表示するときは、それぞれ当該表示内容を裏付ける合理的な根拠を示す資料を現に有している場合を除き、当該用語を使用してはならない。この場合において、①及び②に定める用語については、当該表示内容の根拠となる事実を併せて表示する場合に限り使用することができる。

① 物件の形質その他の内容または価格その他の取引条件に関する事項について、「最高」、「最高級」、「極」、「特級」等、最上級を意味する用語

② 物件の価格または賃料等について、「買得」、「掘出」、「土地値」、「格安」、「投売り」、「破格」、「特安」、「激安」、「バーゲンセール」、「安値」等、著しく安いという印象を与える用語

③ 物件の形質その他の内容または役務の内容について、「完全」、「完ぺき」、「絶対」、「万全」等、全く欠けるところがないことまたは全く手落ちがないことを意味する用語

④ 物件の形質その他の内容、価格その他の取引条件または事業者の属性に関する事項について、「日本一」、「日本初」、「業界一」、「超」、「当社だけ」、「他に類を見ない」、「抜群」等、競争事業者の供給するもの又は競争事業者よりも優位に立つことを意味する用語

⑤ 物件について、「特選」、「厳選」等、一定の基準により選別されたことを意味する用語

⑥ 物件について、「完売」等著しく人気が高く、売行きがよいという印象を与える用語

4 物件の名称の使用基準

物件の名称の使用についてのルールは次のとおりです。

① 当該物件の所在地において、慣例として用いられている地名または歴史上の地名がある場合は、当該地名を用いることができる。

② 当該物件の最寄りの駅、停留場または停留所の名称を用いることができる。

③ 当該物件が公園、庭園、旧跡その他の施設または海（海岸）、湖沼若しくは河川の岸若しくは堤防から直線距離で 300 メートル以内に所在している場合は、これらの名称を用いることができる。

④ 当該物件から直線距離で 50 メートル以内に所在する街道その他の道路の名称（坂名を含む）を用いることができる。

⑤ 新設予定の駅については、その路線の運行主体が公表したものに限り、その新設予定時期を明示して表示することができる。

5 物件の内容・取引条件等に係る表示基準

1 所要時間

❶ 徒歩

道路距離80メートルにつき1分間を要するものとして算出した数値を表示すること。この場合において、1分未満の端数が生じたときは、1分として算出すること。

❷ 自動車

道路距離を明示して、走行に通常要する時間を表示すること。この場合において、表示された時間が有料道路（橋を含む。）の通行を含む場合のものであるときは、その旨を明示すること。ただし、その道路が高速自動車国道であって、周知のものであるときは、有料である旨の表示を省略することができる。

❸ 自転車

道路距離を明示して、走行に通常要する時間を表示すること

2 写真・絵図

宅地または建物の写真または動画は、取引するものを表示すること。ただし、取引する建物が建築工事の完了前である等その建物の写真または動画を用いることができない事情がある場合においては、取引する建物を施工する者が過去に施工した建物であり、かつ、次に掲げるものに限り、他の建物の写真または動画を用いることができる。この場合においては、当該写真または動画が他の建物である旨及びアに該当する場合は、取引する建物と異なる部位を、写真の場合は写真に接する位置に、動画の場合は画像中に明示すること。

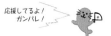

応援してるよ！
ガンバレ！

ア　建物の外観は、取引する建物と構造、階数、仕様が同一であって、規模、形状、色等が類似するもの。ただし、当該写真または動画を大きく掲載するなど、取引する建物であると誤認されるおそれのある表示をしてはならない。

イ　建物の内部は、写される部分の規模、仕様、形状等が同一のもの。

3　生活関連施設

デパート、スーパーマーケット、コンビニエンスストア、商店等の商業施設は、現に利用できるものを物件からの道路距離または徒歩所要時間を明示して表示すること。ただし、工事中である等その施設が将来確実に利用できると認められるものにあっては、その整備予定時期を明示して表示することができる。

4　価格・賃料等

❶ 価格

　　取引する全ての区画の価格を表示すること。ただし、分譲宅地の価格については、パンフレット等の媒体を除き、1区画当たりの最低価格、最高価格及び最多価格帯並びにその価格帯に属する販売区画数のみで表示することができる。また、この場合において、販売区画数が10未満であるときは、最多価格帯の表示を省略することができる。

❷ 賃料

　　賃貸される住宅（マンションまたはアパートにあっては、住戸）の賃料については、取引する全ての住戸の1カ月当たりの賃料を表示すること。ただし、新築賃貸マンションまたは新築賃貸アパートの賃料については、パンフレット等の媒体を除き、1住戸当たりの最低賃料及び最高賃料のみで表示することができる。

あせらず着実にいこう！

❸ 管理費・修繕積立金等

管理費については、1戸当たりの月額（予定額であるときは、その旨）を表示すること。ただし、住戸により管理費の額が異なる場合において、その全ての住宅の管理費を示すことが困難であるときは、最低額及び最高額のみで表示することができる。

6 工事中断

建築工事に着手した後に、同工事を相当の期間にわたり中断していた新築住宅または新築分譲マンションについては、建築工事に着手した時期および中断していた期間を明示しなければなりません。

7 景品類の提供

業者が一般消費者に景品類を提供する場合、以下の額を超えてはいけません。

❑ 懸賞（抽選など）による場合

取引価額の20倍または10万円のいずれか低い額の範囲内（取引予定総額の2％以内）

❷ 懸賞（抽選など）によらない場合（全員にプレゼントなど）

宅地建物の取引価額の10分の1または100万円のいずれか低い額の範囲内

8 違反をした場合の措置

　消費者庁長官は、不当な景品類の提供や不当な表示がなされた場合、その違反行為を行った事業者に対して、違反行為の差し止めなどを命じることができます。違反行為が既になくなっている場合であっても、一定の場合にはすることができます。

ちょこっとトレーニング 本試験過去問に挑戦！

> **問** 完成後８カ月しか経過していない分譲住宅については、入居の有無にかかわらず新築分譲住宅と表示してもよい。
>
> (2013-47-4)
>
> **解答** ×：一度誰かが入居したら「新築」という語は使えない。

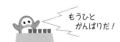
もうひと
がんばりだ！

第③ポイント

土地

 重要度 **B**

1 宅地としての適否

　その土地は宅地として適しているかどうかが問題となります。宅地として適している場所は、「地盤が固い」「土砂崩れ・崖崩れなどが起こらない」という点があげられます。

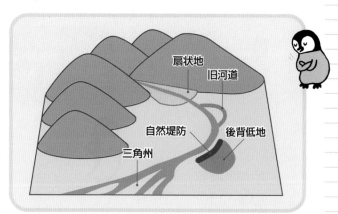

　扇状地は、河川が運んだ土砂が扇状に堆積した土地で、水はけがよいのが特徴です。旧河道は過去に河川の流路であった土地です。後背低地は軟弱な地盤で、周囲より低い土地です。三角州は、河口付近において、河川によって運ばれた物質が堆積することで形成された地形です。

■宅地としての適否

場所		適否
山地		●
	急傾斜地	×
	崖錐・谷の出口	×
	地すべり地・崩落跡地	×
	断層	×
丘陵地・台地		●
	縁辺部	×
	台地上の浅い谷	×
	段丘	●

場所		適否
低地		×
	旧河道	×
	天井川の廃川敷	●
	自然堤防	●
	後背低地・後背湿地	×
	扇状地	●
	干拓地	×
	埋立地	●*

＊十分な工事がされているものに限る。

　地盤が固いというのは、土地に水分が含まれていないということが大事になります。

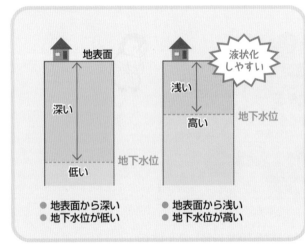

左のほうが宅地に適していて、右のほうが宅地には不適です。

　川や池沼を埋め立てた場合、地下水が非常に浅い所にあるため、液状化の危険があり、安全とはいえません。
　地盤が固い台地であっても、土砂崩れ・崖崩れなどが起こる場所などは宅地としては適しません。

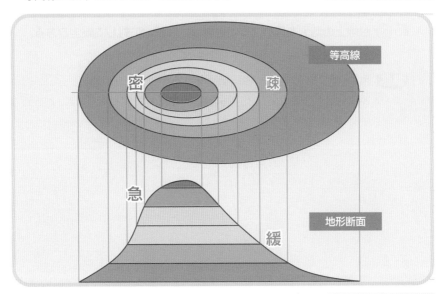

2 地図

等高線は以下のような形で示されます。

等高線が密であれば傾斜が急であり、等高線が疎であれば傾斜は緩やかです。また、山頂に向かって高いほうに弧を描いている部分は谷で、山頂から見て等高線が張り出している部分は尾根です。

3 盛土と切土

造成して平坦にした宅地では、一般に切土部分に比べて盛土部分のほうが、地盤沈下量が大きくなります。丘陵地を切り盛りして平坦化した土地で、切土部分と盛土部分にまたがる区域では、沈下量の違いにより不同沈下が生じやすくなります。

もうひと
ふんばりだ！

ちょこっとトレーニング 本試験過去問に挑戦！

問1 台地や丘陵の縁辺部は、豪雨などによる崖崩れに対しては、安全である。(2014-49-4)

問2 台地上の池沼を埋め立てた地盤は、液状化に対して安全である。(2015-49-3)

解答 ×：台地は安全だが、縁辺部は崩れるかもしれず危険。

×：池沼を埋め立てたということは地盤は固くない。

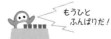

もうひと
ふんばりだ！

第 **4** ポイント

重要度 **C**

建物

1 建築物の構造

　建築物の構造には、主に木造、鉄骨造、鉄筋コンクリート造があります。以下、それぞれの主な特徴についてみていきましょう。

2 木造

　木造は、木材でその骨組みを造った建造物をいいます。
　木材は、水が含まれているほど弱くなります。また、心材のほうが腐りにくいという性質があります。

木材に一定の力をかけたときの圧縮に対する強度は、繊維に直角方向に比べて繊維方向のほうが大きいです。

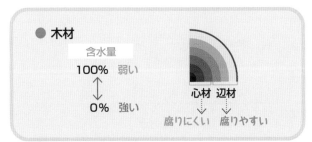

● 木材

含水量	
100%	弱い
↕	
0%	強い

心材　辺材
↓　　↓
腐りにくい　腐りやすい

　集成材は、単板などを積層したもので、伸縮、変形、割れなどが生じにくくなるため、大規模な木造建築物の骨組みに使用されます。

3 鉄骨造

　骨組みに鉄の鋼材を使って組み立てた構造を鉄骨造（てっこつぞう）といいます。鉄骨造は、地震に強いが、腐食しやすく、耐火性が低いため、耐火材料などで覆う必要があります。

4 鉄筋コンクリート造

　引っ張りに弱いコンクリートと、引っ張りに強く圧縮に弱い鉄筋を合わせた構造が鉄筋コンクリート造です。

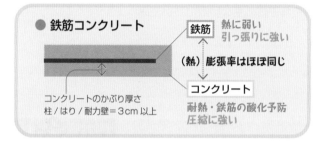

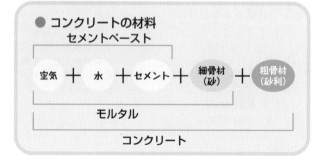

5 構造

1 ラーメン構造

　柱と梁を組み合わせた直方体で構成する骨組みのことです。

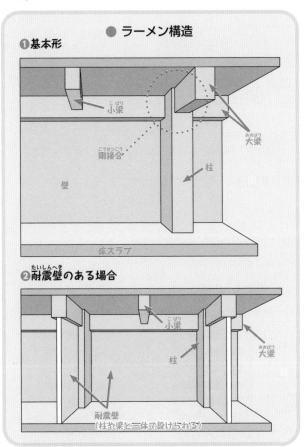

● ラーメン構造

❶基本形

小梁
剛接合
大梁
柱
壁
床スラブ

❷耐震壁のある場合

小梁
柱
大梁
耐震壁
（柱や梁と一体で設けられる）

つまずき注意の
前提知識

ラーメン構造の「ラーメン」とは、ドイツ語で「額縁」「枠」、つまりフレームのことです。

　低層から高層まで幅広い建物に対応でき、出入口や窓などの開口部を広くとることができます。

合格めざして がんばろう

② 壁式構造

柱と梁ではなく、壁板により構成する構造のことです。

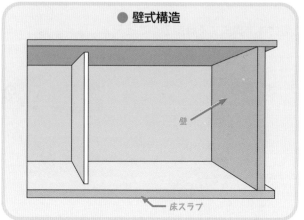

● 壁式構造

壁

床スラブ

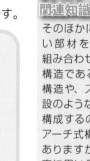

ライバルに
差をつける
関連知識

そのほかにも、細長い部材を三角形に組み合わせた構成の構造であるトラス式構造や、スポーツ施設のような大空間を構成するのに適したアーチ式構造などがありますが、賃貸住宅に用いることはまれであるので、ラーメン構造と壁式構造をおさえておけばよいでしょう。

中低層の建物で採用され、開口部の大きさに制約が生じます。

6 地震対策

地震に強い建物にするため、次の3つの構造があります。

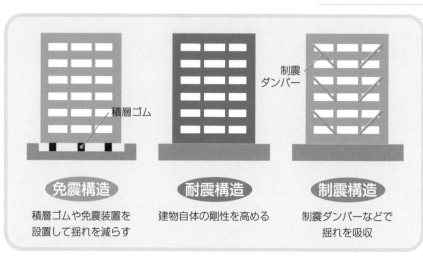

積層ゴム

制震ダンパー

免震構造
積層ゴムや免震装置を設置して揺れを減らす

耐震構造
建物自体の剛性を高める

制震構造
制震ダンパーなどで揺れを吸収

既存不適格建築物の耐震補強として、制震構造や免震構造を用いることもあります。

ちょこっとトレーニング ─ 本試験過去問に挑戦！─

問1 木材の強度は、含水率が大きい状態のほうが小さくなる。（2010-50-3）

問2 コンクリートの引張強度は、圧縮強度より大きい。（2010-50-2）

問3 免震構造は、建物の下部構造と上部構造との間に積層ゴムなどを設置し、揺れを減らす構造である。（2013-50-2）

解答 1 ○：木材は水分があるほど弱くなる。

2 ×：コンクリートは引っ張りに弱い。

3 ○：免震構造の説明と合致。

税・その他クリアです！

ゴ～ル

やったね！おつかれさま！

索引

MEMO

MEMO

MEMO

持ち運びに便利な「セパレート方式」

各分冊を取り外して、通勤や通学などの外出時、手軽に持ち運びできます!

❶各冊子を区切っている、うすオレンジ色の厚紙を残し、中の冊子をつまんでください。
❷冊子をしっかりとつかんで、手前に引っ張ってください。

見た目もきれいな「分冊背表紙シール」

背表紙シールを貼ることで、分冊の背表紙を保護することができ、見た目もきれいになります。

見た目も
きれい!

❶付録の背表紙シールを、ミシン目にそって切り離してください。
❷赤の破線（…）を、ハサミ等で切り取ってください。
❸切り取ったシールを、グレーの線（一）で山折りに折ってください。
❹分冊の背表紙に、シールを貼ってください。

重要論点集

2025年版
宅建士 合格のトリセツ
基本テキスト
分冊 ④

重要論点集

権利　意思表示

	当事者間	vs 第三者	
		善意有過失	善意無過失
強迫	取消し	対抗可	対抗可
詐欺	取消し	対抗可	対抗NG
錯誤	取消し	対抗可	対抗NG
虚偽表示	無効	対抗NG	対抗NG
心裡留保	原則有効 （例外：無効）	対抗NG	対抗NG

権利　制限行為能力者

	どのような者か？	単独で行った行為	保護者
未成年者	18歳未満の者	取消可	親権者 または 未成年後見人
成年被後見人	精神上の障害により事理を弁識する能力を**欠く常況にある**者 ＋ 後見開始の審判	取消可	成年後見人
被保佐人	精神上の障害により事理を弁識する能力が**著しく不十分**な者 ＋ 保佐開始の審判	重要な行為のみ 取消可	保佐人
被補助人	精神上の障害により事理を弁識する能力が**不十分**な者 ＋ 補助開始の審判	重要な行為のみ 取消可	補助人

あせらず着実にいこう！

権利　意思表示

☐ **問1** 詐欺や強迫による意思表示は？　➡　無効である・取消しができる

☐ **問2** 詐欺の被害者は善意無過失の第三者に対抗できるか？

☐ **問3** 強迫の被害者は善意無過失の第三者に対抗できるか？

☐ **問4** 虚偽表示による意思表示は？　➡　無効である・取消しができる

☐ **問5** 錯誤による意思表示は？　➡　無効である・取消しができる

> **解答**　1＝取消しができる　2＝できない　3＝できる　4＝無効である
> 5＝取消しができる

権利　制限行為能力者

※問3〜問5は、審判を受けた者であることとする。

☐ **問1** 未成年者が単独でした行為は？　➡　無効である・取消しができる

☐ **問2** 未成年者は何歳未満の者を指す？

☐ **問3** 精神上の障害により事理を弁識する能力を欠く常況にある者を何という？

☐ **問4** 精神上の障害により事理を弁識する能力が著しく不十分な者を何という？

☐ **問5** 精神上の障害により事理を弁識する能力が不十分な者をなんという？

> **解答**　1＝取消しができる　2＝18歳未満　3＝成年被後見人
> 4＝被保佐人　5＝被補助人

権利 時効

取得時効	所有の意思をもって平穏かつ公然に （占有開始時に） 善意無過失＝ **10 年** その他＝ **20 年**
消滅時効	次のうち、早いほう 知った時から **5 年** 権利行使できる時から **10 年**
時効の更新・完成猶予	更新事由 　（裁判上の）請求 ➡ 勝訴判決の確定 　承認
時効の援用・放棄	援用できる人＝直接利益を受ける者 放棄＝時効完成前にはできない

権利 代理

代理の要件	1　代理権があること 2　代理人が顕名すること 　顕名なし ➡ 相手方が悪意・善意有過失なら代理として成立 3　代理行為が行われること
代理人の行為能力	代理人は制限行為能力者でも可 　➡ 代理行為の取消し不可／法定代理人の同意不要
代理権の消滅	本人 ➡ 死亡・破産（任意代理のみ） 代理人 ➡ 死亡・破産・後見開始
無権代理	追認すれば有効（**契約時にさかのぼって有効**）
無権代理と 相手方の保護	1　催告（悪意でも可）➡ 確答なければ**追認拒絶** 2　取消し（**善意**のとき） 3　履行請求・損害賠償請求（原則、**善意無過失**のとき） 4　表見代理

権利　時効

□ **問1** 取得時効の要件は？ ➡ （　　　　　）をもって、（　　　）かつ
（　　　）と占有を継続すること

□ **問2** 取得時効の期間は、占有開始時に善意無過失であれば（　　）年、
それ以外の場合は（　　　）年

□ **問3** 消滅時効の期間は、権利行使できる時から（　　）年、知った時
から（　　　）年の早いほう

□ **問4** 債務の承認をした場合、時効は？ ➡ 更新・完成猶予

□ **問5** 時効の利益の放棄は、時効完成前に？ ➡ できる・できない

> **解答** 1＝所有の意思・平穏・公然　2＝10・20　3＝10・5
> 4＝更新　5＝できない

権利　代理

□ **問1** 未成年者を代理人にすることはできるか？

□ **問2** 無権代理を追認した場合、いつからその効力を生じることとなる？

□ **問3** 本人の死亡で代理権は消滅？ ➡ する・しない

□ **問4** 無権代理の場合、相手方が本人に催告したが、確答ない場合は？
➡ 追認とみなされる・追認拒絶とみなされる

□ **問5** 取消しは相手方が？ ➡ 善意のとき・善意無過失のとき

> **解答** 1＝できる　2＝契約時　3＝する　4＝追認拒絶とみなされる
> 5＝善意のとき

権利　債務不履行・弁済

損害賠償請求	債務者に**帰責事由のある場合のみ**可能 損害賠償額の予定をすることもできる 違約金は損害賠償額の予定と推定する
解除	相互に原状回復義務を負う 　➡ **受領の時**からの利息をつけて返還 履行遅滞＝相当の期間を定めて履行を催告し、その期 　　　　　間内に履行がない場合解除可能 履行不能＝**直ちに**解除可能
手付解除	（期間）相手方が履行に着手するまで （方法）買主＝手付**放棄** 　　　　　売主＝手付の**倍額**を現実に提供 （損害賠償請求）不可

権利　契約不適合

	買主が追及することのできる権利	通知期間
種類	①**追完請求** ②**代金減額請求** ③**契約の解除** ④**損害賠償請求**	**不適合を知った時か ら１年以内に通知**
品質		
数量		
権利		
一部他人物売買		
全部他人物売買	①**契約の解除** ②**損害賠償請求**	

※契約不適合責任を負わない特約も**有効**

権利 債務不履行・弁済

☐ **問1** 債務者の責めに帰すべき事由がない場合、できないのはどちら？

➡️ 契約の解除・損害賠償請求

☐ **問2** 債権者が直ちに契約を解除することができるのは？

➡️ 履行遅滞・履行不能

☐ **問3** 買主が手付解除する場合は？

➡️ 手付金を放棄・手付金の倍額を現実に提供

☐ **問4** 売主が手付解除する場合は？

➡️ 手付金を放棄・手付金の倍額を現実に提供

☐ **問5** 手付解除はいつまでできる？

解答 1＝損害賠償請求　2＝履行不能　3＝手付金を放棄　4＝手付金の倍額を現実に提供　5＝相手方が履行に着手するまで

権利 契約不適合

☐ **問1** 契約不適合の場合、買主が追及することのできる権利4つは？

☐ **問2** 契約不適合責任を負わない特約は民法上？ ➡️ 有効・無効

解答 1＝追完請求・代金減額請求・解除・損害賠償請求　2＝有効

権利　相続

法定相続分	（第1順位）配偶者 **1/2**　子 **1/2** （第2順位）配偶者 **2/3**　直系尊属 **1/3** （第3順位）配偶者 **3/4**　兄弟姉妹 **1/4**
承認・放棄	次の3種類（相続開始を**知った時から3カ月**以内） 　単純承認 　限定承認 　相続放棄
遺言	● 満**15歳**以上で行うことができる ● いつでも撤回できる ● 自筆証書遺言 ➡ 原則検認が必要 　秘密証書遺言 ➡ 検認が必要 　➡ 検認手続きを経なくても遺言は無効とはならない
遺留分	● 被相続人の財産の**2分の1** 　（直系尊属のみの場合は3分の1）

権利　物権変動

原則	登記がなければ第三者に所有権を対抗できない
例外	次のような者に対しては登記がなくても所有権を対抗できる 　1　無権利者 　2　不法占拠者 　3　背信的悪意者

取消前の第三者	詐欺：**善意無過失**の第三者には対抗不可 強迫：第三者が善意でも悪意でも第三者に対抗可
取消後の第三者	登記！
解除前の第三者	登記！
解除後の第三者	登記！
時効完成前の第三者	時効取得者の**勝ち**！
時効完成後の第三者	登記！

ファイト！
ファイト！

権利　相続

☐ **問1** 法定相続分、配偶者と子の場合、子の相続分は？

☐ **問2** 法定相続分、配偶者と直系尊属の場合、直系尊属の相続分は？

☐ **問3** 法定相続分、配偶者と兄弟姉妹の場合、兄弟姉妹の相続分は？

☐ **問4** 遺言は何歳以上？

☐ **問5** 遺留分は相続財産の（　　）分の1（直系尊属のみではない場合）

解答 1＝2分の1　　2＝3分の1　　3＝4分の1　　4＝15歳
5＝2

権利　物権変動

☐ **問1** 無権利者に対しては登記なしで所有権を対抗？　➡　できる・できない

☐ **問2** 不法占拠者に対しては登記なしで所有権を対抗？　➡　できる・できない

☐ **問3** 背信的悪意者に対しては登記なしで所有権を対抗？　➡　できる・できない

☐ **問4** 時効完成前の第三者は？　➡　時効取得者の勝ち・登記があるほうが勝ち

☐ **問5** 時効完成後の第三者は？　➡　時効取得者の勝ち・登記があるほうが勝ち

解答 1＝できる　　2＝できる　　3＝できる　　4＝時効取得者の勝ち
5＝登記があるほうが勝ち

権利　不動産登記法

表示に関する登記	原則として対抗力なし 新築・滅失の場合、**1カ月以内**に申請義務 （登記官が職権でもできる）
権利に関する登記	対抗力**あり** 原則として申請義務なし （**甲区**）所有権 （**乙区**）所有権以外
所有権保存の登記	ある不動産に対し初めてする所有権の登記

権利　抵当権

抵当権の被担 保債権の範囲		利息＝その満期となった最後の**2年分**についてのみ優先的に弁済 （後順位抵当権者等がいない場合を除く）
抵当権の性質	付従性	①被担保債権が成立しなければ、抵当権は成立しない ②被担保債権が消滅すると、抵当権も消滅する
	随伴性	被担保債権が移転すると、抵当権も移転する
抵当権設定者		抵当権者の同意がなくとも、目的物を自由に、**使用・収益・処分可能**
第三取得者の 保護		**第三者弁済・抵当権消滅請求・自ら競落**など （主債務者・保証人等は抵当権消滅請求不可）
法定地上権		①抵当権設定当時に、土地の上に建物が存在すること ②抵当権設定当時に、土地と建物の所有者が同一人であること ③土地と建物の一方または両方に抵当権が存在すること ④抵当権実行の結果、土地と建物の所有者が別々になること
一括競売		更地に抵当権を設定し、その後建物が建てられた場合 ➡ 優先弁済権は**土地の代価についてのみ**

いい調子！

権利 不動産登記法

☐ **問1** 原則として対抗力がないのは？
→ 表示に関する登記・権利に関する登記

☐ **問2** 所有権の記載は？ → 表題部・権利部甲区・権利部乙区

☐ **問3** 抵当権の記載は？ → 表題部・権利部甲区・権利部乙区

☐ **問4** 権利部甲区にはじめてする所有権の登記を所有権（　　）の登記という。

解答 1＝表示に関する登記　2＝権利部甲区　3＝権利部乙区
4＝保存

権利 抵当権

☐ **問1** 利息は満期になった最後の（　　）年分のみ。

☐ **問2** 被担保債権が移転すると、抵当権は移転？ → する・しない

☐ **問3** 抵当権設定者は、抵当権者の承諾なく抵当権のついた土地や建物を
自由に使用？ → できる・できない

☐ **問4** 抵当権消滅請求ができるのは？
→ 債務者・保証人・抵当不動産の第三取得者

☐ **問5** 一括競売の場合、優先弁済権は？
→ 土地の代価についてのみ・土地と建物両方の代価

解答 1＝2　2＝する　3＝できる　4＝抵当不動産の第三取得者
5＝土地の代価についてのみ

権利 保証・連帯債務

保証契約	保証契約は**書面（電磁的記録）**をもって行う
付従性	主たる債務がなければ保証契約は成立しない 主たる債務が消滅すると保証契約も消滅する
連帯保証	催告の抗弁権なし 検索の抗弁権なし 分別の利益なし
絶対効	**弁済・相殺・混同・更改** （混同・更改は保証にはなく連帯保証のみ）
個人根保証	極度額を設定しなければ、保証契約は成立しない （**個人の場合のみ・法人については極度額の設定は不要**）

権利 共有

			具体例	どのように行うか？
共有物全体	保存行為		● 共有物の修繕を頼むこと ● 不法占拠者への明渡しを請求すること	各共有者が1人でできる
	管理行為		● 共有物の賃貸借契約を解除すること	各共有者の持分価格の**過半数**の賛成で行う
	変更行為	軽微変更	● 共有の砂利道のアスファルト舗装 ● 共有の建物の外壁・屋上防水修繕工事	
		重大変更	● 共有物を第三者に売却すること ● 建物の建替え・増改築	共有者の**全員の同意**が必要
持分	処分		● 持分の売却 ● 持分についてのみ抵当権を設定	各共有者が1人でできる
分割禁止の特約			**5年を超えない**範囲内で特約設定可能	

権利 保証・連帯債務

□ 問1 保証契約は口頭で？ → 成立する・成立しない

□ 問2 連帯保証人には催告の抗弁権は？ → あり・なし

□ 問3 連帯保証人には検索の抗弁権は？ → あり・なし

□ 問4 連帯保証人には分別の利益は？ → あり・なし

□ 問5 根保証で極度額を設定しなければならないのは？

→ 保証人が個人の場合のみ・保証人が個人も法人も両方

解答 1＝成立しない 2＝なし 3＝なし 4＝なし 5＝個人の場合のみ

権利 共有

□ 問1 持分の売却は？

→ 単独で可・持分価格の過半数の同意・全員の同意

□ 問2 不法占拠者への明渡し請求は？

→ 単独で可・持分価格の過半数の同意・全員の同意

□ 問3 共有物の売却は？

→ 単独で可・持分価格の過半数の同意・全員の同意

□ 問4 共有の分割禁止特約は（　　　）年を超えない範囲なら可

解答 1＝単独で可 2＝単独で可 3＝全員の同意 4＝5

応援してるよ！
すごい すごい！

権利　建物区分所有法

規約の保管	管理者あり	**管理者**が保管する
利害関係人の 閲覧請求	原則	規約の閲覧を拒めない
	例外	正当な理由がある場合は拒める
保管場所	建物内の見やすい場所に掲示しなければならない	

原則	管理者は、毎年**1回**、集会を招集しなければならない
招集期間	＜原則＞集会の招集通知は、会日より少なくとも**1週間前**（建替え決議の場合を除く）に、会議の目的たる事項を示して、各区分所有者に発しなければならない
	＜例外＞①招集期間は、規約で**伸縮**することができる ②区分所有者全員の同意があるときは、招集通知不要
決議要件	原則＝区分所有者及び議決権の各**過半数** 例外（4分の3以上）規約の設定・変更・廃止等 　　　（5分の4以上）建替え

権利　賃貸借

期間	最長**50**年
対抗力	**賃借権の登記**
費用	必要費＝**直ちに請求可** 有益費＝**賃貸借契約終了時** 　　　　（支出した金額 or 価値増加分を賃貸人が選択）
敷金	賃貸人変更＝承継する 賃借人変更＝承継しない

あせらず着実にいこう！

権利　建物区分所有法

□ **問1** 管理者は、毎年（　　）回、集会を招集しなければならない。

□ **問2** 集会の招集は会日の（　　）週間前までに行う

□ **問3** 集会の招集期間は規約で？　➡　伸長のみ可・伸縮可・短縮のみ可

□ **問4** 決議は、原則として（　　）及び（　　）の各（　　）で行う

□ **問5** 規約の設定・変更・廃止の決議要件は？
　➡　過半数・4分の3以上・5分の4以上

> **解答**　1＝1　2＝1　3＝伸縮可　4＝区分所有者・議決権・過半数
> 5＝4分の3以上

権利　賃貸借

□ **問1** 民法の賃貸借契約は最長（　　）年

□ **問2** 民法上の賃貸借の対抗力は？

□ **問3** 必要費はいつ請求できる？　➡　直ちに・賃貸借契約終了時

□ **問4** 有益費について、支出した金額か価値増加分かを選択するのは？
　➡　賃貸人・賃借人

□ **問5** 賃借人変更の場合、原則として敷金は？　➡　承継する・承継しない

> **解答**　1＝50　2＝賃借権の登記　3＝直ちに　4＝賃貸人
> 5＝承継しない

権利　借地借家法（借家）

期間	最長＝制限なし 最短＝制限なし 　（1年未満 ➡ 期間の定めのないもの）
対抗力	賃借権の登記・引渡し

（定期借家）

期間	当事者が合意した期間（1年未満も可）
契約	書面による（電磁的記録によることもできる）
事前説明	賃貸人が賃借人に対して、契約の更新がなく、期間満了によって終了することを書面を交付（借主の承諾があれば電磁的方法により提供）して説明
通知	1年以上の場合、期間満了の1年前から6カ月前までに通知

権利　借地借家法（借地）

期間	最長＝制限なし 最短＝30年 　（30年未満 ➡ 30年となる）
更新	最短10年（最初の更新は20年）
対抗力	賃借権の登記・借地上の自己名義の建物の登記

（定期借地等）

	存続期間	目的	契約方法
定期借地権	50年以上	制約なし	書面又は電磁的記録
事業用定期借地権	10年以上 50年未満	事業用（住居不可）	公正証書
建物譲渡特約付借地権	30年以上	制約なし	定め無し

もうひとふんばりだ！

権利 借地借家法（借家）

☐ **問1** 1年未満の期間を定めた場合にはどうなる？

☐ **問2** 対抗力は？

☐ **問3** 定期借家は6カ月間の契約をすることは？ → 可能・不可能

☐ **問4** 定期借家は口頭でも成立？ → する・しない

☐ **問5** 期間が1年以上の場合、期間満了の（　　　）から（　　　）までに通知をする必要がある

> **解答** 1＝期間の定めのないものとなる　2＝賃借権の登記・引渡し
> 3＝可能　4＝しない　5＝1年前・6カ月前

権利 借地借家法（借地）

☐ **問1** 30年未満の期間を定めた場合にはどうなる？

☐ **問2** 最初の更新は最低（　　）年、2度目以降の更新は最低（　　）年

☐ **問3** 定期借地権の存続期間は？ → （　　）年以上

☐ **問4** 事業用定期借地権の存続期間は？ → （　　）年以上（　　）年未満

☐ **問5** 事業用定期借地権の契約方式は？ → 書面・公正証書

> **解答** 1＝30年となる　2＝20・10　3＝50　4＝10・50
> 5＝公正証書

権利 その他の重要事項（不法行為）

要件・効果	①故意または過失によって、②違法な行為を行い、③それによって、④他人に損害を発生させた場合、加害者は被害者に損害を賠償する責任を負う。
遅滞時期	**不法行為（損害発生）の時**から遅滞になる。
時効消滅	不法行為による損害賠償請求権は、被害者またはその法定代理人が損害および加害者を知った時から **3年間**（人の生命または身体を害する不法行為の場合は **5年**）行使しないときは、時効によって消滅する。不法行為の時から **20年** を経過したときも同様である。

使用者責任	● 被害者は、加害者である被用者（従業員等）にも使用者（会社）にも同時に全額の損害賠償請求ができる ● 使用者が支払った場合、加害者である被用者に求償可 **➡ 信義則上相当と認められる限度**
共同不法行為	● 連帯して損害を賠償する責任を負う
土地工作物責任	● **占有者**＝損害発生防止に必要な注意をしていたら免責 ● **所有者**＝損害発生防止に必要な注意をしていても免責されない（無過失責任）

権利 その他の重要事項（不法行為）

☐ **問1** 不法行為は（　　　　　　　　　　　）から履行遅滞になる

☐ **問2** 不法行為による損害賠償請求権は、損害および加害者を知った時から［　　］年（人の生命または身体を害する不法行為の場合は［　　］年）で時効により消滅する。不法行為の時から［　　］年経過した場合も時効で消滅する。

☐ **問3** 土地工作物責任において損害発生に必要な注意をしていれば免責されるのは？　➡　占有者・所有者

解答 1＝損害発生時（不法行為の時）　2＝3・5・20　3＝占有者

業法　宅建業の意味

宅地	① 現在建物がある土地 ② 建物を建てる目的で取引する土地 ③ 用途地域内の土地 （現在、広場・道路・河川・水路・公園であるものは除く） ※ 登記簿上の地目は無関係			
建物	住宅、事務所、倉庫等、用途は問わない			
取引	自ら	売買	交換	―
	代理して	売買	交換	貸借
	媒介して	売買	交換	貸借
業	「不特定かつ多数人に対して」「反復継続して」取引を行うこと			

例外（免許不要となる）
　①国・地方公共団体等
　②一定の信託会社・信託業務を兼営する金融機関

業法　事務所

①標識	免許証で代用することはできない（免許証の掲示義務なし）
②報酬額	見やすい場所に掲示
③帳簿	各事業年度の末日に閉鎖し、閉鎖後**5年間保存** 新築住宅の売主となる場合、閉鎖後**10年間保存**
④従業者名簿	● 最終の記載をした日から **10年間保存** ● 宅地建物取引士か否かの別等を記載しなければならない ● 取引の関係者から請求があれば閲覧請求に応じる義務あり
⑤成年者である 専任の宅地建 物取引士	事務所ごとに、業務に従事する者**5名に1名**以上の割合で設置しなければならない

業法　宅建業の意味

☐ **問1** 「建物を建てる目的で取引される土地」は宅地に？

→　あたる・あたらない

☐ **問2** 「用途地域内の土地」は原則として宅地に？　→　あたる・あたらない

☐ **問3** 「自ら売主」は取引に？　→　あたる・あたらない

☐ **問4** 「自ら貸借」は取引に？　→　あたる・あたらない

☐ **問5** 信託会社は免許は？　→　必要・不要

解答　1＝あたる　2＝あたる　3＝あたる　4＝あたらない　5＝不要

業法　事務所

☐ **問1** 掲示義務がないのは？　→　標識・報酬額・免許証

☐ **問2** 帳簿は原則何年保存？　→　5年・10年

☐ **問3** 従業者名簿は何年保存？　→　5年・10年

☐ **問4** 従業者名簿は閲覧請求に応じる義務が？　→　ある・ない

☐ **問5** 宅建士は（　　）人に1人以上の割合で設置

解答　1＝免許証　2＝5年　3＝10年　4＝ある　5＝5

ファイト！
ファイト！

業法　免許

変更の届出	＜期間＞30日以内 ＜届出内容＞ ①商号または名称 ②事務所の名称・所在地 ③法人業者の役員および政令で定める使用人の氏名 ④個人業者およびその政令で定める使用人の氏名 ⑤成年者である専任の宅地建物取引士の氏名
廃業等の届出	＜期間＞30日以内（死亡の場合は死亡を知った日から） ＜届出内容＞ ①死亡（相続人） ②合併による消滅（消滅会社の代表役員であった者） ③破産（破産管財人） ④解散（清算人） ⑤廃業（代表役員）

業法　事務所以外の場所の規制

		標識	成年者である専任の宅地建物取引士	従業者名簿 帳簿 報酬額の掲示	案内所等の届出
事務所		○	○ 従業者5名に1名以上	○	
事務所以外の場所	契約・申込みを行う案内所等	○	○ 少なくとも1名	×	○
	契約・申込みを行わない案内所等	○	×	×	×
	取引物件の所在場所	○	×	×	×

いい調子！

業法　免許

☐ **問1** 変更の届出は必要？　不要？

    A　同一都道府県内で事務所を移転した　➡　必要・不要

    B　役員の氏名が変わった　➡　必要・不要

    C　役員の住所が変わった　➡　必要・不要

☐ **問2** 誰が届出？

    A　**破産**　➡　破産管財人・消滅会社の代表役員であった者

    B　**合併**　➡　存続会社の代表社員・消滅会社の代表役員であった者

> **解答** 1A ＝必要　1B ＝必要　1C ＝不要　2A ＝破産管財人
> 2B ＝消滅会社の代表役員であった者

業法　事務所以外の場所の規制

☐ **問1** 契約申込みを行う案内所では標識は？　➡　必要・不要

☐ **問2** 契約申込みを行わない案内所では標識は？　➡　必要・不要

☐ **問3** 契約申込みを行う案内所では、専任の宅地建物取引士は？

    ➡　設置不要・５人に１人以上の割合・少なくとも１人

☐ **問4** 契約申込みを行う案内所では報酬額の掲示は？　➡　必要・不要

☐ **問5** 契約申込みを行わない案内所では報酬額の掲示は？　➡　必要・不要

> **解答** 1 ＝必要　2 ＝必要　3 ＝少なくとも１人　4 ＝不要　5 ＝不要

業法　宅地建物取引士

変更の登録	＜期間＞遅滞なく ＜届出内容＞ ①氏名 ②住所 ③本籍 宅建業者の業務に従事している場合、当該業者の ④商号または名称 ⑤免許証番号
死亡等の届出	＜期間＞30日以内（死亡の場合は死亡を知った日から） ＜届出内容＞ ①死亡（相続人） ②心身故障（本人／法定代理人／同居の親族） ③破産（本人） ④その他（本人）

業法　営業保証金

誰が	宅建業者
順番	免許 ➡ 供託 ➡ 届出 ➡（事業）開始
供託先	主たる事務所の最寄りの供託所
金額	主たる事務所＝1,000万円 従たる事務所＝事務所ごとに500万円
方法	金銭または有価証券で供託
有価証券の評価額	国債＝100分の100 地方債＝100分の90
主たる事務所の移転	金銭のみ＝保管替え それ以外＝新供託所に供託→旧供託所から取戻し

業法 宅地建物取引士

☐ **問1** 変更の登録は？ ➡ 2週間以内・30日以内・遅滞なく

☐ **問2** 宅地建物取引士の住所が変更の場合、変更の登録は？
➡ 必要・不要

☐ **問3** 宅地建物取引士の本籍が変更の場合、変更の登録は？
➡ 必要・不要

☐ **問4** 死亡の場合は？ ➡ （　　　　　）から30日以内に届出

☐ **問5** 破産した場合の届出は？ ➡ 破産管財人・本人

解答 1＝遅滞なく　2＝必要　3＝必要　4＝死亡を知った日　5＝本人

業法 営業保証金

☐ **問1** 営業保証金の順番
[Ａ] → [Ｂ] → [Ｃ] → [（事業）開始]

☐ **問2** 営業保証金の額
主たる事務所　＝　（　　　　　万円）
従たる事務所　＝　事務所1つにつき（　　　　　万円）

解答 1＝免許・供託・届出　2＝1,000・500

業法　弁済業務保証金

	弁済業務保証金分担金
誰が	保証協会に加入しようとする宅建業者
期限	保証協会に加入しようとする日まで
場所	保証協会
金額	主たる事務所＝**60万円** 従たる事務所＝事務所ごとに**30万円**
方法	**金銭のみ**（有価証券不可）
事務所新設	新たに事務所を設置した日から**2週間**以内

業法　媒介・代理

	一般媒介契約	専任媒介契約	専属専任媒介契約
他の業者への依頼	可	不可	不可
自己発見取引	可	可	不可
有効期間	制限なし	**3カ月**以内（更新後も同じ） 自動更新不可（依頼者からの申出必要）	
業務処理状況報告		**2週間**に**1回以上** （休業日含む）	**1週間**に**1回以上** （休業日含む）
指定流通機構 登録期間		契約締結**7日**以内 （休業日除く）	契約締結**5日**以内 （休業日除く）
売買・交換の申込が あった旨の報告	遅滞なく		

あせらず着実にいこう！

業法 弁済業務保証金

□ **問1** 保証協会加入の際、弁済業務保証金分担金はいつまでに納付？

→ 加入しようとする日まで・加入から2週間以内

□ **問2** 弁済業務保証金分担金は？ → 金銭のみ・金銭または有価証券

□ **問3** 弁済業務保証金分担金の額は？

主たる事務所 ＝ （　　　　　　万円）

従たる事務所 ＝ 事務所1つにつき（　　　　　　万円）

□ **問4** 事務所新設の際、弁済業務保証金分担金はいつまでに納付？

→ 設置しようとする日まで・設置した日から2週間以内

解答 1＝加入しようとする日まで　2＝金銭のみ　3＝60・30
4＝設置した日から2週間以内

業法 媒介・代理

□ **問1** 専任媒介・専属専任媒介は？ → 有効期間は最大（　　　）カ月

□ **問2** 業務処理状況の報告義務は？

A 専任媒介 → （　　　）週間に1回以上

B 専属専任媒介 → （　　　）週間に1回以上

□ **問3** 指定流通機構への登録期間は？

A 専任媒介 → 休業日を除いて（　　　）日以内

B 専属専任媒介 → 休業日を除いて（　　　）日以内

解答 1＝3　2A＝2　2B＝1　3A＝7　3B＝5

業法　広告等の規制

対象	物件	①所在、②規模、③形質
	環境	現在・将来の①利用の制限、②環境、③交通その他の利便
	金銭	①代金・借賃等の対価の額、支払方法 ②代金・交換差金に関する金銭の貸借のあっせん
禁止行為		①著しく事実に相違する表示 ②実際のものより著しく優良か有利であると誤認させるような表示
罰則		6カ月以下の懲役もしくは100万円以下の罰金または両者の併科

必要な許可・確認が下りる前

	売買	交換	貸借
広告	×	×	×
契約	×	×	○

○：してもよい　　×：してはならない

業法　重要事項の説明

説明時期	**契約締結前**
説明対象者	買主・借主・交換の両当事者
説明義務者	宅建業者
説明担当者	**宅地建物取引士** （専任である必要はない）
説明場所	どこでもよい

業法　広告等の規制

□ **問1** 誇大広告等の禁止は？　➡　罰則あり・罰則なし

□ **問2** 許可・確認が下りる前に

　　A 売買の広告は？　➡　してもよい・してはならない

　　B 貸借の広告は？　➡　してもよい・してはならない

　　C 売買の契約は？　➡　してもよい・してはならない

　　D 貸借の契約は？　➡　してもよい・してはならない

解答 　1＝罰則あり　　2A＝してはならない　　2B＝してはならない
　　　　2C＝してはならない　　2D＝してもよい

業法　重要事項の説明

□ **問1** 説明時期は？　➡　契約締結前・契約締結後遅滞なく

□ **問2** 売買の場合の説明対象者は？　➡　売主・売主と買主・買主

□ **問3** 貸借の場合の説明対象者は？　➡　貸主・貸主と借主・借主

□ **問4** 説明担当者は？　➡　専任の宅地建物取引士・宅地建物取引士

□ **問5** 説明を喫茶店で行うことは？　➡　問題ない・宅建業法違反

解答 　1＝契約締結前　　2＝買主　　3＝借主　　4＝宅地建物取引士
　　　　5＝問題ない

もうひと
ふんばりだ！

業法　37条書面

必ず記載するもの	①既存建物であるとき建物の構造耐力上主要な部分等の状況について当事者双方が確認した事項（**貸借不要**） ②代金・借賃の額・支払時期・方法 ③引渡し時期 ④移転登記申請時期（**貸借不要**）
定めがある場合記載するもの	契約の解除等 （貸借の場合、租税公課／担保責任／ローンについては、定めがあっても記載不要）

業法　その他の業務上の規制

	内容
守秘義務	宅建業者やその従業者は、**正当な理由なくして**、業務上知りえた秘密を他に漏らしてはならない。宅建業者が宅建業をやめた後や、従業者が退職した後でも同様である ➡ 正当な理由とは、本人の承諾があった場合、裁判で証人となった場合などである
手付貸与等の禁止	宅建業者は、手付について貸付けその他信用の供与をすることにより契約の締結を誘引する行為をしてはならない ＜信用の供与に当たる場合＞ ● 手付金の**貸付、立替え** ● 手付金の**分割払い、後払い** ● 手付金の約束手形での受領 ● 手付予約をした場合に、宅建業者がその予約債務の保証行為をすること ＜信用の供与に当たらない場合＞ ● 手付金の**減額** ● 手付金に関して銀行との間の金銭の貸借のあっせん

業法 37 条書面

□ **問1** 次の事項は記載する必要があるか？

A 売買の場合、代金の額 ➡ 必ず記載・定めがあれば記載・記載不要

B 貸借の場合、借賃の額 ➡ 必ず記載・定めがあれば記載・記載不要

C 売買の場合、移転登記申請時期

➡ 必ず記載・定めがあれば記載・記載不要

D 貸借の場合、登記の申請時期

➡ 必ず記載・定めがあれば記載・記載不要

E 売買の場合、契約不適合責任の内容

➡ 必ず記載・定めがあれば記載・記載不要

> **解答** 1A＝必ず記載　1B＝必ず記載　1C＝必ず記載
> 1D＝記載不要　1E＝定めがあれば記載

業法 その他の業務上の規制

□ **問1** 守秘義務について、正当な事由がある場合は？

➡ 漏らしてもよい・漏らしてはならない

□ **問2** 手付金については？

A 手付金を貸与する ➡ 問題なし・宅建業法違反

B 手付金の後払いを認める ➡ 問題なし・宅建業法違反

C 手付金の分割払いを認める ➡ 問題なし・宅建業法違反

D 手付金を減額する ➡ 問題なし・宅建業法違反

> **解答** 1＝漏らしてもよい　2A＝宅建業法違反　2B＝宅建業法違反
> 2C＝宅建業法違反　2D＝問題なし

合格めざして がんばろう

業法 自ら売主制限

クーリング・オフ	無条件解除（損害賠償請求等は不可） <クーリング・オフできなくなる場合> 書面で告げられた日から **8 日経過後** 引渡しを受け、かつ、売買代金全額を支払った時
手付の額・性質	手付は売買代金の **2 割**まで（超える部分が無効）
手付金等の 保全措置	<保全措置不要> ● 買主が所有権の登記を備えた ● 金額が少額である 　　完成物件＝ **10%**以下かつ 1000 万円以下 　　未完成物件＝ **5%**以下かつ 1000 万円以下
損害賠償額の 予定等の制限	損害賠償予定額・違約金合わせて売買代金の **2 割**まで

業法 住宅瑕疵担保履行法

資力確保措置	住宅販売瑕疵担保保証金の**供託** 住宅販売瑕疵担保責任**保険**への加入
情報提供	宅建業者は、自ら売主となる新築住宅の買主に対して、売買契約を締結するまでに、保証金を供託している供託所の所在地等について、書面を交付し、または買主の承諾を得て電磁的方法により提供して説明しなければならない
資力確保措置の 状況（供託等）の 届出	新築住宅を引き渡した宅建業者は、基準日ごとに、保証金の供託および保険契約の締結の状況について、**基準日から3週間以内に**、免許権者に届け出なければならない ➡ この届出をしない宅建業者は、**基準日の翌日から起算して 50 日を経過した日以後**、新たに自ら売主となる新築住宅の売買契約を締結してはならない

ファイト！
ファイト！

業法　自ら売主制限

□ **問1** クーリング・オフは？

→ 書面で告げられた日から（　　　）日経過した場合は不可

□ **問2** 自ら売主制限では、手付は売買代金の（　　　）割まで

□ **問3** 保全措置が不要なのは？

A　完成物件＝（　　　）％以下かつ 1,000 万円以下

B　未完成物件＝（　　　）％以下かつ 1,000 万円以下

□ **問4** 損害賠償予定額・違約金は、合算して売買代金の（　　　）割まで

解答 1＝8　**2**＝2　**3A**＝10　**3B**＝5　**4**＝2

業法　住宅瑕疵担保履行法

□ **問1** 資力確保措置の説明を行う時期は？

→ 契約締結前・契約締結から引渡しまでの間

□ **問2** 資力確保措置の届出は？

→ 基準日から（　　　）週間以内に、免許権者に届け出なければならない

□ **問3** 資力確保措置の届出を行わなかった場合は

→ 基準日の翌日から起算して（　　　）日を経過した日以後、新たに自ら
売主となる新築住宅の売買契約を締結してはならない

解答 1＝契約締結前　**2**＝3　**3**＝50

業法　報酬額の制限

売買	200万円以下 　　　　　　　代金の**5%** 200万円超400万円以下　代金の**4%＋2万円** 400万円超 　　　　　　　　代金の**3%＋6万円**
貸借	＜原則＞貸主・借主合わせて借賃の1カ月分 ➡ **居住用建物の貸借の媒介**の場合、貸主・借主から半月分ずつ ＜例外＞居住用建物以外で、権利金等の授受がある場合 ➡ 名称は問わないが、返還されないものに限る ➡ 権利金の額を売買代金とみなして計算し、高いほうが報酬額
広告費	**依頼者からの依頼がある**場合、報酬とは別に広告費を受領可 （依頼がない場合は不可）

業法　監督・罰則

宅建業者	指示処分 業務停止処分（1年以内の期間） 免許取消処分（**免許権者のみ**）
宅地建物取引士	指示処分 事務禁止処分 登録消除処分（**登録している知事のみ**）
聴聞	監督処分を行う前に**聴聞**をする
公告	宅建業者の**業務停止処分・免許取消処分**の場合のみ

いい調子！

業法 報酬額の制限

□ **問1** 売買の報酬額は？

     A   200万円以下＝代金の（　　）％

     B   200万円超400万円以下＝代金の（　　）％＋（　　）万円

     C   400万円超＝代金の（　　）％＋（　　）万円

□ **問2** 貸借の報酬額は貸主・借主？

     ➡ それぞれ1カ月分・合わせて1カ月分

□ **問3** 依頼がない場合、別途広告費の受領は？ ➡ できる・できない

解答 1A＝5　1B＝4・2　1C＝3・6　2＝合わせて1カ月分
3＝できない

業法 監督・罰則

□ **問1** 業務停止処分は？ ➡ 1年以内・半年以内

□ **問2** 免許取消処分は？ ➡ 免許権者のみ・免許権者以外の知事も可

□ **問3** 指示処分を行う場合、聴聞は？ ➡ 必要・不要

□ **問4** 指示処分は？ ➡ 公告必要・公告不要

□ **問5** 業務停止処分は？ ➡ 公告必要・公告不要

解答 1＝1年以内　2＝免許権者のみ　3＝必要　4＝公告不要
5＝公告必要

法令　都市計画法1

都市計画区域	**都道府県が指定**（2以上の都府県の場合は国土交通大臣） ➡ 行政区画とは関係なく定められる ➡ 区域区分は必ず定めなければならないものではない
用途地域	● 市街化区域には、少なくとも用途地域を**定める** ● 市街化調整区域には、原則として用途地域を**定めない**

法令　都市計画法2

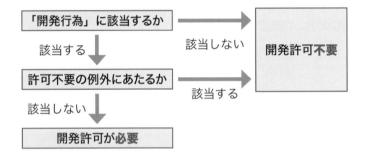

開発許可の例外

	小規模開発	農林漁業用建築物※
市街化区域	**1,000㎡**未満は不要	
市街化調整区域	規模に関わらず許可必要	許可不要
非線引き区域	**3,000㎡**未満不要	
準都市計画区域	**3,000㎡**未満不要	
都市計画区域外	**10,000㎡**未満不要	

※農産物の加工に必要な建築物は農林漁業用建築物に該当しない
その他の許可不要
● 公益上必要な建築物＝**駅舎・図書館・公民館・変電所**など
　（学校・医療施設・社会福祉施設は許可必要なので注意！）
● 非常災害の応急措置
●「〜事業の施行として行う」

法令 都市計画法1

☐ 問1 都市計画区域は行政区画に？ → 関係なく指定可・沿って指定

☐ 問2 都市計画区域が2以上の都府県にまたがる場合は誰が指定？

☐ 問3 区域区分は？ → 必ず定める・定めることができる

☐ 問4 用途地域は？

    A 市街化区域 → 必ず定める・原則として定めない

    B 市街化調整区域 → 必ず定める・原則として定めない

> 解答 1＝関係なく指定可 2＝国土交通大臣 3＝定めることができる
> 4A＝必ず定める 4B＝原則として定めない

法令 都市計画法2

☐ 問1 小規模開発の例外は？

    A 市街化区域 ＝ （ ）㎡未満は許可不要

    B 非線引区域 ＝ （ ）㎡未満は許可不要

    C 準都市計画区域 ＝ （ ）㎡未満は許可不要

    D 都市計画区域外 ＝ （ ）㎡未満は許可不要

☐ 問2 公益上必要な建築物の具体例4つ

> 解答 1A＝1,000 1B＝3,000 1C＝3,000 1D＝10,000
> 2＝駅舎・図書館・公民館・変電所

応援してるよ！
すごい すごい！

法令　建築基準法1

用途規制	全ての用途地域で建築可能 ➡ 宗教施設・公衆電話所・派出所・銭湯・診療所・保育所
建蔽率	都市計画で決定（商業地域は 10 分の 8）
容積率	共同住宅の廊下・階段は容積率に算入しない
日影規制	**商業地域・工業地域・工業専用地域は区域指定対象外**
道路	原則として幅員 **4 m** 以上の道路に **2 m** 以上接していなければならない
防火・準防火地域	＜必ず耐火建築物等＞ 　防火地域＝地階を含む **3 階以上**又は延べ面積 **100㎡超** 　準防火地域＝地階を除く **4 階以上**又は延べ面積 **1,500㎡超**
単体規定	避雷設備＝ **20 m** 超の建築物 非常用昇降機＝ **31 m** 超の建築物

法令　建築基準法2

		新築	増改築・移転 (10㎡超)	大規模修繕 大規模模様替	用途変更
全国	特殊建築物 (200㎡超)	○	○	○	○
	大規模建築物	○	○	○	
都市計画区域・ 準都市計画区域		○	○※		

※防火・準防火地域は 10㎡以内でも確認必要

特殊建築物	特殊建築物＝学校・コンビニ・病院・倉庫・自動車車庫など 　　　　　　（事務所は特殊建築物ではない！）
大規模建築物	**2 階以上**・延べ面積 **200㎡超**のいずれか

法令　建築基準法1

☐ **問1** 商業地域の建蔽率は？

☐ **問2** 日影規制の区域指定対象外となる用途地域3つ

☐ **問3** 建築物は、原則として幅員（　　）m以上の道路に（　　）m以上
接していなければならない

☐ **問4** 必ず耐火建築物等は？

    A　防火地域＝地階を含む（　　）階以上・延べ面積（　　）㎡超

    B　準防火地域＝地階を除く（　　）階以上・延べ面積（　　）㎡超

> **解答**　1＝10分の8　　2＝商業地域・工業地域・工業専用地域
> 3＝4・2　　4A＝3・100　　4B＝4・1500

法令　建築基準法2

☐ **問1** 次のうち、特殊建築物に該当しないものは？

  ➡　学校・コンビニ・倉庫・事務所

☐ **問2** 大規模建築物は？

  （　　）階以上、延べ面積（　　）㎡超のいずれかに該当するもの

> **解答**　1＝事務所　　2＝2・200

あせらず着実にいこう！

法令　国土利用計画法

「対価を得て」に あたる	「対価を得て」に あたらない
売買 交換	贈与 相続・遺産分割 法人の合併 時効取得

	届出が必要な面積
市街化区域	2,000㎡以上
市街化調整区域	5,000㎡以上
非線引き区域	
準都市計画区域	10,000㎡以上
都市計画区域外	

法令　農地法

	3条	4条	5条
	使う人がかわる	使い途がかわる	使う人がかわる 使い途がかわる
許可主体	農業委員会	都道府県知事等 （農業委員会経由）	都道府県知事等 （農業委員会経由）
許可不要 （主なもの）	相続・遺産分割	農業用施設 （2アール未満）	
市街化区域内 の特則	なし （許可必要）	あらかじめ農業委員会へ届出 （許可不要）	
許可・届出が ない場合	効力を生じない		効力を生じない
		工事停止命令、原状回復命令等ができる	

法令　国土利用計画法

□ **問1** 届出不要となる面積は？

A	市街化区域	＝	（　　　　）㎡未満は届出不要
B	市街化調整区域	＝	（　　　　）㎡未満は届出不要
C	非線引き区域	＝	（　　　　）㎡未満は届出不要
D	準都市計画区域	＝	（　　　　）㎡未満は届出不要
E	都市計画区域外	＝	（　　　　）㎡未満は届出不要

解答 1A＝2,000　1B＝5,000　1C＝5,000　1D＝10,000
1E＝10,000

法令　農地法

□ **問1** 使う人がかわる場合は？　→　（　　　）条許可が必要

□ **問2** 使い途がかわる場合は？　→　（　　　）条許可が必要

□ **問3** 使う人も使い途もかわる場合は？　→　（　　　）条許可が必要

□ **問4** 相続の場合は？　→　（　　　）条許可が不要

□ **問5** （　　　）アール未満の農地を農業用施設に転用する場合、4条許可不要

解答 1＝3　2＝4　3＝5　4＝3　5＝2

もうひと
ふんばりだ！

法令 土地区画整理法

施行者	民間施行＝個人・土地区画整理組合・区画整理会社 公的施行＝地方公共団体・国土交通大臣・機構等
建築行為等の制限	事業の施行の障害となる建築等を行う場合 ➡ **知事等**の許可が必要
換地処分	● 原則として全部の工事が完了した後に行う （例外）**規準・規約・定款等に定めておけば完了前にも可** ● 換地計画において定められた事項を**通知**して行う ● その後、国土交通大臣や都道府県知事は公告を行う

法令 その他の法令上の制限

（盛土規制法）

1 宅地造成等工事規制区域（許可が必要な規模）

宅地造成等工事規制区域	宅地造成 特定盛土等	崖を生ずる盛土	**1m**を超える崖を生ずるもの
		崖を生ずる切土	**2m**を超える崖を生ずるもの
		盛土と切土を合わせた	**2m**を超える崖を生ずるもの
		崖を生じない盛土	高さ**2m**を超えるもの
		面積	**500㎡**を超えるもの
	土石の堆積	①高さが**2m**を超え、かつ、面積が**300㎡**を超える ②面積が**500㎡**を超える（①を除く）	

2 特定盛土等規制区域（許可が必要な規模）

特定盛土等規制区域	特定盛土等	崖を生ずる盛土	**2m**を超える崖を生ずるもの
		崖を生ずる切土	**5m**を超える崖を生ずるもの
		盛土と切土を合わせた	**5m**を超える崖を生ずるもの
		崖を生じない盛土	高さ**5m**を超えるもの
		面積	**3,000㎡**を超えるもの
	土石の堆積	①高さが**5m**を超え、かつ、面積が**1,500㎡**を超える ②面積が**3,000㎡**を超える（①を除く）	

法令　土地区画整理法

☐ **問1** 土地区画整理組合は？　➡　民間施行・公的施行

☐ **問2** 土地区画整理組合が施行する事業の施行の障害となる建築等を行う
場合、誰の許可が必要？　➡　施行者・知事等

☐ **問3** 換地処分は（通知・公告）して行う

> **解答** 1＝民間施行　2＝知事等　3＝通知

法令　その他の法令上の制限

☐ **問1** 宅地造成等工事規制区域内で許可が必要な規模は？
　　A　崖を生ずる盛土　➡　高さ（　　　）m超
　　B　崖を生ずる切土　➡　高さ（　　　）m超
　　C　面積　➡　（　　　　　）㎡超

☐ **問2** 特定盛土等規制区域内で許可が必要な規模は？
　　A　崖を生ずる盛土　➡　高さ（　　　）m超
　　B　崖を生ずる切土　➡　高さ（　　　）m超
　　C　面積　➡　（　　　　　）㎡超

> **解答** 1A＝1　1B＝2　1C＝500　2A＝2　2B＝5
> 2C＝3,000

税他　税

（不動産取得税）

課税主体	取得した不動産が所在する**都道府県**		
課税客体	（課税される場合）売買・交換・贈与・新築 （価格増加の場合課税）改築 （課税されない場合）相続・法人の合併・包括遺贈		
課税標準	固定資産課税台帳の登録価格		
標準税率	土地・住宅　　　　　　**3%** 住宅以外の家屋　　　　**4%**		
非課税	土地 家屋	建築 その他	課税標準となる額が **10万円未満** 課税標準となる額が **23万円未満** 課税標準となる額が **12万円未満**

（固定資産税）

課税主体	固定資産が所在する**市町村**	
課税客体	1月1日現在の固定資産	
納税義務者	固定資産課税台帳に登録されている者 　質権 ➡ 質権者 　100年より永い存続期間の地上権 ➡ 地上権者	
課税標準	固定資産課税台帳の登録価格（3年に1度の見直し）	
標準税率	**1.4%**	
納付方法	普通徴収（都市計画税とあわせて徴収可能）	
非課税	土地 家屋	課税標準となる額が **30万円未満** 課税標準となる額が **20万円未満**

ファイト！
ファイト！

税他　税

（不動産取得税）

□ **問1** 不動産取得税の課税主体は？　➜　都道府県・市町村

□ **問2** 標準税率は？

    A　土地・住宅　　＝（　　　　）％

    B　住宅以外の家屋　＝（　　　　）％

□ **問3** 免税点は？

    A　土地　　　　　　課税標準となる額が（　　　　）万円未満

    B　家屋　建築　　課税標準となる額が（　　　　）万円未満

    C　　　　その他　　課税標準となる額が（　　　　）万円未満

> **解答**　1＝都道府県　2A＝3　2B＝4　3A＝10　3B＝23
> 3C＝12

（固定資産税）

□ **問1** 固定資産税の課税主体は？　➜　都道府県・市町村

□ **問2** 標準税率は（　　　　）％

□ **問3** 徴収方法は？　➜　普通徴収・特別徴収

□ **問4** 免税点は？

    A　土地　課税標準となる額が（　　　　）万円未満

    B　家屋　課税標準となる額が（　　　　）万円未満

> **解答**　1＝市町村　2＝1.4　3＝普通徴収　4A＝30　4B＝20

税他　価格の評定

（地価公示法）

国土交通大臣	土地鑑定委員を任命 公示区域を指定
土地鑑定委員会	標準地の選定 正常な価格の判定 　➡ 毎年 1 回・2 人以上の不動産鑑定士が鑑定評価 　➡ 地上権等の権利は存しないものとして判定 公示（公示価格を官報で公示） 送付
関係市町村長	書面・図面を一般の閲覧に供する

（不動産鑑定評価基準）

正常価格	市場性を有する不動産・合理的と考えられる条件を満たす市場
限定価格	市場性を有する不動産・市場が相対的に限定される場合
特定価格	市場性を有する不動産・諸条件を満たさない
特殊価格	文化財等の一般的に市場性を有しない不動産

原価法	価格時点における対象不動産の再調達原価を求め、減価修正を行って価格を求める（土地のみでも OK）
取引事例比較法	多数の取引事例を収集して適切な事例の選択を行い、必要に応じて事情補正および時点修正を行い、かつ、地域要因の比較および個別的要因の比較を行って求められた価格を比較考量し、価格を求める（投機的取引の事例は選択できない）
収益還元法	対象不動産が将来生み出すであろうと期待される純収益の現在価値の総和を求めることにより価格を求める（自己居住用でも OK） 　※直接還元法 ➡ 一期間のもうけ 　※DCF 法 ➡ 連続する複数の期間のもうけ 　　（証券化対象不動産は DCF 法を適用）

ゴールだ！

税他 価格の評定

（地価公示法）

☐ **問1** 土地鑑定委員を任命するのは誰？

☐ **問2** 公示区域を指定するのは誰？

☐ **問3** 標準地を選定するのは？

☐ **問4** 地上権などの権利は（存する・存しない）ものとして評価

☐ **問5** 書面や図面などを一般の閲覧に供するのは誰？

> **解答** 1＝国土交通大臣　2＝国土交通大臣　3＝土地鑑定委員会
> 4＝存しない　5＝関係市町村長

（不動産鑑定評価基準）

☐ **問1** 文化財等の一般的に市場性を有しない不動産についての価格は？

　➡ 正常価格・限定価格・特定価格・特殊価格

☐ **問2** 再調達原価を求めて減価修正して出すのは？

　➡ 原価法・取引事例比較法・収益還元法

☐ **問3** 取引事例比較法において投機的取引の事例は？ ➡ 使う・使わない

☐ **問4** 収益還元法は？

　A 一期間のもうけ＝（　　　　　）法

　B 連続する複数の期間のもうけ＝（　　　　　）法

> **解答** 1＝特殊価格　2＝原価法　3＝使わない　4A＝直接還元
> 4B＝DCF

〈執筆者〉

友次 正浩 (ともつぐ まさひろ)

國學院大學文学部日本文学科卒業・國學院大學大学院文学研究科修了(修士)。
大学受験予備校講師として教壇に立ち、複数の予備校で講義を行うなど異色の
経歴を持つ。
現在はLEC東京リーガルマインド専任講師として、その経歴を活かした過去問
分析力と講義テクニックを武器に、初心者からリベンジを目指す人まで、幅広
い層の受講生を合格に導き、『講義のスペシャリスト』として受講生の絶大な支
持を受け、圧倒的な実績を作り続けている。
(講師ブログ)「TOM★CAT〜友次正浩の合格ブログ〜」
https://ameblo.jp/tomotsugu331/

2025年版 宅建士 合格のトリセツ 基本テキスト

2017年10月30日	第1版	第1刷発行
2024年10月25日	第8版	第1刷発行

執　筆●友次　正浩
編著者●株式会社　東京リーガルマインド
　　　　LEC総合研究所　宅建士試験部

発行所●株式会社　東京リーガルマインド
　　　　〒164-0001　東京都中野区中野4-11-10
　　　　アーバンネット中野ビル
　　　　LECコールセンター　📞 0570-064-464
　　　　　　受付時間　平日9：30〜19：30／土・日・祝10：00〜18：00
　　　　　　※このナビダイヤルは通話料お客様ご負担となります。
　　　　書店様専用受注センター　TEL 048-999-7581 / FAX 048-999-7591
　　　　　　受付時間　平日9：00〜17：00／土・日・祝休み
　　　　www.lec-jp.com/

カバー・本文イラスト●矢寿　ひろお
本文デザイン●株式会社　桂樹社グループ
印刷・製本●三美印刷株式会社

LEC宅建士 受験対策書籍のご案内

受験対策書籍の全ラインナップです。
学習進度に合わせてぜひご活用ください。

基礎からよくわかる！ 宅建士 合格のトリセツ シリーズ

法律初学者タイプ
- イチから始める方向け
- 難しい法律用語が苦手

↓

- ★イラスト図解
- ★やさしい文章
- ★無料動画多数

基本テキスト
A5判 好評発売中

- ●フルカラー
- ●分野別3分冊
  ＋別冊重要論点集
- ●インデックスシール
- ●無料講義動画45回分
- ●スマホ学習一問一答
  ちょこっとトレーニング

試験範囲を全網羅！ 出る順宅建士 シリーズ

万全合格タイプ
- 学習の精度を上げたい
- 完璧な試験対策をしたい

↓

- ★試験で重要な条文・
  判例を掲載
- ★LEC宅建士講座
  公式テキスト

合格テキスト
（全3巻）

- ❶権利関係
- ❷宅建業法
- ❸法令上の制限・税・その他

A5判 2024年12月発刊

超速合格タイプ
- 短期間で合格したい
- 法改正に万全に備えたい

どこでも宅建士 とらの巻
A5判 2025年5月発刊

- ●暗記集『とらの子』付録

↓合格は問題集で決まる↓

— OUTPUT —

過去問題集
分野別なので弱点補強に最適

一問一答問題集
学習効果が高く効率学習ができる

直前対策
本試験の臨場感を自宅で体感

厳選分野別
過去問題集

A5判 好評発売中
- ●分野別3分冊
- ●無料解説動画30回分
- ●全問収録本格アプリ
- ●最新過去問DL

頻出一問一答式
過去問題集

A5判 好評発売中
- ●分野別3分冊
- ●過去問を元にした一問一答
- ●全問収録本格アプリ
- ●最新過去問DL

当たる！
直前予想模試

B5判 2025年6月発刊
- ●無料解説動画4回分
- ●最新過去問DL
- ●WEB無料成績診断

ウォーク問
過去問題集 (全3巻)

B6判 2024年12月発刊
- ●令和6年度試験問題・解説を全問収録
- ●過去の受験者の正解率付

一問一答○×
1000肢問題集

新書判 2025年1月発刊
- ●LECオリジナルの一問一答
- ●赤シート対応
- ●全問収録本格アプリ

過去30年良問厳選
模試 6回分 & 最新過去問

A5判 2025年2月発刊
- ●セパレート問題冊子
- ●最新過去問全問収録
- ●WEB無料成績診断

要点整理本
読み上げ音声でいつでもどこでも
要点をスイスイ暗記

逆解き式！
最重要ポイント555
B6判 2025年5月発刊
- ●赤シート対応
- ●読み上げ音声DL
- ●重要過去問選択肢も掲載

※デザイン・内容・発刊予定等は、変更になる場合がございます。予めご了承ください。

基礎から万全!「合格のトレーニングメニュー」を完全網羅!

プレミアム合格フルコース 全78回

スーパー合格講座 (34回×2.5h)	出た順必勝 総まとめ講座 (12回×2.5h)	とにかく6点アップ! 直前かけこみ講座 (2回×2h)
分野別! コレだけ演習 総まとめ講座 (3回×3.5h)	究極のポイント300 攻略講座 (3回×2h)	全日本宅建公開模試 基礎編(2回) 実戦編(3回)
マスター演習講座 (15回×2.5h)	試験に出るトコ 大予想会 (3回×2h)	ファイナル模試 (1回)

※講座名称は変更となる場合がございます。予めご了承ください。

受講形態

通学クラス　　　　**通信クラス**　　　● 各受講スタイルのメリット

通学 各本校での生講義が受講できます。講師に直接質問したい方、勉強にリズムを作りたい方にオススメ!

通信 Web通信動画はPC以外にもスマートフォンやタブレットでも視聴可能。シーンに応じた使い分けで学習効率UP。

内容 「スーパー合格講座」では合格に必要な重要必須知識を理解・定着させることを目標とします。講師が、難しい専門用語を極力使わず、具体例をもって分かりやすく説明します。「分野別! これだけ演習総まとめ講座」ではスーパー合格講座の分野終了時に演習を行いながら総まとめをします。WebまたはDVDでの提供となりますので進捗にあわせていつでもご覧いただけます。「マスター演習講座」では、スーパー合格講座で学んだ内容を、○×式の演習課題を実際に解きながら問題の解き方をマスターし、重要知識の定着をさらに進めていきます。「出た順必勝総まとめ講座」は、過去の本試験問題のうち、合格者の正答率の高い問題を題材にして、落としてはならない論点を実際に解きながら総復習します。最後に、「全日本公開模試・ファイナル模試」で本試験さながらの演習トレーニングを受けて、その後の直前講座で実力の総仕上げをします。

対象者 ・初めて宅建の学習を始める方
・何を勉強すればよいか分からず不安な方

● 受講料

受講形態	一般価格(税込)
通信・Web動画+スマホ+音声DL	176,000円
通信・DVD	198,000円
通学・フォロー(Web動画+スマホ+音声DL)付	192,500円

詳細はLEC宅建サイトをご覧ください
⇒ https://www.lec-jp.com/takken/

学習経験者専用のインプットと圧倒的な演習量を備えるリベンジコース

再チャレンジ合格フルコース

全58回

合格ステップ完成講座 （10回×3h）	総合実戦答練 （3回×4h）	全日本宅建公開模試 ファイナル模試 （6回）
ハイレベル合格講座 （25回×3h）	直前バックアップ 総まとめ講座 （3回× 3h）	免除科目スッキリ 対策講座 （2回×3h）
分野別ベーシック答練 （6回×3h）	過去問対策 ナビゲート講座 （2回×3h）	ラスト1週間の 重要ポイント見直し講座 （1回×3h）

※講座名称は変更となる場合がございます。予めご了承ください。

受講形態

通学クラス　　　　　　**通信クラス**

● **各受講スタイルのメリット**

通学 各本校での生講義が受講できます。講師に直接質問したい方、勉強にリズムを作りたい方にオススメ!

通信 Web通信動画はPC以外にもスマートフォンやタブレットでも視聴可能。シーンに応じた使い分けで学習効率UP。

内　容 「合格ステップ完成講座」で基本的なインプット事項をテンポよく短時間で確認します。さらに、「ハイレベル合格講座」と2種類の答練を並行学習することで最新の出題パターンと解法テクニックを習得します。さらに4肢択一600問（模試6回＋答練9回）という業界トップクラスの演習量があなたを合格に導きます。

対象者　・基礎から学びなおしてリベンジしたい方
　　　　　　・テキストの内容は覚えたのに過去問が解けない方

● 受講料

受講形態	一般価格(税込)
通信・Web 動画＋スマホ＋音声DL	159,500円
通信・DVD	181,500円
通学・フォロー（Web 動画＋スマホ＋音声DL）付	176,000円

詳細はLEC宅建サイトをご覧ください
⇒ https://www.lec-jp.com/takken/

あなたの実力・弱点が明確にわかる！

公開模試・ファイナル模試成績表

ご希望の方のみ模試の成績表を送付します（有料）。

LECの成績表はココがすごい！

その① 正解率データが一目で分かる「総合成績表」で効率的に復習できる！

その② 自己分析ツールとしての「個人成績表」で弱点の発見ができる！

その③ 復習重要度が一目で分かる「個人成績表」で重要問題を重点的に復習できる！

■総合成績表

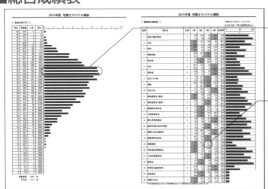

宅建士試験は競争試験です。
最も人数が多く分布している点数のおよそ2〜3点上が合格ラインとなります。
復習必要度aランクの肢はもちろん、合否を分けるbランクの肢も確実にしましょう。

ひっかけの肢である選択肢3を正解と判断した人が半数近くもいます。
ひっかけは正解肢よりも前にあることが多いです。早合点に注意しましょう。

■個人成績表

全受験生の6割以上が正解している肢です。
合否に影響するので復習が必要です。

分野別の得点率が一目でわかるようにレーダーチャートになっています。

現時点での評価と、それを踏まえての今後の学習指針が示されます。

全受験生のほとんどが間違った肢です。
合否には直接影響しません。深入りは禁物です。

講座及び受講料に関するお問い合わせは下記ナビダイヤルへ

LECコールセンター

☎ **0570-064-464** （平日9:30〜19:30 土・日・祝10:00〜18:00）

※このナビダイヤルは通話料お客様ご負担となります。
※固定電話・携帯電話共通（一部のPHS・IP電話からもご利用可能）。

2025 宅建実力診断模試 〔1回〕

高い的中率を誇るLECの「宅建実力診断模試」を、お試し価格でご提供します。まだ学習の進んでいないこの時期の模試は、たくさん間違うことが目的。弱点を知り、夏以降の学習の指針にしてください。

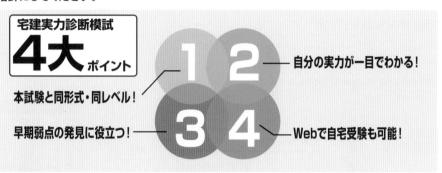

宅建実力診断模試 4大ポイント

1 本試験と同形式・同レベル！

2 自分の実力が一目でわかる！

3 早期弱点の発見に役立つ！

4 Webで自宅受験も可能！

ねらい　本試験で自分の力を十分に発揮するためには、本試験の雰囲気や時間配分に慣れる必要があります。LECの実力診断模試は、本試験と全く同じ形式で行われるだけでなく、その内容も本試験レベルのものとなっています。早い時期に本試験レベルの問題に触れることで弱点を発見し、自分の弱点を効率よく克服しましょう。

試験時間　**2時間**(50問)
本試験と同様に50問の問題を2時間で解いていただきます。試験終了後、詳細な解説冊子をお配り致します（Web解説の方はWeb上での閲覧のみとなります）。また、ご自宅でWeb解説（1時間）をご覧いただけます。

対象者　**2025年宅建士試験受験予定の全ての方**
早期に力試しをしたい方

● **実施スケジュール（予定）**
6/11（水）～6/22（日）

● **実施校（予定）**

スケジュール・受講料・実施校など
詳細はLEC宅建ホームページをご覧下さい。

| LEC宅建 | 検索 |

新宿エルタワー・渋谷駅前・池袋・水道橋・立川・町田・横浜・千葉・大宮・梅田駅前・京都駅前・四条烏丸・神戸・難波駅前・福井南・札幌・仙台・静岡・名古屋駅前・富山・金沢・岡山・広島・福岡・長崎駅前・佐世保駅前・那覇

※現時点で実施が予定されているものです。実施校については変更の可能性がございます。
※実施曜日、実施時間については学校によって異なります。お申込み前に必ずお問合せください。

● **出題例**

実力診断模試

【問 31】　宅地建物取引業者Aが、Bの所有する宅地の売却の媒介の依頼を受け、Bと専属専任媒介契約（以下この問において「媒介契約」という。）を締結した場合に関する次の特約のうち、宅地建物取引業法の規定によれば、無効となるものはいくつあるか。
ア　媒介契約の有効期間を6週間とする旨の特約
イ　Aがその業務の処理状況を毎日定時に報告する旨の特約
ウ　媒介契約の有効期間が満了した場合、Bの更新拒絶の申出がなければ、媒介契約は自動的に更新したものとみなされるとする旨の特約
エ　当該宅地を国土交通大臣が指定する流通機構に登録しないこととする旨の特約
1　一つ
2　二つ
3　三つ
4　四つ

解答　2　（ア：有効、イ：有効、ウ：無効、エ：無効）

LEC宅建登録実務講習のご案内

登録実務講習実施機関登録番号(6)第2号

LECは業務を行うために必要な「宅建士証」の取得を応援します!

宅建登録実務講習とは

宅建登録実務講習とは、直近10年以内の実務経験が2年未満の方が宅地建物取引士登録をするために受講・修了が必要となる講習のことです。

試験合格から宅地建物取引士証交付までの流れ

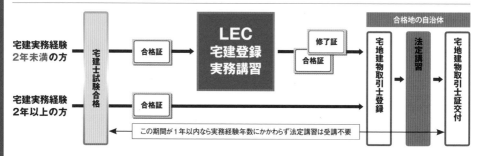

【LEC宅建登録実務講習の流れ】

❶ LEC宅建登録実務講習受講申込 ➡ **❷** 自宅学習（学習期間約1ヶ月） ➡ **❸** スクーリング（12時間）＋修了試験（1時間）

❺ 宅建士登録申請 ⬅ **❹** 修了者に修了証発行 ⬅

【申込書入手方法】

申込書は下記の方法で入手可能です!
①https://personal.lec-jp.com/request/ より資料請求。
②お近くのLEC本校へ来校。
③LEC宅建登録実務講習ホームページよりPDFをプリントアウト。
④宅建講習専用ダイヤルへ問合せ。

スクーリングクラスには定員がございますので、お早めのお申込みをオススメします!

法定講習免除ルートで宅建士登録申請したい…

就職前の年度末までに修了証が欲しい…今から間に合う!?

ひとまずLECをあたってみる!

2025 全日本宅建公開模試 全5回

多くの受験者数を誇るLECの全日本宅建公開模試。個人成績表で全国順位や偏差値、その時点での合格可能性が分かります。問題ごとに全受験生の正解率が出ますので、弱点を発見でき、その後の学習に活かせます。

基礎編（2回）　試験時間 2時間（50問）

内容 本試験の時期に近づけば近づくほど瑣末な知識に目が奪われがちなもの。そのような時期だからこそ、過去に繰り返し出題されている重要論点の再確認を意識的に行うことが大切になります。「基礎編」では、合格するために不可欠な重要論点の知識の穴を発見できるとともに、直前1ヶ月の学習の優先順位を教えてくれます。

対象者 全宅建受験生

実戦編（3回）　試験時間 2時間（50問）

内容 本試験と同じ2時間で50問解くことで、今まで培ってきた知識とテクニックが、確実に習得できているかどうかを最終チェックします。「実戦編」は可能な限り知識が重ならないように作られています。ですから、1回の公開模試につき200の知識（4肢×50問）、3回全て受けると600の知識の確認ができます。各問題の正解率データを駆使して効率的な復習をし、自分の弱点を効率よく克服しましょう。

対象者 全宅建受験生

● 開始スケジュール（一例）

			会場受験		
			水曜クラス	土曜クラス	日曜クラス
実施日	基礎編	第1回	7/23(水)	7/26(土)	7/27(日)
		第2回	8/ 6(水)	8/ 9(土)	8/10(日)
	実戦編	第1回	8/27(水)	8/30(土)	8/31(日)
		第2回	9/ 3(水)	9/ 6(土)	9/ 7(日)
		第3回	9/10(水)	9/13(土)	9/14(日)

※成績発表は、「Score Online(Web個人成績表)」にて行います。成績表の送付をご希望の方は、別途、成績表送付オプションをお申込みください。

● 実施校（予定）

新宿エルタワー・渋谷駅前・池袋・水道橋・立川・町田・横浜・千葉・大宮・新潟・梅田駅前・京都駅前・四条烏丸・神戸・難波駅前・福井南・札幌・仙台・静岡・名古屋駅前・富山・岡山・広島・高松・福岡・那覇・金沢・長崎駅前・佐世保駅前

※現時点で実施が予定されているものです。実施校については変更の可能性がございます。
※実施曜日、実施時間については学校によって異なります。お申込み前に必ずお問合せください。

● 出題例

公開模試

【問　3】　Aの子BがAの代理人と偽って、Aの所有地についてCと売買契約を締結した場合に関する次の記述のうち、民法の規定及び判例によれば、誤っているものはどれか。

1　Cは、Bが代理権を有しないことを知っていた場合でも、Aに対し、追認するか否か催告することができる。

2　BがCとの間で売買契約を締結した後に、Bの死亡によりAが単独でBを相続した場合、Cは甲土地の所有権を当然に取得する。

3　AがBの無権代理行為を追認するまでの間は、Cは、Bが代理権を有しないことについて知らなかったのであれば、過失があっても、当該契約を取り消すことができる。

4　Aが追認も追認拒絶もしないまま死亡して、Bが単独でAを相続した場合、BはCに対し土地を引き渡さなければならない。

解答　2

■お電話での講座に関するお問い合わせ（平日9:30～19:30　土・日・祝10:00～18:00）

LECコールセンター　☎0570-064-464　※このナビダイヤルは通話料はお客様のご負担となります。
※固定電話・携帯電話共通（一部のPHS・IP電話からもご利用可能）。

2025 ファイナル模試 1回

本試験の約3週間前に実施するファイナル模試。受験者が最も多く、しかもハイレベルな受験生が数多く参加します。学習の完成度を最終確認するとともに、合格のイメージトレーニングをしましょう。

内容 本試験直前に、毎年高い的中率を誇るLECの模試で、本試験対策の総まとめができる最後のチャンスです! 例年、本試験直前期のファイナル模試は特に受験者も多く、しかもハイレベルな受験生が数多く結集します。実力者の中で今年の予想問題を解くことで、ご自身の本試験対策の完成度を最終確認し、合格をより確実なものにしましょう。

試験時間 **2時間**(50問)

対象者 **全宅建受験生**

● 実施スケジュール（一例）

	会場受験		
	水曜クラス	土曜クラス	日曜クラス
実施日	10/1(水)	10/4(土)	10/5(日)

※成績発表は、「ScoreOnline(Web個人成績表)」にて行います。成績表の送付をご希望の方は、別途、成績表送付オプションをお申込みください。

※自宅受験(Web解説)の場合、問題冊子・解説冊子・マークシート等の発送は一切ございません。Webページからご自身でプリントアウトした問題を見ながら、「Score Online」に解答入力をしてください。成績確認も「Score Online」になります。

● 実施校（予定）

新宿エルタワー・渋谷駅前・池袋・水道橋・立川・町田・横浜・千葉・大宮・新潟・梅田駅前・四条烏丸・京都駅前・神戸・難波駅前・福井南・札幌・仙台・静岡・名古屋駅前・富山・岡山・広島・高松・福岡・那覇・金沢・長崎駅前・佐世保駅前

※現時点で実施が予定されているものです。実施校については変更の可能性がございます。

※実施曜日、実施時間については学校によって異なります。お申込み前に必ずお問合せください。

● 出題例

【問 19】 建築基準法（以下この問において「法」という。）に関する次のアからエまでの記述のうち、誤っているものの組合せはどれか。

ア 建築物が防火地域及び準防火地域にわたる場合においては、原則として、その全部について防火地域内の建築物に関する規定を適用する。

イ 公衆便所、巡査派出所その他これらに類する公益上必要な建築物は、特定行政庁の許可を受けずに道路内に建築することができる。

ウ 容積率を算定する上では、共同住宅の共用の廊下及び階段部分は、当該共同住宅の延べ面積の3分の1を限度として、当該共同住宅の延べ面積に算入しない。

エ 商業地域内にある建築物については、法第56条の2第1項の規定による日影規制は、適用されない。ただし、冬至日において日影規制の対象区域内の土地に日影を生じさせる、高さ10mを超える建築物については、この限りでない。

1 ア、イ
2 ア、エ
3 イ、ウ
4 ウ、エ

解答 3

■お電話での講座に関するお問い合わせ(平日9:30～19:30 土・日・祝10:00～18:00)

LECコールセンター 📞 **0570-064-464** ※このナビダイヤルは通話料お客様ご負担となります。
※固定電話・携帯電話共通(一部のPHS・IP電話からもご利用可能)。

LEC Webサイト ▷▷▷ **www.lec-jp.com/**

情報盛りだくさん！

 資格を選ぶときも，
講座を選ぶときも，
最新情報でサポートします！

最新情報
各試験の試験日程や法改正情報，対策講座，模擬試験の最新情報を日々更新しています。

資料請求
講座案内など無料でお届けいたします。

受講・受験相談
メールでのご質問を随時受付けております。

よくある質問
LECのシステムから，資格試験についてまで，よくある質問をまとめました。疑問を今すぐ解決したいなら，まずチェック！

書籍・問題集（LEC書籍部）
LECが出版している書籍・問題集・レジュメをこちらで紹介しています。

充実の動画コンテンツ！

 ガイダンスや講演会動画，
講義の無料試聴まで
Webで今すぐCheck！

動画視聴OK
パンフレットやWebサイトを見てもわかりづらいところを動画で説明。いつでもすぐに問題解決！

Web無料試聴
講座の第1回目を動画で無料試聴！気になる講義内容をすぐに確認できます。

LEC 全国学校案内

*講座のお問合せ, 受講相談は最寄りのLEC各校へ

LEC本校

■ 北海道・東北

札 幌本校　☎011(210)5002
〒060-0004 北海道札幌市中央区北4条西5-1　アスティ45ビル

仙 台本校　☎022(380)7001
〒980-0022 宮城県仙台市青葉区五橋1-1-10　第二河北ビル

■ 関東

渋谷駅前本校　☎03(3464)5001
〒150-0043 東京都渋谷区道玄坂2-6-17　渋東シネタワー

池 袋本校　☎03(3984)5001
〒171-0022 東京都豊島区南池袋1-25-11　第15野萩ビル

水道橋本校　☎03(3265)5001
〒101-0061 東京都千代田区神田三崎町2-2-15　Daiwa三崎町ビル

新宿エルタワー本校　☎03(5325)6001
〒163-1518 東京都新宿区西新宿1-6-1　新宿エルタワー

早稲田本校　☎03(5155)5501
〒162-0045 東京都新宿区馬場下町62　三朝庵ビル

中 野本校　☎03(5913)6005
〒164-0001 東京都中野区中野4-11-10　アーバンネット中野ビル

立 川本校　☎042(524)5001
〒190-0012 東京都立川市曙町1-14-13　立川MKビル

町 田本校　☎042(709)0581
〒194-0013 東京都町田市原町田4-5-8　MIキューブ町田イースト

横 浜本校　☎045(311)5001
〒220-0004 神奈川県横浜市西区北幸2-4-3　北幸GM21ビル

千 葉本校　☎043(222)5009
〒260-0015 千葉県千葉市中央区富士見2-3-1　塚本大千葉ビル

大 宮本校　☎048(740)5501
〒330-0802 埼玉県さいたま市大宮区宮町1-24　大宮GSビル

■ 東海

名古屋駅前本校　☎052(586)5001
〒450-0002 愛知県名古屋市中村区名駅4-6-23　第三堀内ビル

静 岡本校　☎054(255)5001
〒420-0857 静岡県静岡市葵区御幸町3-21　ペガサート

■ 北陸

富 山本校　☎076(443)5810
〒930-0002 富山県富山市新富町2-4-25　カーニープレイス富山

■ 関西

梅田駅前本校　☎06(6374)5001
〒530-0013 大阪府大阪市北区茶屋町1-27　ABC-MART梅田ビル

難波駅前本校　☎06(6646)6911
〒556-0017 大阪府大阪市浪速区湊町1-4-1
大阪シティエアターミナルビル

京都駅前本校　☎075(353)9531
〒600-8216 京都府京都市下京区東洞院通七条下ル2丁目
東塩小路町680-2　木村食品ビル

四条烏丸本校　☎075(353)2531
〒600-8413 京都府京都市下京区烏丸通仏光寺下ル
大政所町680-1　第八長谷ビル

神 戸本校　☎078(325)0511
〒650-0021 兵庫県神戸市中央区三宮町1-1-2　三宮セントラルビル

■ 中国・四国

岡 山本校　☎086(227)5001
〒700-0901 岡山県岡山市北区本町10-22　本町ビル

広 島本校　☎082(511)7001
〒730-0011 広島県広島市中区基町11-13　合人社広島紙屋町アネクス

山 口本校　☎083(921)8911
〒753-0814 山口県山口市吉敷下東 3-4-7　リアライズⅢ

高 松本校　☎087(851)3411
〒760-0023 香川県高松市寿町2-4-20　高松センタービル

松 山本校　☎089(961)1333
〒790-0003 愛媛県松山市三番町7-13-13　ミツネビルディング

■ 九州・沖縄

福 岡本校　☎092(715)5001
〒810-0001 福岡県福岡市中央区天神4-4-11　天神ショッパーズ
福岡

那 覇本校　☎098(867)5001
〒902-0067 沖縄県那覇市安里2-9-10　丸姫産業第2ビル

■ EYE関西

EYE 大阪本校　☎06(7222)3655
〒530-0013　大阪府大阪市北区茶屋町1-27　ABC-MART梅田ビル

EYE 京都本校　☎075(353)2531
〒600-8413　京都府京都市下京区烏丸通仏光寺下ル
大政所町680-1　第八長谷ビル

▒ LEC提携校

＊提携校はLECとは別の経営母体が運営をしております。
＊提携校は実施講座およびサービスにおいてLECと異なる部分がございます。

■ 北海道・東北

八戸中央校【提携校】 ☎0178(47)5011
〒031-0035　青森県八戸市寺横町13　第1朋友ビル　新教育センター内

弘前校【提携校】 ☎0172(55)8831
〒036-8093　青森県弘前市城東中央1-5-2
まなびの森　弘前城東予備校内

秋田校【提携校】 ☎018(863)9341
〒010-0964　秋田県秋田市八橋鯲沼町1-60
株式会社アキタシステムマネジメント内

■ 関東

水戸校【提携校】 ☎029(297)6611
〒310-0912　茨城県水戸市見川2-3079-5

所沢校【提携校】 ☎050(6865)6996
〒359-0037　埼玉県所沢市くすのき台3-18-4　所沢K・Sビル
合同会社LPエデュケーション内

日本橋校【提携校】 ☎03(6661)1188
〒103-0025　東京都中央区日本橋茅場町2-5-6　日本橋大江戸ビル
株式会社大江戸コンサルタント内

■ 東海

沼津校【提携校】 ☎055(928)4621
〒410-0048　静岡県沼津市新宿町3-15　萩原ビル
M-netパソコンスクール沼津校内

■ 北陸

新潟校【提携校】 ☎025(240)7781
〒950-0901　新潟県新潟市中央区弁天3-2-20　弁天501ビル
株式会社大江戸コンサルタント内

金沢校【提携校】 ☎076(237)3925
〒920-8217　石川県金沢市近岡町845-1　株式会社アイ・アイ・ピー金沢内

福井南校【提携校】 ☎0776(35)8230
〒918-8114　福井県福井市羽水2-701　株式会社ヒューマン・デザイン内

■ 関西

和歌山駅前校【提携校】 ☎073(402)2888
〒640-8342　和歌山県和歌山市友田町2-145
KEG教育センタービル　株式会社KEGキャリア・アカデミー内

■ 中国・四国

松江殿町校【提携校】 ☎0852(31)1661
〒690-0887　島根県松江市殿町517　アルファステイツ殿町
山路イングリッシュスクール内

岩国駅前校【提携校】 ☎0827(23)7424
〒740-0018　山口県岩国市麻里布町1-3-3　岡村ビル　英光学院内

新居浜駅前校【提携校】 ☎0897(32)5356
〒792-0812　愛媛県新居浜市坂井町2-3-8　パルティフジ新居浜駅前店内

■ 九州・沖縄

佐世保駅前校【提携校】 ☎0956(22)8623
〒857-0862　長崎県佐世保市白南風町5-15　智翔館内

日野校【提携校】 ☎0956(48)2239
〒858-0925　長崎県佐世保市椎木町336-1　智翔館日野校内

長崎駅前校【提携校】 ☎095(895)5917
〒850-0057　長崎県長崎市大黒町10-10　KoKoRoビル
minatoコワーキングスペース内

高原校【提携校】 ☎098(989)8009
〒904-2163　沖縄県沖縄市大里2-24-1
有限会社スキップヒューマンワーク内

※上記は2024年8月1日現在のものです。

書籍の訂正情報について

このたびは，弊社発行書籍をご購入いただき，誠にありがとうございます。
万が一誤りの箇所がございましたら，以下の方法にてご確認ください。

1 訂正情報の確認方法

書籍発行後に判明した訂正情報を順次掲載しております。
下記Webサイトよりご確認ください。

www.lec-jp.com/system/correct/

2 ご連絡方法

上記Webサイトに訂正情報の掲載がない場合は，下記Webサイトの
入力フォームよりご連絡ください。

lec.jp/system/soudan/web.html

フォームのご入力にあたりましては，「Web教材・サービスのご利用について」の
最下部の「ご質問内容」に下記事項をご記載ください。

> ・対象書籍名（○○年版，第○版の記載がある書籍は併せてご記載ください）
> ・ご指摘箇所（具体的にページ数と内容の記載をお願いいたします）

ご連絡期限は，次の改訂版の発行日までとさせていただきます。
また，改訂版を発行しない書籍は，販売終了日までとさせていただきます。

※上記「2ご連絡方法」のフォームをご利用になれない場合は，①書籍名，②発行年月日，③ご指摘箇所，を記載の上，郵送
にて下記送付先にご送付ください。確認した上で，内容理解の妨げとなる誤りについては，訂正情報として掲載させてい
ただきます。なお，郵送でご連絡いただいた場合は個別に返信しておりません。

　　送付先：〒164-0001 東京都中野区中野4-11-10 アーバンネット中野ビル
　　　　　　株式会社東京リーガルマインド 出版部 訂正情報係

・誤りの箇所のご連絡以外の書籍の内容に関する質問は受け付けておりません。
　また，書籍の内容に関する解説，受験指導等は一切行っておりませんので，あらかじめ
　ご了承ください。
・お電話でのお問合せは受け付けておりません。

講座・資料のお問合せ・お申込み

LECコールセンター 📞 0570-064-464

受付時間：平日9：30～19：30／土・日・祝10：00～18：00

※このナビダイヤルの通話料はお客様のご負担となります。
※このナビダイヤルは講座のお申込みや資料のご請求に関するお問合せ専用ですので，書籍の正誤に関
　するご質問をいただいた場合，上記「2ご連絡方法」のフォームをご案内させていただきます。